AVGVSTO

COLEÇÃO "OS SENHORES DE ROMA"

Augusto

Tibério

César

Marco Antônio e Cleópatra

Nero e seus herdeiros

Calígula

OS SENHORES DE ROMA

AVGVSTO

ALLAN MASSIE

TRADUÇÃO
FLAVIA SAMUDA

Diretor editorial: **PEDRO ALMEIDA**
Coordenação editorial: **CARLA SACRATO**
Preparação: **GABRIELA ÁVILLA**
Revisão: **THAÍS ENTRIEL**
Capa: **RENATO KLISMAN | SAAVEDRA EDIÇÕES**
Projeto gráfico e diagramação: **CRISTIANE | SAAVEDRA EDIÇÕES**

Dados Internacionais de Catalogação na Publicação (CIP)
Angélica Ilacqua CRB-8/7057

Massie, Allan 1938-
Augusto / Allan Massie ; tradução de Flavia Samuda. — São Paulo: Faro Editorial, 2021.
352 p. (Os Senhores de Roma)

ISBN: 978-65-5957-003-4
Título original: Augustus

1. Ficção inglesa 2. Augusto, Imperador de Roma, 63 A.C. - 14 D.C. - Ficção I. Título II. Samuda, Flavia III. Série

21-1852 CDD 823.914

Índice para catálogo sistemático:
1. Ficção inglesa

2ª edição brasileira: 2021
Direitos de edição em língua portuguesa, para o Brasil, adquiridos por FARO EDITORIAL

Avenida Andrômeda, 885 - Sala 310
Alphaville - Barueri - SP - Brasil
CEP: 06473-000
WWW.FAROEDITORIAL.COM.BR

Para a Alison, como sempre

PREFÁCIO

NADA NOS ÚLTIMOS TEMPOS DESPERTOU TANTO INTERESSE E CAUSOU tanta especulação quanto a descoberta, no Mosteiro de São Cirilo e São Metódio, na Macedônia, em 1984, da até então autobiografia perdida ou, também conhecida como, Memórias do Imperador Augusto[**]. Acreditava-se que o livro, mencionado por Suetônio e por outros escritores da Antiguidade, estivesse irremediavelmente perdido para todo o sempre. A cópia, encontrada durante trabalhos de restauração do Mosteiro, parece ter sido feita no começo do século XIII, possivelmente por algum dignitário franco durante o breve e vergonhoso Império Latino estabelecido depois da Quarta Cruzada, em 1204.

Certamente as circunstâncias da descoberta comprovam esta teoria, porque a cópia foi escrita no latim original e não em uma tradução em grego, como seria de esperar; além disso, foi encontrada no que se supõe ter sido uma cela de prisão ou mesmo uma câmara de execuções (uma vez que também foi descoberto nela o esqueleto de um homem no começo da meia-idade), emparedada e isolada do mundo exterior. Foi sugerido que a cópia fora feita para justificar a ocupação latino-franca e que a decisão grega de encarcerá-la, na verdade emparedá-la, junto com o dignitário responsável por ela, tinha um humor maligno, característico dos bizantinos. Tudo isso, no entanto, não passa de uma especulação irrelevante para o meu propósito presente e para o conteúdo do manuscrito.

---

* Para um exame minucioso da origem e do significado do manuscrito, ver A. Fraser-Graham: "Augustus: an Essay in Late Byzantine Detection", em *Journal of the Institute of Classical Strategies, vol. VII.*

Para começar, no entanto, era preciso comprovar a autenticidade do documento. Isto foi feito por um grupo de especialistas que deram, o que é extraordinário, parecer unânime. O representante britânico foi o ilustre historiador que é Mestre do Michaelhouse College, em Cambridge. Ele afirmou categoricamente:

— Um rápido exame da cópia do manuscrito já dissipa qualquer dúvida sobre a sua autenticidade. É obviamente o trabalho do Imperador Augusto e, como tal, uma contribuição ímpar para o nosso conhecimento da Antiguidade.

A reputação internacional do mestre é tamanha que ninguém pode questionar sua autoridade. O leitor deve, portanto, ficar descansado: estas são realmente as Memórias de Augusto, traduzidas para o inglês a pedido do Comitê Editorial Internacional pelo novelista e historiador Allan Massie, autor de um primoroso, apesar de derivativo, estudo sobre os Césares (Secker & Warburg, 1983).

Alguns estranharam a escolha de um novelista para fazer a tradução, e com uma razão quase irrefutável. A decisão, entretanto, foi baseada na natureza das próprias Memórias, que apresentam muitos diálogos, cenas dramáticas e apresentação comovente dos personagens. Alguns também podem achar que a versão de Massie é, na verdade, no caso, picante demais, cheia de gírias modernas (ou talvez a gíria de duas ou três décadas atrás) e que se ressente da determinação novelística de tornar a linguagem do imperador sempre vivaz. Devo confessar que compreendo estas críticas; em defesa do nosso tradutor, só posso dizer que o latim do próprio Augusto é cheio de expressões nunca antes encontradas na literatura clássica e que o estilo das Memórias vai do extremamente coloquial a trechos de uma beleza serena e formal.

O fato de que as Memórias são de extraordinário interesse nem é preciso mencionar. Meu objetivo aqui é meramente o de guiar o leitor ignorante do labirinto da História romana, ou aquele cujo conhecimento a respeito foi adquirido somente por meio das representações frequentemente ridículas da grandeza que era Roma oferecidas pelo cinema e pela televisão.

As Memórias compreendem dois livros escritos em diferentes períodos da vida de Augusto. Juntos, eles apresentam uma cronologia razoavelmente coerente, visto que o segundo livro começa aproximadamente onde o primeiro termina.

A atmosfera dos dois, no entanto — é justo que o leitor seja avisado —, é diferente. O primeiro é autoconfiante, exuberante, uma história de triunfos. O segundo é muito mais sombrio. Não se pode negar que o primeiro é mais divertido, porque é variado e empolgante. Contudo, devo confessar que, para mim, é a segunda parte das Memórias, onde o imperador, preocupado, reflete sobre o curso da sua vida, procura descobrir o seu sentido e tenta organizar uma filosofia própria, que eu considero a mais atraente em sua intensidade. Sabemos, por meio de Suetônio, que em seu leito de morte Augusto perguntou:

— Como representei o meu papel nesta comédia da vida?

Agora vemos que não se tratava simplesmente de um capricho final e que esta mesma pergunta atormentou os últimos anos da sua vida. Trata-se também de uma séria advertência para todos nós o fato de este grande romano entre os grandes ter se sentido em muitos aspectos irrealizado, até mesmo um fracassado. Todos os que se interessam pelo significado e efeito do poder sobre o caráter lerão avidamente estas páginas desiludidas e sutis!

O Livro I é dedicado a Caio e a Lúcio, netos do imperador, filhos de Júlia, sua filha, e do grande general Marco Vipsânio Agripa. Ele os adotou e educou como *Principes Iuventutis* (Príncipes do Movimento da Juventude); sua intenção era torná-los seus sucessores. O livro foi, portanto, moldado para estes leitores seletos. Não é possível datá-lo com exatidão, mas parece possível supor, levando-se em conta o tom e o conteúdo, que foi escrito (na verdade, ditado a escravos ou homens livres) por volta de 7 ou 6 a.C.: Caio, que era três anos mais velho do que Lúcio, teria 13 anos em 7 a.C. Entretanto, ele inclui algumas páginas — as que narram a sua reação diante da notícia do assassinato de Júlio César — que parecem ter sido escritas antes. Sabe-se também — e ele confirma isto no texto — que Augusto trabalhou num fragmento de autobiografia durante sua campanha na Espanha, em 24 a.C., e partes deste livro anterior parecem ter sido incorporadas ao texto das memórias escritas para os seus netos. Com efeito, em certas passagens, ele parece menos consciente de dirigir-se a seus netos como leitores. É pouco provável também que o próprio Augusto tenha feito a revisão completa de qualquer uma das partes das suas Memórias. A forma com que chegaram até nós deve-se um pouco, sem dúvida, a seus secretários ou agentes literários.

Talvez não, porque o Livro I é interrompido abruptamente, apesar de não haver razão para terminá-lo com a derrota de Marco Antônio. Na verdade, parece que seria mais indicado terminar o livro com a comemoração do Triunfo de Augusto, em 29, mas isto só é relatado no segundo capítulo do Livro II. Supõe-se, então, que o Livro I tenha sido interrompido em razão dos infortúnios massacrantes que afligiram Augusto a partir de 5 a.C. e que são registrados de forma comovente nos capítulos finais do Livro II. Parece-me conveniente restringir minhas observações, que serão retomadas com um prefácio editorial ao Livro II, quando o leitor já terá tido a oportunidade de desfrutar a alegre animação contida na carta do imperador a seus amados netos. O Livro I nos oferece essencialmente isto: a oportunidade de ouvir Augusto se dirigindo aos dois meninos; e, portanto, é também um convite à intimidade, convite este raro, quase sem paralelo em nossas leituras sobre a Antiguidade.

Uma observação final: as datas apresentadas nesta introdução e no texto obedecem ao sistema atual. Isto é pouco acadêmico. Augusto, naturalmente, datava os acontecimentos *a.u.c. (ab urbe condita:* a partir da fundação da cidade). Massie, no entanto, solicitou que empregássemos o sistema a.C. e d.C., argumentando frivolamente que "todos entendem este sistema que parece menos distante". Protestei contra este absurdo, mas finalmente cedi, com relutância, embora, quando o editor juntou seus apelos aos do tradutor.

Entrementes, *Princeps ipse loquatur!*: que fale o imperador!

AENEAS FRASER-GRAHAM

LIVRO I

I

SINTO DIZER QUE O LIVRO QUE O MEU PAI ESCREVEU SOBRE AS GUERRAS gaulesas é um dos mais enfadonhos jamais escritos. Eu me lembro, Caio, de como o seu professor ficou indignado uma vez quando você se queixou do tédio que esta leitura lhe causava. Você tinha toda a razão, embora não fosse conveniente para mim admiti-lo naquela ocasião, e eu simplesmente sugeri ao seu professor que levasse em consideração o ardor da juventude. Um dos defeitos do livro é o tom pomposo de Júlio César, e isto é causado em grande parte por sua decisão desastrosa de escrever sobre ele mesmo na terceira pessoa:

— César fez isto, César fez aquilo, César agiu para salvar a situação...

Cansa mais o leitor e parece expressar ainda mais autoadmiração do que o perpétuo "eu" das autobiografias.

A clareza é a única virtude daquela muito elogiada frase inicial: "Toda a Gália é dividida em três partes." Ela, porém, está longe de ser exata, uma vez que as divisões da Gália são mais numerosas e muito mais profundas do que ele sugere.

Na realidade, o livro é fundamentalmente mentiroso. Não chega a ser uma surpresa; foi escrito com um objetivo político imediato; e qual manifesto diz a verdade? O Triunvirato formado por César, Pompeu e Crasso estava desfeito. Os inimigos de César, em Roma, clamavam por seu sangue e exigiam a sua volta. Ele apelou para a opinião pública com este relato vanglorioso de suas conquistas gálicas em que falava do que tinha feito por Roma. Deu certo. Até o tom maçante do qual você se queixou foi proposital. Muitos achavam César extravagante; agora a sobriedade impressionante de seu texto os acalmaria.

Portanto, meu querido Caio, e Lúcio também (porque eu não consigo imaginar como você reagiria aos escritos de César, apesar de que você seria educado e indulgente demais para reclamar), a sua crítica foi justificada. Bem "em cima", como você mesmo diria. Sempre me pareceu um exemplo de como não escrever memórias. Não se ouve uma voz individual, e sim a voz de um ator. Naturalmente é também verdade que Júlio César estava sempre representando: o verdadeiro César, se é que ele ainda existia quando eu o conheci, estava enterrado sob camadas de artifício. Ainda assim, a maioria dos papéis que ele elegeu para representar eram mais interessantes e espirituosos do que o papel que ele escreveu para si mesmo na sua "guerra gaulesa".

Contudo, agora que eu decidi escrever este relato da minha vida para vocês — com o intuito de instruí-los, e que, espero, vocês lerão com prazer —, confesso que o tom pomposo é difícil de evitar. Uma autobiografia se propõe a recapturar experiências, mas ao escrever o autor é obrigado a abstrair-se do "eu" que viveu estas experiências e construir uma figura que não pode deixar de ser, de uma certa forma, teatral. Em outras palavras, o "eu" sobre o qual você escreve não é nunca exatamente o "eu" que viveu. (Espero que vocês não achem este conceito difícil demais. É uma ideia moderna, evidentemente, que vocês não encontrarão nos autores que têm estudado, e eu tenho plena consciência das minhas tristes limitações quando tento dar uma explicação filosófica.) De qualquer maneira, eu descobri isto quando escrevi um primeiro esboço da minha vida há uns vinte anos em uma cidadezinha dos Pireneus, onde eu convalescia de uma doença. Garanto a vocês que não achei fácil. Começava, se bem me lembro, com um capítulo genealógico. Todo mundo se interessa pela sua ascendência, naturalmente, mas eu não consegui dar vida à minha. Foi uma experiência profundamente desagradável.

Então, escrevendo este livro para vocês, meus filhos, eu me proponho imitar Homero, ou pelo menos seguir o seu conselho. Ele recomenda que se comece no meio da ação.

Portanto, aqui estamos: Grécia, fins de março, tempo ventoso e frio, neve nas montanhas, e eu com 19 anos.

Deitado a meu lado, depois do banho, Mecenas passou a mão na minha coxa.

— Está vendo, meu caro, eu estava certo! O negócio é casca de noz em brasa. Você tem pernas tão bonitas, queridinho, é uma pena estragá-las com pelos.

E, então, com a mão dele ainda me acariciando logo acima do joelho, e Agripa no divã ao lado roncando algo sobre essa maldita porcaria de efeminados — é uma cena que permanece nítida para mim como a pintura em um vaso —, a cortina foi aberta bruscamente e um escravo apareceu de repente sem a menor cerimônia.

— Qual dos senhores é Caio Otávio Turino? — gritou.

— É este aqui — disse Mecenas, sem tirar a mão de onde estava. Mas eu me sentei, livrando-me dele. Quando os escravos esquecem os modos, mais razão há para um comportamento decente. O homem pousou uma carta em minha mão esticada e desapareceu sem esperar por uma gratificação. (Eu sei por que ele fez isso: sabia que estava trazendo más notícias — os escravos sempre estão a par do que tratam as cartas, provavelmente perguntam aos secretários e o assunto corre. Mas, neste caso, é claro, ele não podia deixar de saber o que ecoaria pelo mundo, e temia como um grego supersticioso o destino que aguarda os portadores de más notícias.)

Eu virei a carta:

— É da minha mãe — disse.

— Ah, pelos deuses — disse Mecenas —, mães!

— Não fale assim — retorquiu Agripa.

— Ora, quem é que está sendo a Senhorita Boa Cidadã agora?

As implicâncias dele são, na minha memória, o acompanhamento azedo ao solo que era a carta da minha mãe. Era bem curta para um assunto que sacudiu o mundo:

> Meu filho, seu tio Júlio foi assassinado pelos seus inimigos hoje no Senado. Estou escrevendo assim porque para notícias como esta não há preparação possível. E eu digo simplesmente "seus inimigos" porque tudo aqui é incerteza. Ninguém sabe o que pode acontecer, se isto é o começo de novas guerras ou não. Portanto, meu filho, tenha cuidado.

Entretanto, chegou a hora de você assumir o papel de homem, tomar decisões e agir, pois ninguém sabe ou pode prever o que o futuro trará.

DEIXEI A CARTA CAIR. (UM DOS OUTROS A APANHOU, E O QUE LEU O SILENCIOU.) Deixei os meus dedos passearem sobre minhas pernas lisas e meu queixo imberbe, e me perguntei se iria chorar. Eu sempre tive facilidade para chorar, mas não tinha lágrimas para Júlio César nem naquela ocasião nem depois.

Logo ouviu-se um clamor do lado de fora. Nós nos vestimos rapidamente e um pouco apreensivos. É o que se faz nestas circunstâncias. Ninguém gosta de ser apanhado nu quando há a possibilidade de uma luta de espadas. Minha cabeça estava cheia de tudo que eu tinha ouvido e lido a respeito das Proscrições no conflito entre Sila e Mário e sobre como o próprio Júlio tinha quase sido morto, porque, Sila havia dito:

— Existem muitos Mários naquele jovem.

Eu não podia ter certeza de que o escravo que trouxera a mensagem não era o precursor dos que tinham se posicionado como meus inimigos além de inimigos de Júlio César. Eu era o seu parente mais próximo; faria sentido para eles se livrarem de mim. Na verdade, estes meus receios mostravam prudência de minha parte, pois a minha morte teria sido um ato de prudência da parte deles.

Eles deviam ter me matado. Eu me pergunto em que momento eles compreenderam isto. É sabido que se arrependeram de não ter matado Marco Antônio junto com o meu tio, como o sensato Cássio queria. Mas Marco Bruto, ostensivamente virtuoso, fez prevalecer a sua opinião. A verdade é que nunca houve uma conspiração tão mal planejada. Eles imaginavam, estes homens que reclamavam para si mesmos o título de Libertadores, estes idealistas sem discernimento, estes tolos descontentes, que se matassem Júlio César, a República voltaria a se estabilizar por si mesma. Eram homens incompetentes, sem visão.

Naquela noite na Ilíria, Agripa, alerta ao perigo que corríamos, organizou uma guarda para minha segurança. Eu tinha me apresentado à multidão e acalmado o tumulto. Para demonstrar minha dor pela morte de Júlio César, rasguei minha roupa (que tinha sido previamente descosida por Mecenas com o auxílio de uma faca). Implorei à multidão, que estava sofrendo tanto quanto eu, como eu sabia — e eles gostaram disso —, que fosse para casa e me deixasse chorar o meu morto. Para a minha surpresa, isto funcionou. Eram uns coitados e estavam ainda mais perplexos do que eu.

— Bem — disse eu a Mecenas quando ficamos sozinhos.

Ele parou de arrancar as sobrancelhas, tarefa que normalmente atribuía a um escravo.

— Bem — disse eu —, sou o chefe da família! Júlio César não tinha nenhum outro herdeiro. Eu sou quase seu filho adotivo!

— Você só tem 18 anos — ele respondeu. — Existem outros líderes no Partido Popular. Marco Antônio e o irmão, Lúcio.

— Eles podem ter matado Marco Antônio também — eu disse. — Por que não? Júlio César foi assassinado há cinco dias! Tudo pode ter acontecido! Minha mãe quer que eu me porte como um homem. Mas como?

— Precisamos ir para a Itália — ele disse. — Lá você não corre mais perigo do que aqui. E faça você o que fizer, ninguém acreditará que não está planejando algo. Então é melhor agir com decisão! Os deuses (a língua dele vibrava em seus lábios) jogaram os dados para você! Você deve pegá-los e jogá-los de novo. Diga a Agripa que providencie um navio, use seus vastos talentos administrativos! Quanto a mim, Nicos me disse que tem uma nova "remessa" da Ásia. Ele me prometeu um jovem frígio com um traseiro de pêssego. Seria uma pena não o colher antes de partir! Nada, meu querido, é mais triste do que a lembrança de uma trepada perdida!

VOCÊS COM CERTEZA GOSTARIAM DE SABER POR QUE EU TOLERAVA Mecenas; ele não é de jeito nenhum o tipo de pessoa que eu tenho à minha volta hoje em dia, não é verdade? Naturalmente eu me tornei sossegado e respeitável com o passar dos anos, mas, mesmo naquela época, Agripa, o pai biológico de vocês dois, não conseguia entender esta amizade.

Ele muitas vezes me censurava por isso e xingava Mecenas, de quem morria de ciúmes e a quem chamava de "bicha devassa". Vocês vão se perguntar também por que eu registrei a conversa frívola e lúbrica de Mecenas, aquela brincadeira a respeito das minhas pernas, por exemplo. Para dizer a verdade, eu mesmo me surpreendi. Só posso dizer que nada traz de volta tão claramente aqueles últimos momentos de irresponsabilidade juvenil como o eco na minha memória daquela fala afetada.

E para responder à primeira pergunta: ninguém jamais na minha vida me deu sempre bons conselhos como ele.

Agripa não suportava saber disto.

Em matéria de conselhos, Felipe, o marido da minha mãe, era o contrário de Mecenas.

Estávamos no mês de abril. Tínhamos chegado a Brundísio de madrugada. O sol estava começando a iluminar as montanhas de Basilicata. Apesar da hora tão matinal, o porto estava fervilhando com uma multidão de legionários desorganizados que haviam sido desligados de seus batalhões — ficamos sabendo que um navio trazendo alguns dos últimos soldados que restavam do exército de Pompeu tinha atracado na véspera, e as ruas em volta do mercado de peixes tinham sido invadidas por esses veteranos que não sabiam o que fazer. Nossa chegada não parecia nada auspiciosa.

Então, as notícias se espalharam bem depressa, uma centena de legionários marchando em ordem unida virou a esquina dos depósitos do cais do porto, e a multidão recuou. O centurião fez com que parassem ao lado do cais, como se eles formassem uma guarda de honra; ou talvez, como comentei com Mecenas, estivessem escoltando um prisioneiro.

O centurião entrou no navio seguido de dois dos seus homens. Dali disse em voz alta:

— Fui informado de que Caio Otávio Turino encontra-se a bordo!

Vi o capitão hesitar. Abri a capa que estava cobrindo meu rosto e dei um passo à frente.

— Sou eu.

O centurião fez uma saudação muito floreada.

— Públio Clódio Maco, centurião da quinta coorte da Décima Segunda Legião, tendo servido na Gália, lutado em Farsália e Munda, ferido e condecorado na última batalha, às suas ordens, senhor. Trouxe minha centúria para escoltá-lo, senhor.

Fui até ele.

— Bem-vindo, amigo! Estou contente em vê-lo.

Levantei então a voz, a fim de ser ouvido pela tropa no cais:

— Vocês são todos soldados e colegas de César. Eu sou filho adotivo de César. Vocês querem vingar seu general. Eu almejo vingar meu pai. Vocês me oferecem sua proteção na estrada a caminho de Roma. Eu lhes ofereço o meu nome e o nome do meu pai como um talismã e concedo-lhes minha proteção em tudo o que fizerem. Foi César vivo quem primeiro nos uniu. O sangue de César, derramado num assassinato infame, nos une agora diante da morte ou da vitória...

Eles me aclamaram com alarde, mas sem sair de alinhamento, um bom sinal. Os dois soldados que tinham subido ao navio atrás de Maco levaram-me sobre os ombros até o cais. Pedi que me pusessem no chão e, arriscando-me, declarei que ia passar em revista a escolta, meu primeiro comando. Era um risco que valia a pena correr. Se eles tivessem se retraído diante desta minha afirmação de autoridade, teriam sido inúteis para os meus planos. Mas não se retraíram. Empertigaram-se, empurraram os ombros para trás. Fiquei aliviado e impressionado. Eram homens sérios, com todos os seus couros polidos, os metais e as armas brilhando. Maco demonstrava ser um bom centurião pelo fato de ter seus homens em tão boa forma dentro de um mundo que desmoronava em incertezas.

— Para onde agora? — perguntou Agripa.

— Para os magistrados — respondi. — É importante que eles compreendam por que estamos aqui.

— Que história é esta de filho adotivo de César? (Agripa vivia cheio de perguntas ingênuas quando éramos moços.) — É a primeira vez que eu o ouço falar nisto.

— Deve estar no testamento. Senão, estamos perdidos!

— MEU CARO RAPAZ, NINGUÉM ADMIRA A SUA BRAVURA MAIS DO QUE EU.

Meu padrasto se inclinou para trás no caramanchão que dava para Campânia e brincou com um copo do vinho amarelo que ele mesmo produzia; os dedos da sua mão esquerda tamborilavam na barriga inchada; o copo quase desaparecia na gordura do seu rosto:

— Ninguém, nem mesmo sua querida mãe, que adora você e que tem chorado sem parar desde que isto aconteceu. Mas, meu caro rapaz, atente-se para os fatos. Olhe para você. Você é pouco mais que uma criança. Não quero ser grosseiro, mas existem momentos em que um sujeito simplesmente precisa dizer a verdade. Quantos anos você tem? Dezesseis?

— Dezoito — respondi.

— Ora, dezoito, dezoito, e você quer enfrentar sujeitos como Caio Cássio. Sem falar em Marco Antônio. Ah, eu sei que ele é conhecido como partidário de César, mas César está morto, meu caro. E eu sei que você me considera um velho fóssil, mas até você tem de admitir que os velhos fósseis já viram muita coisa na vida. E eu conheço Marco Antônio, conheço bem. Ele come rapazinhos imberbes na refeição da manhã! E, acredite, agora Marco Antônio só é partidário de Marco Antônio... não — ele respirou profundamente antes de continuar o seu incansável fluxo de conselhos —, pegue o dinheiro que o velho Júlio César deixou para você. Pegue o dinheiro imediatamente, é claro, mas abra mão da herança política. Diga simplesmente que é moço e inexperiente demais. Deixe que eles procurem outro. Eles provavelmente ficarão aliviados. Eu não acredito que Cássio ou Marco Antônio queiram realmente cortar o seu pescoço.

— Existe este perigo... — disse eu. — Eu não sou inexperiente demais para saber disto. Uma coorte foi mandada para o Sul para me prender. Consegui fazer com que mudassem de lado e agora eles estão comigo, mas isto mostra bem...

— Só — ele suspirou — porque você insiste em chamar atenção para si mesmo. No momento em que você declarar que tudo o que deseja é uma vida tranquila, vão deixar você em paz. Ninguém aparece querendo me algemar, sabe... Além do mais, você tem de admitir que a sua ligação com Júlio César é acidental. Um pouco tênue, hein? Quer dizer, se o pai da sua mãe não tivesse se casado com Júlia, a irmã dele, o que você seria? Nada. Nada importante. Boa família, naturalmente, mas dignitários de cidade do interior. Só isto. Seu pai foi o primeiro da família a entrar para o Senado, sabe, e unicamente por causa da ligação com Júlio César. O que você acha que as famílias realmente importantes pensam disto? Você sabe que desprezam Cícero, que o consideram um arrivista, e ele é um gênio. Você não passa de um menino, e o seu avô era um agiota.

— Banqueiro, digamos — mantive um sorriso enquanto falava. — Você acha que o meu sangue de banqueiro seria forte o bastante para me persuadir a pegar o dinheiro e não fazer mais nada? Você acha que alguém acreditaria que eu estaria satisfeito com isto? O que você acha que os meus próprios soldados diriam?

— Os seus próprios soldados? — ele suspirou e se serviu de mais vinho. — Trata-se de uma fantasia, filho, um jogo de criança, mas que acabará em sangue derramado, e temo que seja o seu sangue. Bem, sua mãe não pode dizer que eu não tentei dissuadi-lo.

É DIFÍCIL FAZER VOCÊS — MENINOS QUERIDOS, CRIADOS NUM AMBIENTE de paz e ordem — compreender a atmosfera de um Estado que desmorona, de uma revolução incipiente. Como poderiam medo e incerteza passar de meras palavras para vocês, filhos do Sol? Da mesma forma, vocês me conhecem como um homem à beira da velhice; vocês mal se lembram de seu pai biológico, Agripa. Você, Caio, tinha apenas oito anos quando ele morreu; você, meu querido Lúcio, era uma criancinha de cinco anos. Eu mesmo nunca pude imaginar Júlio César moço e, no entanto, o vi em ações perigosas. E vocês cresceram na República que eu restabeleci; como podem imaginar um mundo que estava caindo aos pedaços, onde homem nenhum sabia quem era seu amigo?

Eu confiava em Agripa e em Mecenas, naturalmente. Além da afeição, eles não tinham para onde ir. Mas eu não confiava em homem nenhum acima do posto de centurião, e nem sempre nos abaixo. Até mesmo Maco me disse:

— Sabe, senhor, meu irmão está com Marco Antônio. Eu podia fazê-lo nos informar das opiniões dos soldados do lado de lá...

Eu concordei, claro, mas como é que eu poderia saber se uma informação qualquer era verdadeira?

E também não era estritamente verdade que Agripa e Mecenas estavam presos a mim; traidores são sempre bem-vindos, por algum tempo pelo menos. Contudo, eu tinha de agir como se a afeição deles, da qual eu tinha certeza, pudesse continuar a governar seus interesses, o que era mais duvidoso.

Havia, no mínimo, cinco partidos ou facções nacionais, incluindo o meu.

Marco Antônio tinha herdado parte dos seguidores de Júlio César. Ele era cônsul, o que lhe garantia comando direto de pelo menos cinco legiões e, mais importante ainda, dava-lhe autoridade legal.

Os chefes dos que se autodenominavam Libertadores, Marco Bruto e Caio Cássio, ainda com a postura de verdadeiros amigos da República, tinham se retirado em pânico da cidade que havia clamorosamente rejeitado seu presente de sangue. Apesar de terem ganhado nas últimas eleições somente as modestas províncias de Creta e Cirene, respectivamente, soube-se em poucas semanas que Bruto tinha ido para a Macedônia e Cássio para a Síria, onde estavam levantando exércitos rebeldes em nome da liberdade e da virtude republicana.

Da Sicília, Sexto Pompeu, filho indigno de um pai superestimado, espreitava. Enquanto Pompeu, o Grande, tinha livrado os mares dos piratas, Sexto era pouco mais do que um pirata. Entretanto, ele tinha atraído para si os remanescentes mais irreconciliáveis do velho partido aristocrático Optimate, que, ao contrário dos Libertadores, nunca tinham se reconciliado com Júlio César.

Na cidade de Roma, propriamente dita, encontravam-se os constitucionalistas; seu chefe era Cícero. Ele era pelo menos uma voz, um órgão maravilhoso e fecundo.

E, depois, eu. Eu tinha o núcleo de um exército inflamado pela paixão de vingar Júlio César e que continuaria inflamado enquanto eu pudesse mantê-lo.

— Dinheiro — dizia Mecenas —, é com dinheiro que são feitas as coisas.

Agripa bufava, mas eu sabia que Mecenas estava certo. Até este ponto pelo menos; sem dinheiro não era possível.

Marco Antônio havia crescido. Esta foi a primeira surpresa. De lá para cá eu tenho visto outros homens encolherem quando assumiram o poder, como se a autoridade conseguida lhes revelasse suas próprias deficiências. Os modos dele também tinham mudado. Antes ele me tratava como se eu fosse um irmão mais moço. Eu não gostava da suposta intimidade com que ele punha o braço em volta dos meus ombros e me abraçava. Eu considerava isto particularmente ofensivo. Agora, reclinado em um divã com dois galgos descansando a seu lado, ele dispensou um escravo e olhou diretamente para mim.

— Você está criando problemas... — ele disse isto como se eu fosse um delinquente e não me pediu para eu me sentar. No entanto, eu me sentei em outro divã. (Talvez ele tenha se arrependido de não ter mandado tirar este segundo divã.) No silêncio, o murmúrio do fórum matinal chegava até nós.

— Reconheço — disse ele, e eu senti que tinha ganhado o primeiro *round* obrigando-o a se encarregar do rumo da conversa — que você tomou o Sul. Eu até reconheço que você demonstrou competência. Mas as histórias que você permite que circulem só podem beneficiar os nossos inimigos.

— Nossos inimigos?

— É — disse ele. — Quero esses soldados que estão com você. Quantos são? Uma legião? Meia legião? Você naturalmente sabe que como cônsul eu tenho o direito de comandá-los, e que você, como cidadão privado, está agindo ilegalmente. Você não tem um cargo oficial e na sua idade não pode ter. De qualquer maneira, você não pode comandar um exército, você não tem experiência, e eu preciso das tropas. Décimo Bruto está às soltas na Gália Cisalpina, os outros veados estão levantando exércitos no outro lado do Adriático. Preciso destas tropas.

— E o que você me oferece?

— Um posto entre o meu pessoal. Você será cônsul anos antes de ser qualificado para isto. Segurança. Afinal de contas, rapaz, se eu falhar, você está perdido.

Talvez ele estivesse mesmo sendo franco. Na realidade, porque Marco Antônio era o tipo de otimista que acredita que a expressão de um desejo se traduz milagrosamente em realização, ele pareceu pensar que o meu silêncio era prova de consentimento. Seja como for, mandou um escravo nos trazer vinho, bebeu uma taça e começou a fazer uma resenha da situação estratégica. Júlio César tinha me dito uma vez para não subestimar Marco Antônio; apesar de suas extravagâncias, ele era um bom oficial, com um domínio de detalhes que não se encontra frequentemente nos bêbados.

— Há mais uma coisa... — disse eu. — Minha herança. O testamento de César...

Ele se fechou, foi até uma janela; e naquele momento eu compreendi que ia ter de lutar contra ele para conseguir ser alguém. Marco Antônio era um devedor crônico. Ter um tesouro como o de César à sua disposição era uma experiência nova e estimulante. Mesmo se ele não precisasse do dinheiro que César tinha me deixado para manter as suas tropas e comprar popularidade, ele não conseguiria renunciar a algo tão inusitado e agradável.

— Você tem razão — disse eu a Mecenas naquela noite. — Dinheiro é o que resolverá tudo. Vou ter de pagar os meus soldados com os meus próprios recursos. Veja o que pode fazer a respeito. Enquanto isto, marque uma entrevista com Balbo. Ele financiou meu pai: que me financie também.

Agripa disse:

— Não sei se você fez bem em recusar a oferta de Marco Antônio... Afinal de contas, somos todos partidários de César. Temos inimigos comuns. Depois de nos livrarmos deles, poderemos resolver as coisas entre nós. E Marco Antônio é cônsul, ele tem o direito de comandar.

Eu disse:

— Você não compreende. Desde os idos de março não existem partidários de César.

Eu não podia culpar Agripa, ele não era o único incapaz de compreender. Entretanto, aquela incompreensão confusa de como as coisas eram na realidade reforçava a minha posição; era isto que me dava liberdade de movimento. Mandei Agripa à Campânia para recrutar mais soldados — ele era um gênio nisto e eu sabia que eles viriam de forma ordeira. Enquanto isso, fiz Mecenas, com toda a considerável ostentação de que ele era capaz, pagar os legados de César com a minha fortuna pessoal e o meu crédito (as pessoas riem de uma ascendência bancária, mas isso é de valor inestimável quando se precisa levantar dinheiro às pressas). E resolvi seduzir Cícero.

CÍCERO NÃO PASSA DE UM NOME PARA VOCÊS, MEUS FILHOS, PORQUE EU nunca permiti que lessem o que ele escreveu. Talvez no decorrer desta narrativa vocês venham a compreender a razão disto. Mas, para que entendam o meu relato dos meses seguintes, é preciso que eu lhes dê algumas informações sobre este homem absolutamente genial — para outros tempos e uma outra cidade.

Marco Túlio Cícero era o homem mais inteligente que eu conheci, entretanto eu sempre conseguia ser mais esperto do que ele. Nasceu em Arpino, no município de Aroino, em 106, portanto à altura dos fatos que acabo de narrar já era um velho. Os acontecimentos daquele ano terrível mostram, no entanto, que, se o seu discernimento estava enfraquecido, o mesmo não acontecia com sua energia mental e física. Eu tinha simpatia, respeito e até mesmo afeição por Cícero. Nós dois, afinal de contas, pertencíamos à mesma classe social e ele também progredira à custa do seu próprio gênio. Ele era cônsul em 63, ano da conspiração de Catilina, a qual reprimiu com rigor e — é preciso que se diga — com uma admirável indiferença pela legalidade que passou o resto da vida afirmando defender. Por esta façanha ganhou o título de Pai da Pátria, que, como vocês sabem, os senadores julgaram de bom alvitre conferir a mim também. Porém, ele nunca aprendeu a lição do seu cargo: que o poder faz suas próprias regras. Ninguém estava mais consciente da decrepitude da República do que Cícero, ninguém a analisou com mais perspicácia. Ele percebeu que os estranhos comandos confiados aos generais da República lhes tornavam possível criar exércitos leais a eles, mas não à República; e, no entanto, ele nunca descobriu o que tinha dado origem a isto. A cura que propunha era absurda: ele acreditava que, se todos os "homens bons" se juntassem e cooperassem uns com os outros, eles seriam capazes de restabelecer as antigas virtudes da República do tempo de Cipião — quando não a do tempo daquele velho camponês robusto, Cincinato. Ele não via que a própria estrutura estava podre, apesar de ter provado isto na sua vida: para combater César, ele tinha sido forçado a propor que se desse a Pompeu um daqueles estranhos comandos que estavam destruindo o que Cícero amava — loucura!

Eu invejava nele o amor pela ideia da República. Ele era deslumbrado pela virtude. (Mas, meus filhos, vocês sabem o significado do verbo "deslumbrar", não sabem? Vocês percebem que eu o escolhi com a maior precisão para descrever o efeito da paixão sobre este homem de gênio.) E era também muito bem-educado. Depois de discutir a questão com Mecenas, fui visitar Cícero, levando presentes modestos e caseiros — um pote de mel dos Montes Albanos, queijo, os primeiros (muito adiantados, pois era uma primavera maravilhosa e benévola) morangos selvagens de Nemi. Ele me recebeu com uma dignidade que honrou a ambos.

Começou falando sobre César:

— Você não deve pensar que eu não o respeitava e até amava. Quem poderia deixar de admirar suas qualidades? Que poder de raciocínio, que memória, que lucidez, que habilidade literária, que exatidão, que profundidade de pensamento e de energia! A conquista da Gália! Apesar de que, como você deve compreender, eu não posso deixar de pensar nas consequências que considero desastrosas para a República; contudo, que façanha! Era um grande gênio, praticamente sem paralelo dentro de suas características; mas, meu rapaz, e eu digo isto com lágrimas nos olhos, pense nas consequências de sua carreira ilustre: ele trouxe a esta cidade livre, que ambos amamos — não é verdade? —, o hábito da escravidão. Por isso me opus a ele. Por isso fiquei satisfeito com a sua morte. Dói-me dizer isto; é doloroso para você ouvi-lo. Porém, preciso ser sincero se vamos trabalhar juntos, como espero que aconteça.

— Também espero, senhor — respondi.

— Esses presentes que você me trouxe, escolhidos com tanto discernimento, tão sugestivos, dão-me a certeza de que esta esperança não será vã. Sua escolha demonstra equilíbrio e moderação; um critério sério e correto!

Eu disse:

— Os presentes não são nada. Eu simplesmente esperava que eles fossem do agrado do Pai de nossa pátria, que salvou Roma daquele lobo enlouquecido, Catilina!

Sua atitude, que até então fora oficial, maneirosa, retórica e insincera, mudou.

— Ah — disse ele —, você está a par disto. Não consigo acreditar que se ensine História hoje em dia. Os meus próprios filhos e o meu sobrinho não saberiam de nada se eu não os tivesse instruído pessoalmente. E você realmente vê o que Catilina era… E o que Marco Antônio também é?

Fiquei perplexo com a audácia dele, porque eu estava acostumado a ouvir as pessoas zombarem da sua timidez. Eu ainda não sabia que alguns homens ficam mais ousados quanto mais curto se torna o seu futuro.

— Você sabe o que é Roma? — ele perguntou. — Ah, como poderia saber, menino. Mas venha.

Ele me puxou pela manga da túnica até onde podíamos ver a cidade lá embaixo. O céu era do azul mais intenso; os templos do Capitólio brilhavam. Abaixo da colina ouvia-se o barulho da cidade, um movimento constante, um vai e vem animado, aos empurrões; lá estavam os tribunais e o seu burburinho, os banhos públicos e seus vapores, as bibliotecas e seus frequentadores, as casas de pasto, as tavernas e o chiado das suas cozinhas. Voltamos para o frescor do átrio.

— É uma cidade de homens livres — disse Cícero —, com liberdade para se discutir e debater, onde ninguém porta armas ou usa armaduras legalmente; uma cidade de nobre igualdade; e esse cão louco, a quem eu não darei a honra de chamar de lobo como a Catilina, esse pirata bêbado, ameaça fechar as nossas bocas com as espadas dos seus legionários.

— Eu também tenho legiões, senhor.

— Claro que tem, meu caro. É por isso que você está aqui, meu menino. A questão é: o que você fará com elas?

— Minhas legiões estão a serviço da República — disse eu.

Ele deixou que o ar fosse tomado por um longo silêncio de recordações céticas.

— Mas — prossegui — quais são as intenções da República a meu respeito?

— Não estou certo — disse ele — de que no momento seja possível dizer que a República tenha quaisquer intenções. Está tão carente de vontade quanto de legiões. Este, meu caro, é o problema.

Quando Marco Antônio me prometeu proteção se eu lhe entregasse as minhas legiões, havia escárnio na sua voz. Havia algo ainda mais áspero: desprezo. Ele acreditava que eu realmente estaria pronto a comprar segurança.

— Você, menino — ele diria —, com o seu sangue de banqueiro, que deve tudo a um nome…

Tal suposição da parte dele não me fez respeitar sua inteligência: será que ele não tinha compreendido que eu também estava arriscando tudo quando resolvi aceitar o legado de César e a saudação de Maco em Brundísio?

Cícero me louvou no Senado. Suas palavras teriam subido à minha cabeça se a minha vaidade se comparasse à dele. Agripa ficou tremendamente impressionado. Ele repetiu sem parar que nós tínhamos realmente conseguido:

— Eu não vejo como eles podem negar a você autoridade legítima. Não depois dessa defesa.

Eu notei o sorriso malicioso de Mecenas.

— Você não concorda, não é? — perguntei.

— Ah! — disse ele — Quem sou eu para falar? Lembre-se de que eu não sou um romano legítimo. Não entendo seu Senado e suas assembleias. Meus ancestrais eram reis da Etrúria. Então, para mim, é difícil avaliar o efeito de uma oratória sobre uma corporação como o Senado. Mas nós temos um ditado na minha família: cuidado com o homem que fala bem de você. Além do quê, você ainda não ouviu a história que está circulando? Alguém disse a Cícero: "Por que cargas d'água você elogia esse rapaz?"

O velhote olhou por cima do ombro para ver quem estava ouvindo e respondeu: "O rapaz deve ser elogiado." "Deve?", perguntou o amigo.

"Deve", disse Cícero, "devemos elogiá-lo, condecorá-lo e... nos desembaraçarmos dele!". O que que não podemos esquecer, meus caros, é que Cícero já trapaceava até serpentes quando os nossos pais ainda mamavam!

Olhei para Mecenas.

— Não podemos deixar Cícero suspeitar que sabemos o que ele pensa. Ele é o nosso amigo mais querido e o aliado mais indispensável.

ERA UMA PRIMAVERA DA MAIOR SUAVIDADE. O MAU TEMPO DO MÊS DO assassinato de César fora expulso por um sol que prometia mais do que tínhamos tempo de aproveitar.

Eu conseguira um exército, mas hesitava entre usá-lo ou dispensá-lo por enquanto. Marco Antônio voltou para Roma por volta de 20 de maio, trazendo consigo uma escolta pessoal de rufiões prontos para controlar qualquer votação na assembleia popular. Com o dinheiro que na verdade me pertencia, ele comprou uma coalizão com Dolabella, genro de Cícero. No começo de junho, encenou um plebiscito, a fim de prolongar por três anos seu comando nas províncias.

Nós nos encontramos de novo em uma casa que tinha pertencido a Pompeu e cuja vulgaridade eu não sabia se era responsabilidade de um ou de outro. Porém, pude examiná-la bem, uma vez que tive de esperar pelo insolente Marco Antônio. Com certeza ele pretendia fazer-me sentir inseguro. Quando finalmente me concedeu uma entrevista, continuou com sua insolência. Mais uma vez se recusou a desistir do dinheiro de Júlio César.

Aceitei em silêncio sua insolência. Nunca, meus filhos, subestimem o valor do silêncio. Desconcerta a fanfarronice e deturpa o discernimento.

Quando ele estava saindo, deixei bem claro que pagaria todos os legados de César:

— Mesmo que custem até o meu último centavo — afirmei.

Escrevi a meus amigos nas legiões da Macedônia me queixando de que Marco Antônio se recusava a vingar César.

Não era exatamente verdade, porque nos meados do verão Marco Antônio estava na realidade sitiando Décimo Bruto em Módena. Isto preocupou Agripa:

— Acho errado não estarmos trabalhando com Marco Antônio — ele ficou repetindo sem parar. — Fique sabendo que os nossos centuriões não entendem o que você está fazendo. Não estão gostando. Juntaram-se a nós para vingar César e você fica aqui com esta porra de Senado e Cícero.

— Vá treinar sua esgrima, benzinho — disse Mecenas. — Nós temos cabeça. Não estamos a fim de simplesmente sair às cegas por aí.

— Ora — Agripa me lançou um olhar furioso. — Pois é isso que parece, porra! Se vocês têm um plano, será que podiam ter a gentileza de me dizer qual é?

Eu refleti sobre isto.

— Lá vai você de novo... — ele disse. — Você só fica sentado aí, feito uma coruja, e o deixa me gozar. Você não me conta nada, mas sou eu que tenho de arranjar soldados para você e depois dar um jeito de fazê-los ficarem satisfeitos. Mas eles não estão satisfeitos, não estão satisfeitos merda nenhuma. Então qual é este maldito plano?

— Eu não tenho um plano — respondi —, não tenho o tipo de plano que se pode escrever num papel.

E era verdade. Já falei sobre isto com vocês, Caio e Lúcio, mas nunca por escrito. A importância de um plano diminui de acordo com a complexidade da situação. Acreditem: é verdade. Pode parecer paradoxal. Vocês podem pensar que quanto mais complicada é a situação, mais se precisa de um plano para lidar com ela. Concordo com vocês, em teoria. Mas, na prática, é diferente. Nenhum plano está à altura das complexidades e acidentes da política. Daí se conclui que, obedecendo a um plano, você perde a flexibilidade necessária para sobrepor-se aos acontecimentos; pois um momento de reflexão deveria ser o suficiente para perceber que é impossível (até mesmo com o auxílio de adivinhos e matemáticos) predizer o que vai acontecer; e é loucura fingir que você pode controlar as ações dos outros. Portanto, um plano só é útil para as operações simples da vida cotidiana; você pode planejar uma viagem à sua casa de campo, mas não pode planejar os detalhes de uma campanha política ou de uma batalha. Deve-se ter um objetivo, meus filhos, mas para realizá-lo nada é mais importante do que manter desobstruído o fluxo do pensamento. A improvisação é o segredo do sucesso na política, porque a maioria das ações políticas são na verdade e necessariamente reações.

Então, respondi a Agripa:

— Eu não tenho um plano, mas tenho propósitos. Pretendo vingar César e restaurar a República. E, primeiro de tudo, pretendo tornar a nossa posição segura. Todas as minhas manobras são dirigidas para estes objetivos. Você me pergunta sobre Marco Antônio? Você deseja uma reunião dos partidários de César. Eu também. Mas, e Marco Antônio? No seu entender, César está morto, e ele é o sucessor de César. Temos de convencê-lo de que não é bem assim e que ele, Marco Antônio, é menos da metade da nossa facção.

Enquanto isto, como Mecenas logo me informou, Marco Antônio estava fazendo tudo o que podia para destruir a minha reputação. Espalhou muitos boatos a meu respeito. Vou descrevê-los aqui porque não tenho vergonha de ter sido caluniado.

Marco Antônio dizia que eu tinha deixado Júlio César me usar sexualmente a fim de que ele me adotasse. Além disto, acrescentava, mais tarde eu tinha me submetido à luxúria de Aulo Hírcio, procurador da Espanha, pela quantia de três mil peças de ouro.

— O rapaz aluga o corpo por dinheiro — dizia ele —, é o seu sangue de banqueiro, sem dúvida.

Ele me acusava de ser efeminado e mandava agentes seus entre minhas tropas para perguntar por que permitiam que um prostituto os comandasse.

As acusações eram falsas, evidentemente; era ridículo pensar que César recompensaria desta maneira um rapazinho que se portava de modo tão revoltante. Quanto a Aulo Hírcio, ele era tão repugnante que um dos seus escravos preferiu se enforcar a suportar os seus abraços. (A propósito, o escravo era um jovem gaulês, e todo mundo sabe que os jovens gauleses não acham vergonhoso dormir com homens maduros; a religião druida incentiva os jovens a se prostituírem aos sacerdotes, e os guerreiros gauleses estão acostumados a escolher rapazes atraentes para cuidar dos seus cavalos.) Além do que era absurdo supor que três mil peças de ouro tentariam um jovem com a minha fortuna.

O curioso foi que estas alegações não me prejudicaram nem um pouco diante das tropas. Os soldados não acreditaram nelas. Mesmo que tivessem acreditado, Marco Antônio devia saber que os soldados se divertem com os vícios dos seus comandantes. Os legionários de César adoraram ficar sabendo que o seu general tinha sido conquistado pelo Rei Nicomedes. Até cantavam uma canção indecente a respeito, que não vou repetir para vocês.

Agripa, naturalmente, ficou furioso. Ele me disse que estas histórias iam continuar a ser inventadas a meu respeito enquanto eu me desse com uma bicha como Mecenas. E disse que, mesmo que os meus homens resolvessem não acreditar nelas, os senadores, cujo apoio eu procurava, não gostariam que se pensasse que eles estavam se associando a um prostituto.

— Não seja bobo — respondi. — Não há com o que se preocupar. Todo mundo sabe que Marco Antônio é um mentiroso!

No entanto, isto me desagradava também, apesar de que por outro lado eu ficava satisfeito com o fato de que boatos tão absurdos e maliciosos mostrassem que Marco Antônio estava me levando a sério. Contudo, achei que era melhor fazer o que fosse possível para desmenti-los. Para começar, parei de rapar os pelos das pernas e deixei crescer a barba; e fiz questão de ter escravas bonitas perto dos meus aposentos. Mecenas me apresentou a um negociante, Torânio, que era capaz de me fornecer as mulheres mais deliciosas do mercado.

Eu lhes conto essas coisas, meus filhos, não porque a lembrança me dê prazer — para falar a verdade, penso nelas como ao mesmo tempo divertidas e desagradáveis —, mas por duas razões: primeiro, para que vocês saibam por mim mesmo que tipo de homem eu fui e possam portanto ignorar os boatos maliciosos e desonrosos que, tenho certeza, alguns se encarregarão de fazer chegar até vocês; e, depois, para que vocês aprendam quanta cautela, autocontrole e determinação são necessários para manipular a opinião pública. Tive o cuidado de fazer com que Maco visse uma jovem escapulindo desajeitadamente da minha tenda quando ele estava à espera de uma entrevista. Eu sabia que ele diria quando voltasse para as suas tropas:

— Nosso general é homem, sim, vocês tinham que ver a gostosinha que passou a noite com ele.

Marco Antônio estava lutando por si mesmo, mas eu tinha uma visão de Roma. Ninguém sabe como surgem as ideias, que influências predominam, até que ponto um homem cria uma visão de mundo para si mesmo. Tenho discutido estas questões profundas com filósofos — e, como diz o poeta: "Entrei e saí sempre pela mesma porta." —, e com Virgílio, que era algo mais do que um filósofo, um verdadeiro poeta. Agora deixem-me dizer uma palavra a respeito de poetas. A maioria deles não passa de versificadores. Evidentemente, qualquer cavalheiro deveria ser capaz de escrever poesia; você, Lúcio, já escreveu versos que me deram prazer. Quando se trata de mais do que isto, quando se torna uma profissão, muito frequentemente existe algo de desprezível no ofício. Incentiva a presunção e um comportamento extravagante, brincadeiras de mau gosto. A verdadeira poesia tem um valor moral; a maioria dos versos não tem nenhum; alguns são francamente imorais. Ocasionalmente, no entanto, você encontra um poeta que oferece ainda mais do que isto. Ele é um homem de grande percepção, um homem por meio de quem os deuses falam. (Aliás, fico satisfeito com o fato de nunca ter ouvido vocês caçoarem dos deuses; só fazem isto os que estão desnorteados, homens que confiam complacentemente em sua própria futilidade. Eu temo o homem que não teme os deuses, porque lhe falta um senso de proporção.) Tive a felicidade de conhecer um poeta destes, Virgílio. O espírito de Roma morava dentro dele; ele via o que estava escondido para os outros homens. Eu o venerava como ninguém. Às vezes sinto a tentação de acreditar que a essência do meu pensamento político vem de Virgílio. Contudo, isto não é verdade. Eu já estava caminhando nesta direção antes de ter conversado com ele pela primeira vez. Será que as ideias podem existir, por assim dizer, no ar?

Naturalmente, César foi uma inspiração. Porém, falando baixinho aqui para vocês, meus filhos, deixem-me confessar que eu nunca gostei dele. Havia algo de meretrício nele, algo de podre. Ele refletia toda a decadência da República; quando ele atravessou o Rubicão, diante de suas legiões, naquela madrugada de inverno, foi como se tivesse rasgado o véu de um santuário e mostrado a todos que o deus daquele santuário não estava mais ali. Era um grande general; a conquista da Gália e a derrota de Pompeu foram feitos imortais. Mas o que foi que ele fez, então? Ficou tentado pela monarquia — eu soube de fonte segura que, quando Marco Antônio lhe apresentou três vezes a coroa real durante a festa das Lupercálias, os dois esperavam que a multidão aclamasse César desta forma, permitindo-lhe aceitar a coroa. Políticos incompetentes! Não terem preparado as coisas antes! Ele era vaidoso: usava as altas botas vermelhas dos antigos reis de Alba Longa. Vocês me veem tendo um comportamento tão absurdo? Mas havia espaço para esta vaidade — preenchia um vazio no centro da sua imaginação. Tendo alcançado o poder supremo, ele não compreendeu que o seu trabalho tinha apenas começado.

Frequentemente eu falava de Júlio César com Cícero naquele longo verão. Quando percebeu — ah, ele tinha a intuição aguçada do grande interrogador que era — que eu também tinha minhas dúvidas a respeito de meu pai, Cícero deixou cair, como se ela o irritasse, a capa de discrição que usava sempre. Passou a mão pelos seus cabelos grisalhos, inclinou-se para a frente, esticou seu pescoço enrugado para mim e disse:

— A verdade é que ele era um aventureiro, um jogador. Não tinha propósitos, senão os imediatos. Não tinha nenhum senso de História, nenhum senso da relação que precisa existir entre o passado, o presente e o futuro. Nunca analisou as causas da sua própria ascensão porque acreditava que era devida à sorte e a seus próprios méritos; em outras palavras, à sua genialidade. Que bobagem!

— Você acha que havia alguma intenção oculta por trás de sua introdução de gauleses no Senado? — Eu tinha o hábito de pedir a opinião de Cícero, mesmo quando não precisava dela.

Cícero corou, e disse:

— Sem dúvida havia uma intenção, mas era simplesmente a de insultar os senadores, associando-nos a bárbaros. Você pode imaginar algo mais desprezível?

— Não, senhor — respondi, sacudindo a cabeça e fazendo força para não rir —, mas diga-me como, na sua opinião, armazenada em função da colheita ilustre de sua vida, o Estado Livre pode ser restabelecido?

Cícero suspirou:

— Eu quase cheguei a acreditar que era impossível. Talvez, meu caro, você tenha sido enviado pelos deuses para torná-lo possível. O que é preciso é determinação e o acordo de todos os homens de bem da sociedade inteira para trabalhar juntos e obedecer às leis. Não há nada de errado com as nossas leis. O erro, Otávio, está em nossa própria natureza. Deixe-me dar dois exemplos: você já ouviu falar de Caio Verres?

— Quem, graças à sua sublime oratória, não ouviu falar de Caio Verres?

— Bem, é verdade, minha acusação causou alguma sensação na época. Fico satisfeito de saber que ainda é lida. Você se lembra do que eu disse? Deixe-me de qualquer maneira refrescar a sua memória. Não gosto de citar a mim mesmo, mas não sei apresentar de outra maneira o argumento em questão...

E foi o que ele fez; levou meia hora (tudo de memória, é claro) e tinha chegado (eu imaginei) a menos da metade da sua exposição quando foi tomado pela fraqueza dos velhos e teve de me deixar para ir esvaziar a bexiga. Não vou cansá-los com este discurso: só vou dizer que Caio Verres era um desonesto e extorsivo governador da Sicília, que Cícero tinha processado devidamente (hoje, naturalmente, um Verres moderno não seria capaz de cometerem um quarto das ofensas cometidas pelo antigo Caio Verres, e temos meios mais eficientes do que julgamentos públicos para lidar com delitos assim).

Eu tinha pensado que a interrupção talvez me livrasse do resto do discurso. Nada disto; Cícero já estava em plena torrente de palavras antes mesmo de entrar no aposento, sem dúvida para que eu não mudasse de assunto.

Finalmente, fez uma pequena pausa.

— Minha peroração — ele disse — já chamada de sublime.

E presenteou-me com ela num tom elaborado e fortíssimo. (Eu nunca aconselharia alguém a copiar seu estilo grandiloquente excessivamente afetado. Era, suponho, soberbo e sublime, digamos; mas prolixo e bem preparado demais para convencer. Adequado à época, certamente, mas terrivelmente antiquado e repugnantemente floreado na minha opinião. No entanto, aplaudi, como manda a boa educação.) Então, ele disse:

— Agora olhe o outro lado. Eu mesmo já fui governador. Na Cilícia, uma província lamentavelmente saqueada pelos meus predecessores. Recusei-me a seguir o seu exemplo. Não cobrei nada dos pobres provincianos durante o meu governo e, quando digo nada, não estou exagerando. Quero dizer nada, nem um centavo. Imagine só. Recusei-me a fazê-los hospedar as minhas tropas. Fiz os soldados dormirem em tendas. Recusei todos os subornos. Meu caro, os nativos observavam minha conduta mudos de admiração e perplexidade. Sabe, foi difícil impedi-los de erguer templos em minha honra. Inumeráveis bebês receberam o nome de Marco, fato a que eu não podia me opor. Quando eu trouxe escravos das minhas campanhas, depositei no Tesouro os doze milhões de sestércios que recebi pela venda. É assim que se governa; é assim que deveria ser. Não como Caio Verres, não como Marco Bruto! — Ele parou para dar uma risadinha e prosseguiu. — Você sabe, meu caro, que juros ele cobrava dos desgraçados cipriotas sob seus cuidados? Não? Você não vai acreditar. Quarenta e oito por cento. É isto mesmo, é verdade. Quarenta e oito por cento. Imagine. Mas você está vendo o que eu quero dizer, meu caro? Não há nada de errado com a República que não se possa consertar com mudanças de atitude e uma volta à moralidade rígida dos nossos ancestrais. Enquanto isto, no entanto, temos de lidar com Marco Antônio, este animal selvagem. As histórias que ele tem espalhado a seu respeito! É uma vergonha. Um velho como eu suporta bem a calúnia; deve ser sempre doloroso para os jovens.

Tanto otimismo, tanta ingenuidade em alguém com tanta experiência!

NO FINAL DO VERÃO, MARCO ANTÔNIO TINHA FEITO POUCO PROGRESSO em direção a seu objetivo de dominar o Estado. Em agosto, Cícero voltou de sua temporada à beira-mar revigorado pelo clima benigno e por outras delícias da Baía de Nápoles e o atacou no Senado. Naturalmente, não ouvi o discurso. Meu cunhado, Caio Marcelo, contou-me que tinha sido "a mesma coisa de sempre, conversa fiada". Mesmo assim, atingiu Marco Antônio. Ele andava se imaginando no papel de procônsul; ficou irritado de ter a suspeita história da sua vida e a sua indigência moral relembradas pelo velho. O Senado pode bem ter ficado vazio enquanto Cícero falava ("Os mais jovens deram-lhe o Apelido de 'gongo do jantar', sabe?", disse Marcelo), mas o discurso foi copiado e distribuído pelo Fórum. Causou impressão. As pessoas viram que Marco Antônio não merecia confiança. Elas queriam um homem com quem pudessem contar. Cícero era velho demais, os cônsules Pansa e Hírcio, obscuros demais, os autodenominados Libertadores não poderiam nunca superar a antipatia das legiões de César: o caminho abria-se para mim.

Marco Antônio cometeu um erro. No começo de setembro, Agripa veio, suando agitadíssimo, me ver.

— Estamos fritos — disse. — É melhor fazer as malas.

— O que foi?

Eu me sentei e disse a Agripa que se sentasse também. Esta é sempre a reação mais sensata e eficaz para enfrentar sinais de pânico incipiente. Sente-se, ou diga aos outros para se sentarem, ou as duas coisas. Ora, uma vez pacifiquei uma coorte amotinada dando uma ordem ríspida e rápida para que todos se sentassem. Vocês não fazem ideia, até verem-no em prática, como este comando é eficaz. Uma multidão em pé sente sua força coletiva. Façam-nos sentar e vocês lhes devolverão a sensação de que são indivíduos. Vocês os farão conscientes de si mesmos.

— Marco Antônio mandou uma carta para o Sumo Pontífice.

— Não lhe adiantará nada. Lépido é um papo-furado...

— Você não está entendendo. Ele publicou a carta e o está acusando de planejar o assassinato dele. Pede que você seja preso e julgado imediatamente.

Toquei a campainha, chamando um escravo.

— Procure Mecenas e peça-lhe que venha aqui. E traga vinho — ordenei. — Você está com cara de quem precisa de um gole, Agripa.

— Bem — disse eu a Mecenas quando ele apareceu —, temos planejado muitos assassinatos ultimamente?

— Não muitos.

— Nem mesmo o do cônsul?

— Não que eu saiba. Espero que você não tenha me tirado de um divã muito interessante só para fazer palhaçada. O que é que há?

— Diga-lhe, Agripa.

— Não — respondeu Agripa, que agora estava com medo de ser gozado. — Você lhe diz.

— Mas isto é ótimo! — exclamou Mecenas. — Não estou com pena de ter prorrogado o meu divã. Este é o primeiro ponto que ele realmente perdeu para nós.

— Exatamente. Como devemos tirar partido disto?

— Com riso.

— Esta é a minha opinião também, mas ele está mostrando que nos leva a sério.

Fui até a mesa e escrevi por alguns minutos.

— Que tal isto? — Li o seguinte para eles:

> Amigos, romanos, compatriotas: vocês devem lembrar-se de que há menos de seis meses o Cônsul Marco Antônio prefaciou com estas mesmas palavras seu louvor ao meu pai, que tinha sido assassinado. Naquele discurso nobre e comovente, preparado pelos seus secretários, ele elogiou a nobre generosidade do meu

pai e, com uma fina ironia, expôs a desonra dos assassinos. Muito bem, amigos; minha gratidão por aquele discurso continua de pé. A ironia, contudo, é um hábito corruptor, que funciona de maneira semelhante ao vinho. Os bêbados começam a beber com a mesma discriminação do homem comum que gosta de um copo de vinho. Mas enquanto o homem comum torna-se moderadamente mais animado e mais interessante sob os efeitos do vinho, que ele prudentemente misturou com água, os bêbados tornam-se inflamados e o seu discernimento é destruído. O mesmo acontece com o hábito da ironia. Um homem pode ficar possuído por ela. Eu somente posso supor que foi isto que aconteceu ao nosso nobre e honrado cônsul. Deve ser ironia, porque não poderia ser vinho, poderia?

Por que estou dizendo isto, vocês perguntam? Bem, chegou ao meu conhecimento uma história que, dizem, tem sido relatada pelo cônsul. Parece que ele está me acusando de planejar o seu assassinato.

A acusação é tão absurda, que eu não pretendo apresentar uma defesa. Não vou insultar essa aberração momentânea do cônsul levando-a a sério. Se tal acusação tivesse sido apresentada por outro homem, eu o julgaria bêbado. O cônsul, naturalmente, não podia estar bêbado. Nenhum homem dirigindo os negócios da República neste ano terrível seria inconsequente e irresponsável o suficiente para se embebedar. Nós todos conhecemos a dedicação do cônsul ao dever e sua seriedade criteriosa. Portanto, só posso supor que ele se tornou vítima do hábito da ironia e que a acusação é uma pilhéria esmerada para sua própria diversão. Minha única queixa é que se trata de uma piada hostil. Nem todos vão compreendê-la, pois nem todos possuem o delicioso senso de humor do cônsul.

E eu a desminto unicamente porque não gostaria que os amigos do meu pai duvidassem do calor dos meus sentimentos por um de seus lugares-tenentes. É claro que eu não culpo o cônsul, principalmente porque penso que é possível que ele tenha levado a sério uma brincadeira de sua mulher, Fúlvia. E todos

> nós sabemos quem era o primeiro marido dela, que padrões de espírito público e honra pessoal ele sempre demonstrou ter, com que humor alegre Fúlvia e ele preparavam acusações semelhantes, como ela foi adestrada pela experiência e como orienta o cônsul sensata e firmemente.

— Isso — disse eu — deve dar conta dele.

— Lindo! — Mecenas se levantou de um pulo e abraçou-me. — Você pegou o homem de jeito! A Itália inteira vai rir disto! O único problema, meu caro, é que você pode ter superestimado a inteligência do público. Pode-se ir à falência por isso, como qualquer produtor teatral lhe dirá. Deixe-me só alterar a última parte... da-da-da-da... que tal isto? Começando onde você menciona Fúlvia e continuando: "e todos nós sabemos que Fúlvia era casada com o ex-nobre Clódio, cujo zelo religioso era tal que ele até se vestia de mulher para participar do festival sagrado da Boa Deusa, cuja devoção à verdade o obrigou a prestar depoimento em milhares de tribunais, cujo amor pela República era tão forte que ele se tornou um plebeu a fim de poder se candidatar a tribuno, e cujo senso do ridículo era tão aguçado que ele se fez adotar por um homem que tinha idade para ser seu filho. Não admira, portanto, que Fúlvia tenha sido adestrada pela experiência" (gosto dessa expressão, foi você que a inventou? Nunca a ouvi antes) "para fabricar tais acusações. É claro que, como não sou o cônsul e há coisas das quais sou completamente ignorante, não posso afirmar categoricamente que tal acusação seja da autoria de Fúlvia. E sou, ai de mim, jovem demais para ter qualquer recordação pessoal do seu primeiro marido. Mas, pelo que tenho ouvido dizer dele, isto tem cheiro de Clódio. E tem cheiro de saia também. De qualquer modo, todos nós sabemos como Fúlvia orienta — eu não direi controla — e aconselha o honrado cônsul". Você tem de trocar em miúdos, deixar bem claro, meu caro. Mas eu acho que eles vão ser expulsos pelo riso.

— Ótimo! — disse eu — só mais um requinte. Acho que esta poderia ser a ocasião para exibir mais uma vez a minha gagueira diplomática. Então: *Todos nós sabemos que Fúlvia era casada com o ignóbil — sinto muito, eu quero dizer ex-nobre — Clódio.* Que tal?

— Ah, vocês dois são muito inteligentes — disse Agripa. — É uma pena que não levem nada a sério.

— Não há nada de mais sério na política do que a piada certa — retorqui.

— Pode ser que eu seja muito burro, mas eu não entendo.

Ele era burro, claro, mas eu tratei de acalmá-lo. Não podia deixar o meu Agripa ir embora naquele mau humor.

Ele estava em boa companhia, Cícero também não entendeu. Tinha acreditado na acusação de Marco Antônio e só lamentara que eu não tivesse "tido a autoconfiança ou a capacidade de realizar tão meritório propósito". Ficou perplexo com a minha resposta. Suponho que era moderna demais para ele. Achou o tom frívolo, inadequado. Assim mesmo não conseguiu deixar de dar umas risadas com o nosso ataque a Fúlvia. Nunca tinha odiado alguém tanto quanto odiara a Clódio, e este ódio era extensivo a Fúlvia:

— Uma mulher terrível, uma harpia, uma ave do Estínfalo, como as que foram alvo das setas de Hércules, louca por poder.

Ele tinha toda a razão.

Quanto a mim, eu, de repente, precisava de Cícero mais do que nunca. A credibilidade de Marco Antônio tinha sido prejudicada pela minha réplica imediata, que também o incitara a agir. Ele começou a recrutar soldados rapidamente. Naquele outono, em Suessa, ele organizou o seu exército, marchou até Brundísio e apoderou-se de três legiões, a Segunda, a Quarta e a Marciana, que estavam voltando do Leste; sua rapidez antecipou os meus agentes. No caminho de volta para o Norte, acrescentou às suas a legião favorita de Júlio, a Cotovia. Estava pronto agora para atacar Décimo Bruto em Módena com uma tremenda força militar. Apesar do que eu tinha conseguido, ele estava muito próximo de se tornar senhor da Itália em poucas semanas. Eu tinha a necessidade de fazer os republicanos tradicionais, que temiam e detestavam Marco Antônio, acreditarem em mim. Então escrevi a Cícero uma carta cheia de paixão, implorando-lhe que me aconselhasse e salvasse a República como tinha feito na sua juventude.

Até que ponto eu o enganei? Num certo sentido, nós estávamos ligados um ao outro. Eu precisava de Cícero, o único homem capaz de reconciliar os tradicionalistas comigo; mas ele precisava da minha espada e do comando que eu exercia sobre os veteranos de Júlio César. Existem casamentos parecidos com o nosso relacionamento, apoiados em interesses comuns e desconfiança recíproca. Eu não conseguia esquecer o escárnio de Cícero: que eu devia ser elogiado, condecorado e eliminado. Cartas que ele escreveu a seu amigo Ático — cartas que eu leria quando os seus documentos pessoais ficaram sob minha custódia — mostram que a minha desconfiança era prova de bom senso: eu não passava de um menino, dizia ele; tinha certeza de minha oposição a Marco Antônio, mas não das minhas intenções em relação à República. Ele via nuvens de guerra se formando sobre os Apeninos. Tinha saudade de Bruto e Cássio, cujos propósitos eram confiáveis.

É, eu tinha razão por desconfiar dele, mas ele estava errado. Eu também venerava a República, como provam minhas ações subsequentes de restauração da República e de renúncia ao poder. Mas discordávamos em termos práticos. Eu já sabia, naquele tempo, que as coisas tinham de mudar se desejávamos que continuassem iguais; que Roma só podia ser preservada do despotismo se sua nobreza aceitasse ser governada.

Naquele mês de novembro, a neblina estava tão espessa em Roma quanto sob os Alpes. Eu cheguei de volta no começo do mês e estacionei três mil homens fora da cidade nas colinas de Alba Longa. Nós nos reunimos em um conselho na casa do meu padrasto no Aventino. Marcelo foi o primeiro a falar, seguido do meu padrasto. Os dois disseram que não tínhamos feito nenhum progresso verdadeiro desde a primavera, enquanto Marco Antônio se fortalecia.

— Você está se arriscando a não sair do "não sei se vou ou se fico" — disse Marcelo.

— Eu sempre disse — insistiu Felipe — que você não pode agradar a gregos e a troianos. É impossível — ele falava com a autoridade de um homem com o traseiro preso na cerca, o neutro profissional. — Você só tem duas opções reais: ou arrisca tudo com Marco Antônio, aceitando o que quer que ele esteja disposto a oferecer, ou faz o que eu sempre lhe aconselhei que fizesse: desiste de participar do jogo e se retira para seus vinhedos e plantações. Eu sei qual das duas agradaria à sua mãe.

O conselho não conseguiu nada. Mecenas bocejou o tempo todo. Agripa ficou furioso. Ele tinha se conformado com a nossa oposição a Marco Antônio por causa da acusação de assassinato e do sarcasmo sobre "o menino apoiado pelo ajudante de encanador e o bicha". Agora ele instava para que eu marcasse uma reunião pública para explicar o meu caso ao povo:

— Esse é o costume romano — ele repetia.

Fazia sentido para mim. Então marcamos uma reunião no Templo de Castor para o dia 10 de novembro. Não se sabia o que esperar da multidão. Um tribuno, Tito Canúcio, falou primeiro, atacando Marco Antônio, e foi muito aplaudido. Num impulso repentino, abandonei o meu discurso preparado. Eu tinha passado a noite escrevendo e estava febril, isto talvez tenha afetado o meu discernimento. De qualquer maneira, mal tinha me lançado quando percebi que não captara o estado de espírito. A arte da oratória consiste, antes de mais nada, em sentir o estado de espírito da plateia, em conseguir uma empatia implícita, de forma que se diga o que a multidão mais profunda e inconscientemente deseja ouvir. Fracassei. Ataquei Marco Antônio, naturalmente, mas fui frívolo demais, irônico demais. Não tinha percebido a intensidade do medo dos meus ouvintes. Eles farejavam guerra e proscrições no vento frio que soprava do acampamento de Marco Antônio lá no Norte. Minha ironia não ajudou a exorcizar sua ansiedade. Fez, pelo contrário, com que eles desconfiassem de mim: eu parecia desprovido da seriedade e da solidez de propósitos necessárias para afastar a catástrofe. Compreendi isto enquanto falava. Sofri o que um ator sofre quando se vê no papel errado. O que tinha acontecido? Depois eu me convenci de que o problema era que eu tinha me dirigido a Mecenas em vez de a Agripa. Foi uma lição de que nunca mais me esqueci. Enquanto isto, eu afundava mais. Acabei iniciando um louvor a Júlio César. Mas não consegui, com isto, consertar as coisas, pois, em vez de me ater a uma recitação do que ele tinha feito em prol de Roma e um lembrete de sua generosidade para com o povo, minha língua declarou minha intenção de "alcançar a glória do meu pai". As palavras saíram de dentro da neblina e ficaram penduradas, em sua óbvia ambição, no ar. Procurei salvar a situação falando das ofensas que Marco Antônio tinha me feito:

— Ele espalhou calúnias a meu respeito, acusou-me de vícios vergonhosos, chegou a afirmar que eu estava planejando o seu assassinato.

Não adiantou; as palavras saíram com um som histérico. Eu me senti encolhendo na imaginação dos que me ouviam. Eles estavam até começando a sair. Parei no meio de uma frase. Agripa fez com que eu me sentasse e se levantou.

— Olhem aqui — disse ele —, é simples. Vocês todos conhecem Marco Antônio. Eu também sou um homem comum e sei que não se pode confiar em Marco Antônio. Ele é capaz de roubar a sua própria avó. Vocês sabem muito bem. Nenhum de vocês se sentirá em segurança se ele ganhar. Esta reunião é sobre isto. Ora, eu conheço Otávio melhor do que qualquer um de vocês. Vocês podem achar que ele é um pouco moço demais. Mas vocês devem pensar no tipo de confusão em que homens mais velhos do que ele nos meteram. Até um porco acharia isto fedido. Que espécie de futuro eles darão a vocês e a seus filhos? Talvez seja hora de os mais velhos darem uma chance à mocidade. Pelo menos não temos antecedentes criminais. Não somos bêbados e não assassinamos nossos benfeitores. Otávio é um bom rapaz. Está bem, ele é moço, mas oferece a vocês a chance de um futuro decente. Só peço a vocês que pensem sobre isto. Se tiverem um pingo de coragem, e se não tiverem a mente completamente vazia, vocês nos apoiarão. Até o maldito fim, se vocês sabem das coisas.

Talvez não tenha sido totalmente convincente, mas salvou a situação. O rosto de Mecenas, que tinha ficado pálido de medo, voltou à sua cor natural. Sendo ele quem era, não confiava jamais em multidões. Temia sempre que uma palavra em falso fizesse com que nos linchassem.

Aprendi muito naquele dia. A reação de Cícero foi característica:

— Que discurso — ele escreveu a Ático. — Terei eu superestimado as qualidades do rapaz e subestimado a herança de Júlio César?

O dia 10 de novembro me deixou com muito terreno para reconquistar.

Felizmente, o que acontece com frequência quando você se decepciona consigo mesmo é que os seus inimigos cometem erros que lhe dão tempo de se recuperar.

Escapamos da cidade aquela noite num caos de bagagem, recriminações, confusão e pânico. Felipe, tremendo como se estivesse com febre, nos recebeu em sua casa em Sabina.

— Você colocou tudo a perder... — disse ele. — Em que você estava pensando? Seria louco a ponto de tentar dar um golpe de Estado? Você ultrapassou os limites e se tornou um fora da lei. Agora nenhum homem respeitável ousará ficar ao seu lado. Até Públio Servílio Isáurico, que tem sido seu melhor amigo entre os cônsules, está com medo.

— Ele nos emprestou Tito Canúcio — respondi —, um tribuno ligado a ele e que comandou o ataque a Marco Antônio com a sua autorização.

— Verdade. Mas o ataque fracassou e Públio Servílio não quer mais saber de você. É o que ele diz nesta carta, veja... Ora, ele até insiste para que eu, em nome da minha segurança pessoal, me recuse a receber você em minha casa. O que sua mãe vai dizer? Por que, ah, por que você não seguiu os meus conselhos? Este é o preço que você está pagando por não me ouvir.

Olhei para o seu terror ignóbil e me virei para Agripa.

— Você disse muito bem — afirmei. — Nós tropeçamos, só isto. Meu padrasto, acredite, a partida não está perdida. Mas o que eu preciso saber é onde posso encontrar Balbo.

— Agora ele também se recusará a ajudar você.

— Acho que ajudará, sim — respondi —, e precisamos de dinheiro. Dinheiro. Se Balbo arranjar mais meio milhão, nós sairemos dessa enrascada.

Quase não falei sobre Balbo. Talvez eu esperasse, com aquela vaidade que nunca nos abandona completamente, poder contar minha história sem mencioná-lo. Entretanto, se desejo instruir vocês (e dizer a verdade), não posso deixar de falar nele.

Balbo era um fenômeno, um cidadão de Cádis, na Espanha, que Júlio César conhecera em sua primeira campanha naquele país. Ele tinha minas de prata, grandes latifúndios e bancos. Uma fortuna enorme, que logo se tornou perpétua por autoinvestimento. Vocês não entenderão isto, meus filhos; na verdade, apesar do meu sangue de banqueiro, não sei como isto acontece... Parece que existe uma lei do "deus Moeda": os que se dedicam a servi-lo descobrem o segredo da perpétua fertilidade. Além de um ponto indeterminado, dinheiro gera dinheiro. Balbo logo alcançou o estágio em que não podia consumir os juros de seus investimentos; pouco mais tarde não conseguia consumir os juros dos juros que tinha aplicado a juros. Enquanto ele evitasse investimentos insensatos, parecia que o seu deus lhe tinha dado licença para cunhar seu próprio dinheiro.

Quando cheguei a Brundísio, no fim de março, encontrei uma mensagem dele:

— Use o meu dinheiro para o que quer que você precise por meio do grego Anaxágoras, na casa com a tabuleta do Peixe nesta cidade.

Fiz o meu amigo Públio Salvidieno Rufo levar a mensagem para autenticação do selo. Depois, à noite, acompanhado por Rufo e Agripa, os três encapados e encapuzados, fui à casa do grego através do calçamento escorregadio da cidade às escuras. Ele também tinha recebido instruções. Foi então que percebi pela primeira vez o que um homem bem-nascido não conhece: a oculta presteza do dinheiro. Arcas cheias de peças de ouro estavam esperando por nós. De onde tinham vindo, eu não sei. Trata-se de um mistério religioso. Eu só precisei assinar um papel. Mandei Agripa buscar Maco e seus legionários com carroças. Foi este ouro que financiou minha marcha para Roma.

Agora, naquela situação aflitiva, eu disse a Felipe:

— Vou para Arezzo, na Etrúria. Se Balbo me der outros quinhentos mil, nós sairemos desta. Não tenha medo...

Mencionei aquela soma ao acaso. Não tinha a menor ideia de quanto iríamos precisar.

Balbo me disse depois:

— Apoiei você como cerco o trigo quando os meus agentes ouvem os primeiros boatos de uma colheita ruim.

É assim que o dinheiro opera, como todos os mistérios, por meio de seus iniciados.

Mas Balbo não foi o único a me ajudar nesta crise, produzindo um crédito mágico com o qual Agripa organizou as minhas tropas e eu mandei montes de agentes para o acampamento de Marco Antônio; o próprio Marco Antônio deu um passo em falso.

Ele chegou a Roma quinze dias depois da minha partida. Deixou a maior parte de suas tropas em Tíbur, mas sua escolta era bastante forte para intimidar e amedrontar os desafetos. Estava irritado, tinha bebido e permaneceu meio bêbado durante quatro dias. Convocou uma reunião do Senado para o dia 24, mas não compareceu. Cícero (e outros) espalharam a informação de que o cônsul estava bêbado demais para ser visto em público. Como se isto fizesse alguma diferença para ele. Eu sabia o que realmente tinha acontecido. No dia em que ele entrou em Roma, meus agentes distribuíram panfletos entre os soldados da legião Marciana; e não só panfletos, como vocês podem imaginar. Maco em pessoa se aproximou do acampamento e procurou velhos camaradas entre os centuriões de Marco Antônio. Distribuiu ouro e promessas douradas.

— Eles seriam capazes de lutar contra o filho de César? — perguntou aos veteranos das guerras gaulesas. — Poderiam suportar o remorso de destruir o herdeiro do seu senhor?

Tocou o coração deles e alimentou seu apetite. A legião Marciana se declarou sob meu comando e se retirou para Alba Fucino. De um golpe, enquanto Marco Antônio jantava em Roma, recuperei o que parecia perdido menos de duas semanas atrás.

Minha posição ainda era perigosa. Aquele ano todo eu joguei com a morte e — o que era pior — a desonra. (Lembrem-se, meus filhos, que suas ações devem sempre lhes permitir viver bem consigo mesmo.) Marco Antônio declarou a todos — e aos berros — que eu era culpado do que ele chamava de ilegalidade. Eu era inocente, pois naquele ano não se podia encontrar a legalidade em lugar nenhum. A legalidade apoia-se na ponta da espada; quando as espadas se erguem umas contra as outras, a legalidade flutua até o céu para aguardar a decisão dos deuses. Se ninguém consegue fazer cumprir a lei, todos os homens fortes se acham no direito de fazê-la. É inevitável. Contudo, Marco Antônio apostou alto; eu o admirei por isso. No dia 28 o Senado finalmente se reuniu. O homem de Marco Antônio, Rúfio Caleno, estava pronto para apresentar um projeto de lei me denunciando como inimigo público. Até Júlio César tinha sido denunciado como tal — e tinha feito seus acusadores debandarem. Consciente da lealdade redescoberta da legião Marciana e do sucesso que Agripa estava tendo com o recrutamento, eu tinha condições de encarar a ameaça calmamente.

E aí Marco Antônio perdeu a coragem. Não ousou insistir na acusação contra mim. O que foi prudente da parte dele, uma vez que os meus agentes estavam operando entre as suas legiões. Eles se aproveitavam da relutância natural dos soldados em usar as suas armas contra mim. César, César, César... A palavra mágica corria nos acampamentos até que Marco Antônio tapou os ouvidos com os dedos. No entanto, ele também estava envolvido; ele também aspirava a uma parte do legado de César; ele mesmo dependia da glória do meu pai. Estávamos ligados numa dança de melodia fantasmagórica.

Ele avançou contra Décimo Bruto, disposto a tirá-lo da Gália Cisalpina. Suspirei aliviado; ele tinha se voltado para seu verdadeiro trabalho. Enquanto isto, a Quarta legião seguiu o exemplo da Marciana e mudou de lado. Eu tinha conseguido o exército mais temível da Itália: cinco legiões, duas de veteranos da Campânia e uma recrutada na Etrúria por Agripa, além da Quarta e da Marciana. Então, deliberadamente, esperando evitar uma batalha, mas pronto para fazer uma demonstração de força, marchei para o Norte, atrás de Marco Antônio.

As montanhas estavam friíssimas, com um vento cortante soprando do Norte. Durante alguns dias, tive a impressão de que não conseguia controlar essa força que eu mesmo criara e que crescia todos os dias. (Mais duas legiões estavam vindo da Macedônia para se juntar a mim.) Peguei um resfriado, que se transformou em gripe com febre, fui carregado pelas montanhas numa liteira, fiquei deitado suando e tremendo numa cabana, enquanto minha cabeça transtornada revia os acontecimentos dos últimos seis meses. Contudo, apesar de tão perturbado por fantasias loucas e sonhos febris, nunca duvidei do meu futuro. A estrela que eu vira subindo sobre as montanhas da Ilíria acenava para mim. Homem nenhum pode esperar sucesso a não ser que esteja disposto a se tornar um instrumento dos poderes divinos que governam este mundo. Júlio César apareceu em um delírio meu, coberto por uma toga sangrenta e rasgada. Ele insistiu para que eu prosseguisse, aplaudiu as minhas realizações e apoiou minha decisão (à qual Agripa era tão ferozmente contrário) de concordar com a eleição para tribuno do seu assassino mais vil, Casca.

— A vingança deve ser saboreada fria!

A hora de Casca soaria quando ele se sentisse em segurança.

Em Roma, os anos se sucediam, e Cícero, incansável, fazia discursos no Senado. A parte central da sua oratória era dedicada aos meus louvores. O mel que eu derramara sobre a sua vaidade tinha valido a pena.

— Conheço intimamente todos os sentimentos desse jovem — mentia ele. — Nada é mais importante para ele do que o Estado Livre, nada conta mais para ele do que a influência dos senhores, nada é mais desejado por ele do que ter a simpatia dos homens de bem, nada é mais aprazível para ele do que a verdadeira glória... Sou até capaz de jurar que Caio César será sempre o cidadão leal que é hoje e que os nossos desejos e preces mais ardentes almejam.

No meio de sua autoilusão, ele dizia a verdade: eu sempre fui um cidadão leal.

Cícero havia perdido toda a discrição com que se protegera nos últimos cinquenta anos. Criticava Marco Antônio numa linguagem que só a vitória poderia justificar. De mim, ele falava com calor, mas, enquanto os seus elogios eram insinceros, os ataques eram de coração. O meu coração dava menos importância ao que ele dizia do que daria nos dias de hoje — a juventude é mais imune à aprovação que julga ser-lhe devida do que a velhice —, e permaneci mentalmente desligado. Mas o que Cícero disse funcionou. O Senado exigiu a permissão de me honrar. Eles balbuciavam, repetindo as palavras de Cícero:

— Que jovem divino veio salvar a República!

Mecenas comentava comigo:

— Não há um só homem dentre eles que não seja capaz de cortar o seu pescoço com um sorriso nos lábios.

Fui na onda. Eles me elegeram senador. (Isto quer dizer, meus filhos, que há quarenta anos sou membro dos Pais Conscritos, a assembleia mais nobre da história mundial, mesmo sendo sua conduta e bom senso coletivo às vezes indignos dela mesma; nunca deixem de honrar o Senado.) Deram-me como parceiros os cônsules Hírcio e Pansa no comando do exército contra Marco Antônio e concederam-me o poder de um general.

— Até agora, tudo bem — disse Mecenas. — Não somos mais aventureiros, meu caro — ele me serviu vinho, ao qual adicionei água. — Um brinde ao que fomos!

— Não, um brinde ao que conseguimos! — disse eu.

Agripa ergueu seu copo:

— Ao futuro!

— Ah, pelos deuses — suspirou Mecenas —, pés de galinha, fracasso no desempenho antes mesmo da morte do desejo; está bem, benzinho, ao futuro!

— Ao nosso glorioso líder — acrescentou Públio Salvidieno Rufo.

O meu conhecimento atual do que aconteceu após isso, o que me faz acreditar que lhe lancei um olhar carregado de ceticismo e ironia?

Recebi uma carta de Marco Antônio:

Otávio,

Que brincadeira é essa? Não sei o que mais me surpreende, se a sua loucura impensada ou a sua capacidade de persuadir aqueles soldados iludidos e estúpidos a segui-lo. Não peço gratidão, mas devo chamar a sua atenção para o fato de que você escolheu se associar àqueles que assassinaram Júlio César (que você chama de pai) da maneira mais vil possível, contra mim que a ele servi lealmente e ainda sirvo à sua memória e sua causa. Será que você não vê, pobre rapaz, que os seus novos cupinchas são uns crápulas? Aproximaram-se de César fingindo ser seus amigos, eu peguei com as minhas mãos a sua toga manchada de sangue. Alguns deles deviam tudo, inclusive a vida, a César. E assim mesmo acabaram com ele. A você eles não devem nada. O que você acha que estão planejando para o seu futuro? Você não sabe o que aquele velho balão verbal que é Cícero anda grasnando? "O garoto deve ser elogiado, condecorado... e eliminado"? E eu ouvi dizer que você chama aquele bode velho de pai também. Você deve estar fora de si... Se você não se desligar desta escória com uma urgência infernal, vou achar que é um imbecil e vou oferecer graças a Marte e a Baco por ter tido o bom senso de não me envolver com você. Mas se se livrar deles e trouxer as suas legiões de volta para mim, eu cuidarei bem de você. Do jeito que as coisas vão, filhote, você está num senhor aperto!

— Carta bem característica — eu disse. — Arrebatada, bombástica e ansiosa.

— O que você dirá para ele?

— Ah, eu não vou responder.

A GUERRA UTILIZA TODAS AS FACULDADES DE UM HOMEM. NO ENTANTO, a memória só retém momentos isolados e discordantes. Da guerra que os historiadores chamam de Módena, eu me lembro muito pouco. Décimo Bruto estava preso dentro da cidade. Ele mandou nos informar, por pombo-correio, que sua guarnição estava ficando exausta... cabia a nós, portanto, forçar a passagem. Hírcio e Pansa encontraram-se comigo para decidir a estratégia; eu os ouvi, mas nenhum dos dois me impressionou. Eu só temia uma coisa, e general algum podia me ajudar. Então chamei Maco. Eu o recebi em minha tenda, servi-lhe vinho para descontraí-lo e fazer com que ele me dissesse a verdade, e não o que ele pensava que eu queria ouvir.

— Fizemos muitos progressos em pouco tempo — disse eu —, e acho que nenhum de nós dois pensou que se chegaria a isto.

— Não, senhor, não posso dizer que tenha pensado, senhor.

— Este exército, estes aliados, devem parecer uma estranha mistura para um veterano como você. Você com certeza não contava com isto.

— Bem, não, senhor.

Enrolei-me na minha capa de pele. A chama da lamparina que iluminava a tenda tremeu com uma rajada de vento. Um mocho caçando no vale soltou o seu guincho.

— Esta capa, senhor — disse Maco —, desculpe a pergunta, mas era *dele*?

— Era — respondi.

Ele esticou a mão e a tocou.

— Com licença, senhor. Eu me lembro de que *ele* estava com ela naquela madrugada em que atravessamos o rio Rubicão e entramos na Itália. O senhor ouviu falar daquela manhã, tenho certeza, sobre como nós fomos atraídos para a margem do rio por uma figura tocando uma flauta. Alguns disseram que era o deus Pã, senhor. Eu não saberia dizer. Só sei que nós nos sentimos... bem, obrigados de alguma forma, senhor.

Sua mão estava pousada sobre a capa.

— Sente-se e tome seu vinho... — disse eu. — Diga-me, Maco, o que os homens acham dos nossos amigos... e inimigos?

— Alguns deles confiam no senhor. Não estamos muito felizes, mas não só por causa disso. A verdade, senhor, é que nenhum de nós gosta da ideia de lutar contra concidadãos. Ora, nunca se sabe que velhos camaradas podem estar apontando para você do outro lado. Apesar de que, se fosse o meu cunhado, eu não me incomodaria de matá-lo. É o próprio filho da puta, senhor, se o senhor não se importa que eu diga, e desculpe os termos. Mas, em geral, é desagradável, senhor, e os homens ficam tensos. *Ele* compreendia isso, senhor. Sabia que não era o mesmo que nos alinhar contra os gauleses. Quanto mais daqueles putos pintados a gente apagar, melhor; mas concidadãos, isso é outra história.

— E quando as legiões do meu pai estão dos dois lados?

— É, senhor, nós não gostamos disso. Mas, o senhor sabe, tem o outro lado da moeda... O reverso, como eles dizem, não é? Os rapazes de Marco Antônio sentirão a mesma coisa. Não baterão palminhas alegres de estarem lutando contra nós. E não se esqueça, senhor, eles sabem quem o senhor é, sabem que é filho *dele*.

— Eu não tinha pensado nisto... — disse eu. — Então, o que você recomendaria?

— Bem, prudência, senhor, mas não desespero. E não deixe de fazer os outros reconhecerem o senhor. Eles que apaguem os seus aliados, que não passam de um bando de degenerados traiçoeiros, se o senhor não se incomoda que eu diga. O que nós queremos, senhor, é um serviço fácil e os frutos da vitória.

E foi isto justamente o que eu consegui para nós. Pude, portanto, ignorar os comunicados espalhados por muitos velhos aliados de Pompeu, segundo os quais eu tinha sido um covarde durante as batalhas. Meus homens sabiam exatamente o que acontecera. Maco me contou que eles estavam dizendo que havia agora um ás no comando, "tal pai, tal filho, senhor". Até Agripa admitiu que eu tinha dado uma boa impressão às tropas. Marco Antônio teve de fugir pelos Alpes. Eu era o senhor da Itália, pois os deuses haviam permitido que Hírcio e Pansa fossem mortos. Nenhum dos dois tinha feito muita diferença, mas sua partida, sem dúvida, limpou o ar e abriu caminho para o poder.

Escrevi uma carta formal para o Senado solicitando que me nomeassem cônsul no lugar de Hírcio ou Pansa. Enviei-lhes um relatório do que havia conquistado para a República. Fiz questão de sublinhar que eu comandava o único exército ao Sul dos Alpes.

Não me responderam diretamente. Mas as medidas que tomaram indicavam que seu estado de espírito, sempre traiçoeiro, estava mudando. Votaram para um Triunfo de Décimo Bruto.

— Ai, meus deuses — disse Agripa —, ele só fez ficar sentado, rezando para que chegássemos a tempo de salvar a sua pele...

Chamaram o ladrão dos mares Sexto Pompeu para comandar a marinha da República. Confirmaram o comando dos assassinos de César, o vaidoso Bruto e o falso Cássio, sobre as províncias de que eles tinham se apoderado ilegalmente. Com uma insolência que era filha da insensatez e do preconceito, ordenaram que eu entregasse a Décimo Bruto as legiões de Pansa que tinham se juntado entusiasticamente sob o meu estandarte; e tiveram até mesmo a audácia de exigir que eu lhe cedesse também a Quarta e a Marciana. Eu não fui mencionado no voto de agradecimentos ao exército. Não fiz parte da comissão nomeada para rever os decretos de Marco Antônio. Recusaram-me um triunfo e uma aclamação pública.

Estavam claramente pondo em prática a epigrama de Cícero; tinham chegado à conclusão de que agora podiam me descartar.

Convoquei uma reunião de conselho: Mecenas e Agripa, naturalmente, meu cunhado Marcelo, Públio Salvidieno Rufo, temperamental, vaidoso, suscetível e arguto, meu padrasto Felipe. Como era meu hábito nestas ocasiões, falei pouco. Pedi que cada um avaliasse a situação para nós.

Felipe resmungou que estávamos perdidos e torceu as mãos:

— Você abusou — disse aos soluços. — Fortuna está ofendida e os deuses se afastaram de você.

— O que me aconselha, padrasto? — minha voz continha todo o mel das Colinas Albanas.

— Você tem de fazer o que eles querem. Precisa se mostrar humilde e cheio de respeito. Precisa informá-los de que o seu único propósito, seu único desejo, é fazer a vontade do Senado. Você precisa ir lá e falar polida e submissamente. Talvez nem tudo esteja perdido. Você ainda tem o seu posto de general e deve se confessar sensibilizado pelas honrarias extraordinárias que o Senado tem sido generoso em conferir a alguém tão jovem. Desta maneira, você talvez consiga salvar alguma coisa.

— Em outras palavras — disse Mecenas —, você tem de comer poeira e dizer que gosta, desistindo da partida que mal começou.

— Marcelo — disse eu —, você sabe como eu respeito sua experiência e capacidade.

— O conselho de Felipe é absurdo. O Senado receberia você com desprezo. E o que é pior: os soldados que confiam em você nunca mais confiariam. Certamente você não correria nenhum perigo. Não correria nenhum perigo, porque não teria nenhuma importância. Você teria renunciado à sua posição de herdeiro de César e tomaria o seu lugar no Senado como enteado de Felipe.

Ele tinha se levantado enquanto falava e, quando mencionou os soldados, ergueu a aba da nossa tenda. Vimos, então, tendas a perder de vista na distância e fumaça subindo das fogueiras do acampamento para desaparecer na neblina sobre o rio. Podíamos ver também a noite escura se fechando à nossa volta.

Públio Salvidieno Rufo também se levantou e colocou a mão no ombro de Marcelo.

— O que Marcelo disse é absolutamente correto. Concordo com ele completamente. Não será uma surpresa para vocês saber que discutimos a situação e estamos de pleno acordo. Você defende esta frente e, enquanto isto, manda um embaixador a Marco Antônio; estou pronto para ir eu mesmo. Propõe uma aliança que ele agora estará disposto a aceitar nos termos que você quiser, ou quase. Então vocês dois entram em Roma. É isto que você deve fazer. Você montou no cavalo errado, eu sempre disse isto. Está na hora de trocar de cavalo.

— Obrigado, meu amigo — respondi. — Como sempre seus conselhos vão direto ao ponto e são quase irrefutáveis. Contudo, vamos ouvir nossos outros amigos. Mecenas? — declarei, apesar de ver que Agripa estava impaciente para dar sua opinião.

— O que posso dizer? Marcelo e Rufo analisaram a situação com sua habitual agudeza, eles são especialistas em política romana, coisa que eu nunca serei! Não posso, sinto muito (ele se curvou diante de Felipe), concordar com o senhor. Seu conselho é, em minha humilde opinião, o fruto delicioso e delicado do seu amor paternal por Otávio. Mas tenho a impressão de que o senhor está tentando separar a pessoa privada que é o seu querido enteado da força política que ele se tornou. E tal operação parece, em minha humilde opinião, impossível. É o que ele é, *o herdeiro de César,* que o faz notável; e é a habilidade política que ele demonstrou ter neste último ano em que se deixou orientar pela sabedoria dos seus amigos que o tornou... temível. Não se pode renunciar a estas qualidades, a estas conquistas; se eu estou ciente disto, eu que não passo de um esteta meio estrangeiro, um diletante no mundo turvo da política, quanto mais não o sabem nossos amigáveis inimigos! Sendo assim, devo me curvar aos conselhos justos de Marcelo e Rufo.

"Por outro lado, permitam-me mencionar , como mera sugestão, é claro, dois fatores que sua magistral análise não leva em consideração. Em primeiro lugar: atualmente Otávio tem poder sem autoridade. Ele precisa de autoridade para poder negociar com Marco Antônio. Em segundo lugar: existem exércitos na Gália Narbonense, na Gália Céltica e na Espanha comandados — corrijam-me se eu estiver errado — por Lépido, Planco e Polião, respectivamente. Naturalmente, não sei quantas legiões eles têm — com certeza Agripa poderá nos dizer —, mas sei qual é a verdadeira questão: de que lado eles estão? Os senhores não acham que deveríamos esclarecer este ponto? Na minha opinião de ignorante, eles vão aos poucos flutuar para o lado de Marco Antônio... e, se fizerem isto, eles o tornarão mais poderoso do que nós.

"Além disso, enquanto nós estabeleceríamos condições, eles não exigiriam nada. É possível imaginar o coitado do Lépido exigindo alguma coisa? E se eu posso adivinhar isto, Marco Antônio também pode. Portanto, o fruto que a aliança com Marco Antônio representa — concordo, evidentemente, que será importante num dado momento —, ainda não está maduro o suficiente para ser colhido. Precisamos ter mais para oferecer do que temos no momento."

Concordei gravemente com a cabeça. Mecenas tinha pronunciado com uma perfeição convincente as palavras que nós tínhamos ensaiado de madrugada.

Agripa se levantou:

— Muita droga de falação — disse. — Muita droga de sutileza da parte de vocês todos. Olhem para os homens lá fora. Posso não entender muito desta droga de política, mas conheço estes homens... Eles comem você vivo se seguir os conselhos de Felipe. Isto é certo, para começar, e seria bem merecido. Quanto a Marco Antônio, vamos torcê-lo um pouco mais...

MARCHAMOS PARA ROMA. FIQUEI COM O EXÉRCITO, MAS MANDEI MECENAS e Marcelo na frente, com despachos. Naturalmente eu gostaria de ir com eles, pois havia coisas a fazer, braços para torcer e ouvidos para cobrir de mel; mas eu tinha captado o subentendido das palavras de Agripa. Passei, então, com as legiões pela grande estrada de Roma, através de oliveiras e vinhedos, pelo gado que pastava, pelos rebanhos de carneiros e pelos bois carregando feno perfumado em carretas, num clima de animação impetuosa e alegre. Moças italianas apareciam nas portas para nos enfeitar com flores. As autoridades me faziam discursos em todas as comunidades que percorremos. Agripa ficou irritado por estarmos chamando muita atenção, mas eu lhe disse que abrisse os olhos: a Itália estava nos aclamando, oferecendo sua lealdade, reconhecendo que só nós poderíamos restabelecer a paz e a prosperidade.

— O efeito moral dos relatos sobre como fomos recebidos e que serão transmitidos ao Senado compensam qualquer atraso; além de elevar o moral dos soldados. Os soldados, os bons soldados pelo menos, gostam de ser amados; só os degenerados têm prazer em ser temidos.

Mandei Agripa tomar a dianteira.

— São três as legiões — disse eu —, duas vindas da África, fechando a via Flamínia. Não desejamos um confronto. Combater perto das muralhas de Roma mudaria tudo. O clamor da batalha me faria chegar como vencedor numa cena de terror.

Agripa, então, partiu a galope, de madrugada. Dois dias depois, chegou um mensageiro. Agripa estava marcando um encontro na encruzilhada, dez milhas ao norte de Tívoli. Eu devia comparecer acompanhado apenas de uma pequena escolta. Felipe, entrando trêmulo em minha tenda, segurando outra carta, pegou a de Agripa. Suponho que ele tenha ficado pálido. De qualquer modo, estava tremendo ainda mais quando disse que era uma armadilha; que Agripa tinha desertado; que tinha sido subornado; como é que eu podia ter confiado em um homem sem berço nem educação; eu seria apanhado; e muito mais no mesmo tom próprio das mulheres. (Não, isto é injusto, meus filhos; não se deve falar assim das mulheres; Lívia nunca me deu conselhos deste tipo em todos os nossos anos de casados.) Eu disse a Felipe:

— Padrasto, compreendo, é claro, que o senhor está com medo da minha mãe e que lhe prometeu não deixar que nada de mal me acontecesse; compreendo também que, como um velho correligionário de Pompeu, o senhor é um esnobe que não entende de política democrática; mas será que o seu nariz não funciona? Não sente a direção do vento? Não lhe peço que concorde com a minha opinião sobre Agripa, que considero, aliás, o homem mais digno de confiança que conheço, mas peço que perceba que ele é um sujeito inteligente, apesar de falar com as vogais longas de um provinciano. Então, mesmo se eu pensasse como o senhor no que diz respeito ao caráter dele, ainda assim eu diria que o seu medo é infundado. Em outras palavras, já ouviu falar de um rato que abandonasse um navio em plena viagem com as velas todas enfunadas? O que é isto na sua mão?

— Isto? Ah, é outra preocupação, que talvez destrua este seu jeito complacente. Ouça o que o meu correspondente escreveu: "Cícero entrou em contato com Lépido. Ofereceu-lhe o cargo de ditador." O que você me diz disto?

— Que ele foi muito generoso oferecendo o que não tem condições de dar.

SAÍ A CAVALO COM MACO E OUTROS SEIS HOMENS. CAVALGAMOS POR duas horas sem ver nenhum soldado, só aldeias tranquilas e agricultores trabalhando nos campos. Até que Maco tocou na minha manga:

— Estou vendo um brilho de metal naquele bosque de carvalhos... Devo ir até lá para investigar?

— Não — disse eu —, é Agripa.

— Não se pode ter certeza...

— É Agripa, sim. Não se preocupe, Maco. Não estou sendo imprudente. Não é mais uma questão de sorte. Os dados foram jogados. Tudo que temos a fazer é pegar os nossos ganhos...

Até que ponto isto era teatro, até que ponto convicção? Estas perguntas seriam sem razão de ser até naquela época. Eu tinha de me portar como me portei. Meus homens precisavam saber que eu nunca punha em dúvida o meu destino; e assim foi naquela ocasião. Não estou dizendo que tenha sido sempre assim, pois tive noites de dúvida, quando o cobertor parecia uma mortalha e eu não conseguia ter um sono reparador; noites em que senti que os deuses tinham me abandonado e caminhei por corredores varridos pelo vento. Mas, naquela ocasião, eu tinha toda a certeza do artista que vê, quase sem compreender, um trabalho longamente planejado e meditado tomando lentamente uma forma perfeita diante dos seus olhos; um momento mágico, segundo Virgílio.

Quando tudo que você sabe ou sonha se transforma em uma realidade e uma exatidão desconhecidas até mesmo em sonhos.

Foi assim naqueles dias de agosto.

Agripa estava tomando vinho e comendo queijo e maçãs junto a meia dúzia de homens. Eles tinham amarrado seus cavalos à sombra debaixo dos carvalhos.

— Está vendo? — disse eu a Maco quando chegamos perto. — Nem mesmo sentinelas. Isto é prova da nossa vitória, da nossa autoconfiança e tranquilidade.

— Por via das dúvidas... — ele disse, e tratou de fazer imediatamente o que Agripa julgara desnecessário.

Aquele "por via das dúvidas" era o que fazia de Maco um sargento tão competente — ele nunca se satisfazia com aparências e conotações óbvias, e era isto também que impedia que ele progredisse na carreira militar. Às vezes o aparente é o verdadeiro.

— E aí? — disse eu.

— Tudo bem. Já comeu?

— Não, acho que não.

— Pois devia ter comido, porra. Eu vivo dizendo isto. Você ficará doente se não comer, nanico. Terá uma úlcera. Já disse um milhão de vezes, porra, e você não dá a mínima. Você dá de comer ao seu cavalo, não dá? Nem pensa em deixá-lo sem comida. Pois então, pare de ser tão tonto. Esse queijo é bom. Ei, você aí! — gritou — Traga pão, queijo e vinho para o general! E rápido!

— Tudo bem, tudo bem — disse eu —, pode parar. Eu não tenho nada contra comida, viu?

— Espero que não. Só os malditos ricos é que podem se dar ao luxo de desprezar comida.

— Bem, eu sou rico... — disse eu. — Um maldito rico, se você preferir. E quais são as novas?

Agripa começou a rir.

— Está bem, eu admito — disse eu. — Desta vez você me forçou a perguntar.

Peguei um pedaço de pão.

— Olhe, estou comendo. Quais são as novas?

— Todos eles vão desertar, exceto alguns oficiais mais rígidos. Mas com uma condição... Você tem de avançar até eles, adiante com o seu exército, com uma escolta que não seja maior do que a que você trouxe. Eles querem que a coisa pareça espontânea, não que eles tenham sido coagidos.

Ele fez uma pausa e deu um sorriso torto.

— Você concorda? — perguntou.

— Por que não? Não é a proposta deles que eu estou aceitando, é o seu discernimento que eu resolvi aceitar há muito tempo. E não vejo razão para mudar. Você evidentemente acha que a proposta é válida, ou não estaria aqui sentado comendo este pão, que aliás está velho, e o vinho, azedo. Teria sem demora mandado mensagens para o acampamento, eu acho, não é?

— Sem dúvida — disse ele. — Está tudo bem, eles se renderam a você. Não há tropas hostis daqui até Roma.

Os dias seguintes foram muito quentes. Agripa bebeu grandes quantidades de cerveja, que expelia em forma de suor quase tão depressa quanto a engolia. Eu me contentava em chupar limões e romãs e a bebericar vinho branco misturado com neve trazida pelas mulas do alto dos Apeninos. Tínhamos sorte, diziam, de conseguir neve para esfriar o nosso vinho naquela época do ano.

Os secretários andavam de lá para cá o tempo todo. Cartas das municipalidades, das escolas de sacerdotes, dos senadores, das cooperativas comerciais e das corporações equestres jorravam sobre nós sem parar.

— Se soubéssemos que você era tão amado, meu caro, não teríamos esperado todos esses meses atrozes — disse Mecenas. — Estou morrendo de vontade de chegar a Roma. Ir aos banhos públicos e ao teatro. Ouvi dizer que há um novo dançarino espanhol que é sensacional, gostosíssimo, só 16 anos e nem um grama de gordura, rijo como uma cama de campanha (como diz o ditado). Dê-me outro copo dessa porcaria, benzinho. Mal posso esperar...

— Por falar nisto, por que esta droga de espera? — perguntou Agripa.

— As coisas têm de ser feitas direito — Marcelo respondeu. — Não vamos entrar na cidade como conquistadores. Precisamos organizar uma recepção adequada. Isto leva tempo.

Eu estava sentindo uma estranha sensação de paz enquanto eles falavam, um tipo de paz que eu realmente nunca tinha sentido antes. Era como se tivéssemos colocado o último ano de lutas em um saco que estava agora pendurado na entrada de um buraco num jogo de bola de gude. No momento não era preciso decidir nada, não era preciso lutar mais.

Desde aquele dia tenho tido a mesma sensação outras vezes; ela vem quando a maré dos acontecimentos tira de nossas mãos o comando das nossas vidas. Sem dúvida, o desespero pode ter o mesmo efeito. Mas eu não conheci nunca o desespero.

Naquele momento, tudo o que eu disse foi:

— Além do mais, preciso, antes de mais nada, ver se está tudo correndo bem com minha mãe e minha irmã.

Otávia estava perplexa.

— Quando olho para você direito, vejo que não mudou, mas seria difícil reconhecê-lo. Por que não trouxe Marcelo?

— Deveres militares... — disse eu.

— Sacana!

— E se você acha que eu estou diferente, bem, a mim me parece que o casamento mudou você. Não sinto que você é minha irmã quando fica fazendo papel de mulher dele. Para falar a verdade, foi por isso que arranjei coisas para ele fazer hoje, estou com ciúme. Como vai a mamãe?

— Preparando o banquete.

— Você não devia ter deixado ela fazer isto... Você sabe que eu não posso comer comida de banquete. Além do quê, não tenho tempo.

— Tente dizer para ela parar. Como vai o nosso padrasto?

— Falante, apreensivo, um tédio infernal. Amanhã, a estas horas, serei cônsul! Você sabe disto, não sabe? Mas ele ainda está com medo de que cortem os nossos pescoços. É inacreditável! Por outro lado, ele tem sido muito útil, tenho de admitir.

— Ele, útil? Só posso responder a isto com um gesto: uma banana.

— É verdade, maninha. Sabe, ele é inestimável como cônsul. Ninguém quer se associar a ele, então, é só eu o convidar para falar primeiro, o que faço sempre, é claro, por respeito ao nosso relacionamento familiar e a seus cabelos grisalhos...

— E à pança!

— Sim, naturalmente, e à pança — como é que eu poderia esquecer aquela famosa pança. — Como eu ia dizendo, eu só tenho de fazer isto para ter a certeza de que todo mundo proporá mais ou menos o que eu quero e que será com toda certeza exatamente o contrário do defendido pelo velho agitadinho. Ah, é, vou poder dizer à mamãe que o homem dela tem sido extremamente útil.

— Ela não se importará. Perceberá que você está caçoando dele e a enganando, mas não se importará. Está realmente orgulhosa, sabe? Vive dizendo que você provou ser um verdadeiro julianista.

Olhei para fora, para o céu de verão onde um falcão pairou e depois mergulhou sobre a presa.

— Não — retorqui — nisso ela está errada. Nunca serei um julianista.

Não pude evitar o banquete, apesar de ter conseguido não comer o peixe com a desculpa de que teria um ataque de bílis por conta do calor. Antes de eu sair, minha mãe me disse:

— Lembre-se, Bruto e Cássio estão vivos.

Cícero se encontrou comigo nos portões da cidade. Primeiro viera uma multidão de senadores, dos quais eu conhecia poucos, até mesmo de vista. A maioria tentou sorrir, mas o sorriso não escondia o mau humor e o medo. Fiz Felipe e Marcelo se misturarem com eles.

— Sejam amáveis — eu disse. Puxei Salvidieno pela manga. — Alguns membros de sua família estão aqui, não estão?

— Meus dois irmãos — ele disse, corando como se a minha pergunta indicasse desconfiança de sua absoluta lealdade.

— Por favor, apresente-nos.

Ele o fez a contragosto, e os seus irmãos tinham o ar intimidado de quem apoiou o lado perdedor. Insisti para que me considerassem seu amigo, mas eu podia ver que estavam calculando invejosamente a diferença de idade entre nós.

O silêncio que caiu sobre a assembleia foi quebrado por uma risada estridente — Mecenas, naturalmente. Olhei em volta, procurando uma explicação. Uma liteira muito enfeitada e com um dossel roxo estava vindo das sombras de uma rua estreita para o sol da praça, carregada por meia dúzia de escravos que pareciam montanheses da Anatólia. A liteira parou diante da plataforma onde eu me encontrava. As cortinas foram abertas, revelando Cícero.

Tenho sido muito criticado, desde aquele dia, pelo que aconteceu a seguir. Só posso dizer que me pareceu a coisa mais natural do mundo. Pulei da plataforma e me dirigi para a liteira. Por um instante pensei que o velho ia permanecer deitado, que talvez até estendesse a mão para mim como se eu fosse um cliente ou alguém pedindo um favor. Tenho certeza de que esta possibilidade passou pela cabeça dele. Ele deve, no entanto, ter calculado que a satisfação a ser obtida por este gesto seria apenas momentânea, porque, com visível esforço e um grunhido artrítico, esticou para fora o pescoço magro, levantou e girou as pernas e desembarcou da liteira. Eu continuei avançando e o abracei (ele tinha um cheiro de papiro amarelo velho), dizendo:

— Ah, o último dos meus amigos! — Não tenho vergonha destas palavras, que foram bem e deliberadamente escolhidas. Se ele tivesse sido mais visível e constante como amigo, nunca teríamos chegado a este ponto. Enquanto eu falava, porém, senti que ele se retesava. Beijou o meu rosto e por um instante eu me senti cingido por suas mãos que pareciam garras.

No dia seguinte, fui eleito cônsul. Escolhi como meu colega um primo obscuro, Quinto Pédio, recomendado por minha mãe como um homem que nunca me atrapalharia. (Infelizmente ela exagerou as qualidades dele, o que me aborreceu muito.) Fiz uma pausa quando estava recebendo o áuspice pela primeira vez e dirigi meu olhar para o céu. Naturalmente a multidão fez o mesmo e observou um momento de silêncio reverente antes de irromper em exclamações diante de uma dúzia de abutres voando na direção do Janículo. Evidentemente eu já sabia antes o que ia acontecer: Marcelo tinha nos lembrado que uma revoada semelhante a esta saudara Rômulo quando ele realizava a cerimônia pela primeira vez, e Mecenas tinha se encarregado de arranjar as aves por intermédio de seus contatos teatrais. ("Suponho que urubus não servem? São tão mais baratos.") Mas eu fiquei impressionado com a sua competência de garantir que um número suficiente de pessoas ficasse a par do incidente com Rômulo. Esta manipulação das emoções do público pode parecer cínica para vocês, e eu na realidade não posso negar que seja. Contudo, em certas ocasiões, é necessária. Era poeticamente correto que abutres aparecessem para ligar-me a Rômulo, o primeiro Pai de nossa pátria, mas a natureza tende a ser caprichosa. Além disso, abutres são muito mais raros na Itália hoje em dia do que eram no tempo dele.

— Com certeza eram comuns como corvos naquela época — Mecenas disse.

É permitido dar um empurrãozinho no destino de vez em quando. Mas devo dizer-lhes que a fabricação ocasional de presságios não invalida de maneira nenhuma os que aparecem de forma espontânea. Eu, evidentemente, não fiquei impressionado com os abutres, mas a multidão ficou. O melhor é que aceitaram a revoada como uma confirmação da minha autoridade. Só houve um momento desagradável... Dois abutres, de repente, perderam altura; por um horrível instante parecia que iam mergulhar no

Tibre. Prendi a respiração, pensando que talvez tivéssemos sido espertos demais para o nosso próprio bem.

No entanto — e aqui temos evidência concreta de como é difícil separar o humano do divino —, eles se restabeleceram mais abruptamente do que tinham caído e logo tinham desaparecido entre os pinheiros do Janículo. A multidão fora silenciada pela queda e Mecenas aproveitou a oportunidade:

— Vejam como os deuses favorecem o cônsul! — gritou. — Se ele tropeça, o próprio Júpiter o levanta e o leva ao triunfo em segurança.

A multidão recomeçou a ovacionar. Depois ele me disse:

— Aves desgraçadas, quase morri, meu caro. Vou esfolar aquele vendedor! Ele me jurou que tinha testado a capacidade de voo delas na Campânia.

— Ora — eu disse — deixe o homem em paz. Você, com a sua intervenção, melhorou as coisas, não acha?

No dia seguinte, fiz a Corte sancionar minha adoção como herdeiro de Júlio César. Desde então passei a ser César: Caio Júlio Otaviano César. Isto feito, paguei, com dinheiro do Tesouro Público, as minhas tropas. Tinham dado os primeiros passos no restabelecimento da ordem e da lei na República e receberam os prêmios prometidos. Ordenei que a lei que concedera anistia aos assassinos de César fosse rescindida por motivos altamente morais: o assassinato do líder da República, Ditador Perpétuo e Pontífice Máximo nunca poderia receber perdão legal. Estabeleci um tribunal para proscrever os que se intitulavam Libertadores.

Dois dias depois, Cícero saiu de Roma. Escreveu-me pedindo permissão. Explicou que não estava bem de saúde; precisava de novos ares. Agradeceu-me. Por quê? Eu nunca soube com certeza. Pediu perdão pelo passado e indulgência para o futuro. Respondi que não tinha nada a perdoar, e que sempre tinha dado e daria valor a seus conselhos, que ele continuava a ser como sempre objeto de minha estima e gratidão e que esperava que o ar do mar o curasse. Nunca mais o vi. Ele foi um caso triste, um homem que tinha visto a grandeza chamá-lo e que não tinha agarrado a mão que algum deus lhe oferecia. Isso porque ele desdenhava a verdadeira origem e a verdadeira natureza do poder, pensando que a inteligência podia substituir a visão. No fim, não tinha fé no seu próprio destino.

A GRIPA NUNCA FICOU DOENTE (ATÉ MORRER). EU, PELO CONTRÁRIO, e segundo seus relatos, passei a mocidade espirrando e tossindo, resfolegando e chiando como um fole esburacado, tiritando, suando e tremendo de febre, com ataques de enxaqueca e de bile, frequentemente incapaz de ficar montado em um cavalo ou de conversar sem ser interrompido por fungações, hemorragias nasais ou náuseas. Ele exagerava, mas não muito, nas suas descrições dos meus males. Passei as primeiras três semanas de cônsul e César com uma tremenda dor de garganta, nariz escorrendo, visão nublada e febre alta. Trabalhava dezoito horas por dia. É difícil se concentrar quando os seus ombros estão pesados de lassidão e o seu corpo todo treme. Mas era o tipo de trabalho que eu não podia dar para os meus secretários fazerem.

Avançamos para o Norte em lentas etapas. A maior parte do tempo eu tive de ser carregado em uma liteira, e a experiência me revelou algo sobre o meu relacionamento com as legiões que nunca mais esqueci. Se eu fosse Júlio César, ou mesmo Marco Antônio, os legionários teriam entoado canções obscenas sobre o meu estado de saúde e meio de transporte. Mas, nessa ocasião, eles passavam pela liteira num silêncio respeitoso. Eu sabia que eles confiavam em mim, até me admiravam, divertiam-se com o que consideravam minha esperteza.

— O nosso general é um danado de esperto! — diziam.

Mas não me amavam. Praticamente nenhum dos meus homens, exceto os que conviviam comigo no Quartel General, daria sua vida por mim.

O magnetismo da minha personalidade não operava a distância como o de Júlio César. Estou mencionando isto porque o sucesso em grandes empreendimentos depende muito da avaliação das próprias qualidades positivas e negativas. Nenhum de vocês dois, meus queridos, se parece comigo nesse aspecto. São outros os seus problemas e fraquezas; vocês têm consciência deles? "Conhece-te a ti mesmo" é o mais sábio dos conselhos filosóficos.

No entanto, há sempre um "no entanto", um "contudo" —, esse autoconhecimento pode ser inibidor. O homem que nunca examinou sua própria mente e seu próprio espírito age com uma espontaneidade que me é negada. (Por outro lado, Mecenas costumava dizer que eu conseguia enganar os outros porque tinha enganado a mim mesmo. Não concordo com ele. Anoto a opinião dele meramente como evidência da diversidade de interpretações que tornam tão difícil julgar o próximo.)

Paramos em uma planície na margem sul do Pó. Os homens, resmungando, armaram o acampamento no desconforto de uma chuva fina que vinha das montanhas. Com a noite, tendo parado de ventar, a neblina do rio invadiu o acampamento. Eu tremia, apesar de estar embrulhado em peles e bebericando vinho quente aromatizado com noz-moscada. Um escravo leu Homero para mim, até que eu o mandei embora. Os ruídos exteriores que me cercavam acentuavam o silêncio da minha tenda. Chamei Maco:

— Há luzes do outro lado do rio?

— O nevoeiro não me deixa ver, senhor!

— Qual é o estado de espírito dos homens?

— Nada bom, senhor. Estão meio sem saber o que pensar, e preocupados. Estão com medo, é isto aí, senhor, com medo de uma batalha, com medo de que comece tudo outra vez.

— Não haverá batalha se depender de mim.

— Ah, senhor, se depender... Muitas batalhas começam por acidente... O senhor devia ir dormir, devia mesmo...

— Não consigo dormir...

A espera é sempre o pior.

Era madrugada quando alguém gritou que uma embarcação estava atravessando o rio, àquela altura ouviam-se poucas vozes no acampamento, só a chamada ocasional de uma das sentinelas ou o grito de um homem tendo um pesadelo. Seguiu-se o som de botas no capim molhado, a tenda foi aberta, e Agripa e Marcelo entraram.

— Pelos deuses! — disse Agripa. — Estou cansado e vou ter dor de cabeça amanhã. Mas tudo bem. A reunião está marcada. Conseguimos que a ilha fosse o local escolhido. Só cedemos em um ponto: ele insiste na presença de Lépido; não foi possível dissuadi-lo.

— Sei. Ele controla Lépido, e os dois vão sempre poder ganhar de mim na votação. Entretanto, nós aceitamos. Quando será?

— Depois de amanhã. Bem, a esta altura, amanhã. Na refeição da manhã. Isto foi um dilema para Marco Antônio, mas ele se controlou.

— Quanto a Lépido — disse Marcelo —, sua interpretação está obviamente certa. Mas existe outro fator: Marco Antônio não gosta da ideia de ficar sozinho com você. Você devia pensar nisto, cunhado...

— Obrigado — disse eu —, eu já tinha pensado nisso. Vocês dois fizeram um bom trabalho. Agora podemos dormir.

Quase cancelei a reunião. Afinal de contas, eu não tinha conseguido dormir e a febre subiu. O médico me deu um remédio feito de ervas que me deu náuseas assim que o engoli, mas depois, para minha surpresa, acalmou o meu pulso e a dor de cabeça. Eu ainda me sentia mal, feito um gatinho doente, como dizia minha velha babá. Ela também me chamava de "um rato fraquinho e meio afogado".

Quando começou a clarear, Maco se apresentou na minha tenda. Eu ainda estava de roupão. Ele insistiu para que eu comesse um pouco de pão, mas um dos escravos me trouxe uma espécie de mingau ralo feito com farinha e mel que me deu bastante energia para me vestir.

Dois gauleses usando varas manejaram o barco. Eles estavam seminus e não pareciam se importar com o frio. Havia ainda uma névoa espessa no meio do rio e a proa tinha quase tocado a margem da ilha antes que eu percebesse que estávamos chegando. Maco e a meia dúzia de soldados que concordáramos em levar como escolta desembarcaram primeiro. Em seguida, fui com Agripa, Mecenas, Marcelo e Rufo; tínhamos deixado Felipe no acampamento. Meu padrasto não era mais útil para nós. Não havia lugar para ele numa conferência dos líderes do partido de César.

Marco Antônio ainda não tinha chegado.

— Que surpresa! — Mecenas suspirou.

Mas Lépido já estava esperando na tenda que serviria de centro de recepção e antecâmara da tenda menor onde nós, os três chefes, iríamos negociar. Eu nunca tinha visto Lépido, porém o reconheci facilmente. Era muito bonito, com traços absolutamente harmoniosos e cabelos escuros ligeiramente grisalhos que formavam caracóis na testa como se tivessem sido arrumados por um escultor preparando-se para esculpir o seu busto. Ele nos saudou com uma amabilidade cerimoniosa.

— Então — disse para Marcelo, que o conhecia bem — este é o garoto maravilha que surpreendeu a todos!

A voz dele era um trinado leve e insinuante, que achei detestável não só pelo seu tom paternalista. Lembrei-me de que Cícero dissera que ele era o mais sórdido e baixo dos homens: "Ele segura você pelo cotovelo e murmura imundícies no seu ouvido."

Eu apostava que ele fazia isto mesmo e fiquei contente em observar que a brandura que ele sem sucesso se esforçava por mostrar assinalava um certo desconforto. Não conseguia parar de falar, e suas mãos revoavam de um para outro dos presentes, um toque aqui, um aperto ali, um tapinha leve no outro ombro.

— Não podemos esperar que o grande Marco Antônio chegue na hora, com certeza — disse. — Eu me pergunto com quem ele foi para a cama ontem... não foi com Fúlvia, com certeza... apesar de que morre de medo dela, dizem os entendidos... E como estava Roma quando você saiu de lá, meu caro César? Sabe que faz dois anos que eu não a vejo? Estou morrendo de saudade, com certeza... mas vou lhe dizer uma coisa, meu velho — debruçou-se sobre mim, exalando um cheiro desagradável de almíscar —, Marquinho Bruto deve sentir o dobro de saudade. Porque eu, meu velho, sei que vou frequentar o Palatino, o palácio dos Césares, de novo. Ele deve estar começando a achar que nunca mais irá lá, e é bem feito para ele, pobre traste.

É, como podem observar, meus filhos, ele era um homem horroroso e me envergonho de ter me associado a ele por tanto tempo.

Eu também estava nervoso, tentando imaginar como Marco Antônio se portaria comigo. Será que ele ficaria constrangido (como eu estava) por certas lembranças da Espanha e pelos insultos que tínhamos trocado nos últimos doze meses? Ele não tinha mostrado nenhum sinal de constrangimento em Roma, mas agora era diferente. Será que usaria de novo aquele tom de irmão mais velho que tinha adotado quando eu me juntei aos oficiais de César? Será que o seu objetivo consistiria em ser frio e portar-se como um estadista?

Ele chegou num torvelinho, de roxo, sem pedir desculpas pelo atraso. Abraçou Lépido e virou-se para mim:

— Você está com cara de doente... — disse —, não está mais com aquela cara bonita que tinha na Espanha. Mas como deixamos para trás as bobagens do ano passado, logo o seu rosto estará rosado novamente. Você se saiu excepcionalmente bem... não pensei que fosse tão capaz.

Estava tentando me desconcertar. Sorri e concordei com a sua proposta de encurtar a introdução e partir para os assuntos em pauta. Havia, eu disse, uma pequena tenda preparada para nós três. Primeiro conversaríamos em uma sessão privada, depois chamaríamos os escravos para anotar o que ditássemos. Apesar de uma agenda ter sido preparada pelos nossos auxiliares, eu e Marco Antônio fazíamos questão de que as negociações se restringissem a três pontos principais e que o tom fosse o mais informal possível. Ele não tinha esperado que eu assentisse tão prontamente.

Nossas discussões naquela ilha têm tido tantas versões que as negociações ficaram encobertas por uma nuvem de exageros, informações falsas, partidarismos, vinganças pessoais e pela tendência humana de, podendo escolher entre duas histórias, preferir a mais escabrosa. Até agora eu não tinha documentado o que foi dito, e nunca discuti com ninguém a não ser Lívia, anos mais tarde, o que se passou naquela conferência. Naturalmente, eu e os meus amigos analisamos as decisões a tomar, principalmente depois do primeiro dia de conversações, para evitar que eu me comprometesse a algo que pudesse vir a me prejudicar. Mas só isso. Lépido, é claro, tagarelou a respeito. Marco Antônio, mais tarde, deu a sua versão, ou melhor (quero ser justo), a intolerável Fúlvia publicou um relato que ela garantia ser de autoria de Marco Antônio. Nestas versões eu apareço como o mais frio e implacável, o mais interessado em vingança. Isto é obviamente absurdo. Eu não tinha nenhuma vingança pessoal a buscar. A lei que eu tinha feito ser votada em Roma satisfazia o meu desejo legítimo de ver os assassinos do meu pai punidos. A não ser isto, nenhum impulso pessoal me impelia.

Minha carreira política ainda era muito curta para que eu tivesse acumulado uma grande necessidade de desforra. Deixem-me tornar isto bem claro. Em nossas decisões naquela ilha, fui impessoal, guiando-me unicamente por aquela motivação pura que eu chamo "razão de Estado".

Por consenso, Marco Antônio presidiu a conferência. (Não tenho medo de confessá-lo; teria sido presunção da minha parte fazer tal papel.) Ele tinha uma autoridade natural que, apesar de todos os seus muitos defeitos de caráter, eu não posso negar, da mesma forma que não posso deixar de me lembrar dele com afeição, não obstante ele ter sido traiçoeiro, egoísta e indigno de confiança. E, quando resolvia se concentrar, revelava uma lucidez brilhante e um total domínio da estrutura da política e da estratégia bélica. Longe de mim querer roubar isto da sua memória.

Ele começou fazendo um apanhado da situação — *tour d'horizon* — cheio de engenho e arte. Demonstrou generosidade valorizando minhas conquistas.

— Você fez as coisas ficarem pretas para mim, garoto — disse —, e houve muitos momentos em que achei que você ia despencar da corda bamba. Mas você conseguiu. No fim das contas, nada faz tanto sucesso quanto o sucesso. Então, você está aqui, agora não é mais um garoto, agora é César, apesar de que, para mim — ele se levantou, andou em volta da mesa e apertou o meu ombro —, você será sempre, em algum lugar, simplesmente um garoto. Mas é mesmo uma coisa isso, em vez de um garoto, César. Você se lembra de quando eles gritaram para Júlio que ele estava planejando se tornar rei, e ele respondeu duramente: "Meu nome não é rei, é César"?

Pensei comigo: ainda vou fazer com que César seja mais do que um nome. E tive uma ideia discordante: será talvez mais do que rei?

— Em outras palavras — ele disse —, resumindo: o Ocidente é nosso. Não quero dizer que não sobraram alguns descontentes, especialmente na Itália, mas nada que a gente não possa controlar... Os sacanas bem pensantes estão em fuga. Eles são o nosso problema agora...

— Pompeu? — sugeri.

— Pompeu pode esperar. É nisto que os Pompeus são bons, aqueles filhos da mãe indecisos. Nossa tarefa é lidar com Marco Bruto.

— Fui informado — Lépido se intrometeu — de que Bruto e Cássio levantaram mais de quarenta legiões e planejam chegar a Brundísio na primavera.

— Não vão conseguir — disse Marco Antônio.

— Se eles se aliarem a Pompeu, os três terão uma esquadra.

— Não vão agir tão depressa. São um comitê.

— Agiram bem rapidamente no idos de março — disse eu.

— O assassinato é uma corrida de curta distância — disse Marco Antônio. — Na guerra, você precisa de resistência.

Ele se reclinou. Seu rosto ficara muito enrugado neste último ano, e isso lhe dava uma aparência mais forte. Não tinha mais cara de almofadinha. Os cantos da boca rasgada estavam caídos e os olhos estavam sempre vermelhos. Ele passara pela prova de fogo; senti uma pontada de carinho. Sua voz grave esquentava o ambiente.

— Você acabou de vir da cidade, garoto — disse, espreguiçando-se e bocejando espalhafatosamente, talvez de propósito. — Como vai o Tesouro público?

— Paguei as minhas tropas com ele — disse eu, e olhei-o nos olhos. — Como cônsul — acrescentei. Ele não abaixou os olhos, mas desviou-os na direção de Lépido.

— Perfeitamente correto — ganiu o ilustre personagem. Ele tinha sido deixado de fora e estava impaciente para intervir. — Perfeitamente correto... Será que você autorizaria um pagamento para...

Marco Antônio interrompeu:

— Ninguém põe em dúvida a sua honestidade, garoto. E eu não estava tentando implicar com você... Olhe aqui, pelos meus cálculos, fornecidos, não me importo de dizer, por meus agentes nos seus acampamentos... Não faça esta cara de ganso, Lépido, se você não tem agentes no meu acampamento, deveria ter, merda, César tem pelotões deles, não tem, garoto? Então, como eu ia dizendo antes de ser interrompido pelo nosso cupincha, que estava tendo um ataque de náuseas secas... (Falando nisso, que diabo de pausa comprida entre tragos, como disse um procônsul para o outro.), Lépido, antes que eu continue, dá para você tilintar aquela sineta para pedirmos um gole? Ah, menino, uma garrafa de vinho branco para os generais!

Ele parou. Lépido bufou, soprou, resfolegou e tamborilou com os dedos até o menino voltar com o vinho.

— Sirva o vinho, sim? Depois, vá embora e não tente escutar. Estamos tratando de altas políticas, além da sua compreensão, criança. Certo, onde é que estávamos? Ah, sim. Nos meus cálculos, nós juntos temos 43 legiões.

Com certeza as suas, como as minhas, tiveram baixas, então vamos dizer que seja uma força total de uns duzentos mil homens. Ora, estes rapazes talvez nos amem, mas eles também vão querer seu soldo. Portanto, pergunto de novo: como anda o Tesouro, garoto?

— Só conseguirá nos sustentar por poucos meses... Além do quê — disse eu —, não vamos receber impostos da Ásia enquanto os nossos inimigos controlarem a Grécia e os mares...

— Aquela namorada egípcia dele não está a fim de liberar o dinheiro. Recebi um bilhete dela outro dia dizendo que gostaria de cumprir com suas obrigações, maldita conversa-fiada, mas que não podia mandar dinheiro de impostos por um mar dominado por Pompeu. Uma desculpa bastante boa, é claro. Você a conhece, garoto?

— Muito mal.

— Ele era louco por ela. Em geral, era o contrário, mas, por ela, ele ficou bobo. Os caras achavam que ela o tinha enfeitiçado. Talvez... Na minha opinião, ela é bem capaz disso. Quase cortaram as nossas gargantas em Alexandria enquanto ela brincava com ele.

Estas foram as palavras exatas de Marco Antônio, a primeira vez que o ouvi falar de Cleópatra. Como todos os amigos do meu pai, ele tinha deplorado e temido a influência dela.

— Então — disse ele —, dinheiro será um probleminha... Como eu já disse, meus soldados me adoram, mas não lutam só por amor.

Ele estava tentando conseguir uma resposta que eu não queria dar. Ele que ache a resposta, pensei, e me envergonhei deste pensamento. Afinal de contas, eu tinha de estar disposto a aceitar a responsabilidade pelas ações que nos seriam impostas.

— Outros já se encontraram na mesma situação — disse eu.

— Quem, por exemplo?

— Sila, por exemplo.

O nome caiu como uma pedra jogada num tanque de água. Eu sabia que teria este efeito. Uma vez que eu até agora havia instruído seus tutores no sentido de limitar seus estudos de História principalmente à era heroica da virtude republicana, vocês talvez não saibam por que o nome de Sila era tão perturbador.

Lúcio Cornélio Sila, homem de uma família extremamente respeitável, foi, contudo, o primeiro romano a tomar a cidade pela força das armas.

Ele fez isto, apresso-me a acrescentar, com a intenção louvável de libertar a cidade do caos tirânico imposto por Cila e o Partido Popular. Tendo ocupado Roma, ele fez o Senado nomeá-lo ditador. Apesar de ter bastante dinheiro, pois acabava de retornar de uma guerra asiática, passou a confiscar as propriedades dos seus oponentes, e alguns deles foram mortos. Fez isto em parte para dissuadir os outros de se agarrar ao que imaginavam ser suas posses por direito. Sila chegou a ponto de ter uma lista afixada no Fórum com os nomes dos que ele tinha decidido eliminar. Isto tornava mais fácil para as pessoas adquirir mérito por meio de ajuda ao ditador. Não é de admirar que muitas famílias tenham um horror especial pelo nome de Sila. Minha família, inclusive. O próprio Júlio César viu o seu nome na lista dos condenados. Só a intercessão de uma de nossas tias persuadiu o ditador a relutantemente remover o nome e poupar a vida do rapaz. É estranho pensar que, se ela tivesse fracassado, eu provavelmente teria sido a vida inteira um banqueiro de cidade do interior.

No entanto, eu não me envergonho de admitir que introduzi o nome de Sila em nossa conferência. Tinha de ser feito.

O sorriso de Marco Antônio foi a minha recompensa. Lépido, naturalmente, estremeceu. É verdade que o pai dele, Marco Emílio Lépido, tinha sido um oponente de Sila; entretanto, ele devia ser bastante homem para saber que não faz sentido manter feudos depois da morte. A memória de Sila tinha valor. Marco Antônio disse:

— Júlio César sempre jurou que nunca imitaria Sila, que a conduta deste tinha sido odiada e deplorada por todos, e que numa guerra civil a clemência aos derrotados era essencial.

— Palavras honradas! — Lépido gorjeou; realmente a discrepância entre aparência e voz era notável e perturbadora. — Lembro-me de ouvi-lo dizer isto frequentemente. Não deveríamos esquecer, deveríamos?

Marco Antônio olhou para mim:

— E então, garoto?

— Sila morreu na cama — disse eu. — Você mesmo pegou a toga ensanguentada de César.

Marco Antônio gritou, chamando um membro de seu pessoal.

— Eu tenho uma lista — disse —, uma lista dos trinta senadores e 150 cavaleiros mais ricos que se declararam amigos de Bruto. Traga esta lista.

— Não queremos operar militarmente na Itália — disse eu. — Não podemos nos arriscar a deixar descontentamento por onde passarmos.

— Nós nos entendemos, garoto — disse Marco Antônio.

Espero ter deixado claro que admito minha responsabilidade pelas proscrições; razões de Estado tornavam-nas necessárias. O dever é às vezes um capataz cruel.

COMEÇAMOS O SEGUNDO DIA CITANDO NOMES.

PRIMEIRO UMA QUESTÃO DE PROCEDIMENTO LEVANTADA POR LÉPIDO nos atrasou. Não sei qual de seus assessores havia sugerido isto a ele. Alguns deles eram bem inteligentes.

— Estou preocupado com uma coisa — disse ele. — Não está claro com que capacidade nos propomos a agir. É verdade que o nosso caro Otávio é cônsul, mas somente até o fim do ano; mais dois meses. Nós dois temos comandos proconsulares, mas eles não nos dão poder fora de nossas províncias. E isto é tudo. Será o bastante para nos permitir agir com autoridade?

— Temos mais de quarenta legiões — disse Marco Antônio. — Só uma mulherzinha precisa de mais autoridade.

Eu não podia concordar. As legiões nos davam poder, não autoridade. O argumento de Lépido era sólido. Frequentemente na política é preciso abandonar a teoria, mas é insensato dar a impressão de que se desprezam as formalidades, os precedentes, a legalidade.

— Infelizmente — disse eu —, Marco Antônio aboliu o cargo de ditador. Caso contrário, eu sugeriria que ele se apossasse do título, como meu pai e Sila.

— É mesmo? — disse Marco Antônio. — Acredito em você, é claro. Ao contrário de milhares de pessoas.

Um largo sorriso apareceu através de sua máscara de ceticismo rígido, o mesmo sorriso que tenho visto passar aos poucos pelos rostos de homens de ação quando ouvem um debate filosófico.

— Mas é claro — respondi.

— Formalidades! — disse Marco Antônio. — Tenho bastante idade para me lembrar de como Júlio César, Pompeu e aquele grande eunuco Marco Crasso criaram o Estado de Luca. Isto não basta como precedente?

— Mas esta ação foi condenada por todos os homens de bem como puro banditismo.

— E foi mesmo. Mas e daí?

— Um momento — disse eu. — Acho que isto nos dá um modelo que deveríamos aperfeiçoar. Concordo em estabelecer um triunvirato, sem dúvida, um segundo Triunvirato, mas por um processo legal. Podemos conseguir que um tribuno introduza uma lei na Assembleia dando poder a nós três, por um período de, digamos, cinco anos, para organizar a República. Com palavras bem escolhidas ele fará com que as pessoas votem em sã consciência por algo de que talvez não gostem, mas vejam que é necessário. Tal lei nos daria comando total; então a legalidade de qualquer ação nossa não poderia ser questionada, e nos permitiria controlar todas as eleições; nós só teríamos de nomear um candidato único com anos de antecedência. Um esquema deste tipo não serve?

(Eu sabia que serviria. Eu, Marcelo e Mecenas tínhamos debatido a questão exaustivamente na noite anterior, comendo pão com queijo e bebendo cerveja. Depois Mecenas tinha atravessado o rio até o acampamento de Marco Antônio para discutir a questão com Asínio Polião, chefe do Estado-Maior de Marco Antônio. Eu não estava, portanto, arriscando-me muito quando fiz a proposta, apesar de que parecia que Polião não tinha tido tempo de informar ao seu general, ou talvez não o tenha encontrado em condições de ser informado.)

Antes que Marco Antônio pudesse responder, eu acrescentei:

— Embora, talvez, seja necessário um dia em que um de nós tenha o cargo de cônsul durante nosso... governo, não acho uma boa ideia começar assim. Proponho, portanto, renunciar ao cargo logo que o nosso acordo seja confirmado.

Depois correu o boato de que Marco Antônio tinha me forçado a renunciar; fico feliz de ter a oportunidade de negar isto e contar a verdadeira história.

Minha proposta de renúncia clareou a atmosfera. Nós nos sentíamos amparados na legalidade, pois tínhamos certeza de que a medida passaria na Assembleia. Podíamos então focalizar nossa atenção naqueles que pretendíamos proscrever.

No começo foi fácil. Nosso pessoal tinha fornecido a cada um de nós listas de senadores reconhecidamente "pró-Libertadores" e de cavaleiros igualmente inamistosos (e ricos). Muitos nomes estavam nas três listas. Nós os condenamos com a maior tranquilidade. Eram homens que tinham escolhido o seu partido e sabiam o que estavam pondo em risco. Nosso humanitarismo não foi afetado, pois a maior parte já havia fugido da Itália e muitos outros fariam o mesmo quando soubessem que estavam na nossa lista. Queríamos suas propriedades; poucos deles eram bastante importantes para que fosse desejável matá-los.

Mas com a continuação das listas, a desconfiança e a rivalidade invadiram nosso coração. Estávamos, cada um de nós, colocando-nos em uma posição desvantajosa; nossas proscrições criariam tanto ódio quanto medo. Cada morte daria origem a vendetas. Era necessário, portanto, que parecêssemos todos igualmente envolvidos.

Marco Antônio bebia cada vez mais vinho com o desenrolar do debate. Desprezei-o por isso. Foi, para mim, o primeiro sinal daquela fraqueza de caráter que um dia o destruiria; ele recuava diante da realidade de seus atos, ficava cada vez mais violento e absurdo.

— Lépido! — gritou. — Seu irmão, Paulo, tem de morrer!

— Paulo! Meu irmão?

— Veja como ele é rico, olhe a ficha dele. Foi poupado e comprado por Júlio César, não foi? E deu-lhe, por acaso, o apoio que devia? Marque o nome dele, garoto.

— Você dá o seu consentimento, Lépido?

Lépido encolheu os ombros:

— Fiz o que pude. Muito bem. Com a condição de que Marco Antônio sacrifique o irmão de sua mãe, Lúcio Júlio César. Ele é relacionado com vocês dois e um correligionário de Pompeu. Vocês também têm de ser culpados de crimes familiares.

Marco Antônio escondeu a boca atrás do copo de vinho. O homem era velho, inocente (eu achava), ele tinha se oposto a Cícero quando este exigiu que o Senado declarasse Marco Antônio inimigo público. O copo foi abaixado.

— Muito bem. Não lhe resta muito mais tempo para viver, de qualquer maneira. E ele tem, como você diz, o passado de um republicano convicto. Deve ser marcado... sacrificar um Juliano e um César... — Calou-se e tomou um gole do vinho.

— Convencerá qualquer descrente — concluí — do nosso compromisso com o processo. Não se pode fugir das proscrições.

— Ático — disse Lépido, estalando a língua como uma cobra. — Ninguém cuspirá mais ouro do que aquele banqueiro balofo.

Ele estava se entusiasmando. Compreendi, naquela ocasião, que um homem fraco é mais sedento de sangue do que um homem forte. Ao compilar a sua lista, Lépido estava fazendo o mundo pagar pelo fato de que se sentia indigno do nome que tinha.

Marco Antônio não me deu nenhuma pista. Ultimamente ele havia recebido muitas gentilezas de Ático, gestos bondosos que tinham sido criticados pelos maiorais do Senado. Agora estava calado. Sua generosidade de espírito não abrangia o pagamento de dívidas. Tomei nota disso e falei:

— Há muitas razões para incluir Ático na lista, como o nosso colega sugere: para começar, sua fortuna, a proteção que ele ofereceu à mãe de Bruto, o efeito que a sua condenação teria nos outros. Por outro lado, acho que devemos examinar a questão mais atentamente. Podemos estar a ponto de entrar numa guerra duradoura. Não temos de enfrentar somente Bruto e Cássio. Há também Sexto Pompeu. Quem sabe quantos anos isto levaria? E proscrições destas proporções não podem ser repetidas. Devem ser consideradas um levantamento de capital definitivo. Mas quando tivermos esgotado este capital, ainda precisaremos de dinheiro, frequentemente com urgência. Quem sabe conseguir dinheiro ou crédito melhor do que Ático e seu colega banqueiro, Balbo? São homens de quem precisaremos no futuro. O caminho prudente agora é fazer com que se comprometam conosco porque nos devem favores. Por conseguinte, voto para que tais nomes sejam omitidos da nossa lista. Desta forma seremos mais beneficiados a longo prazo...

Para convencer Lépido, dei razões de baixo nível. Mesmo assim ele fez um beiço desgostoso; sentiu mais uma vez a desconsideração envolvê-lo como um mau cheiro.

Marco Antônio, mudando sua perna de posição, murmurou:

— Concordo. Ganhamos, dois a um. Ático viverá.

— E Balbo.

— Ah, sim, Balbo também.

A lamparina apagou. Ficamos sentados na luz tênue do entardecer, sentindo frio. Enrolei a minha pele de carneiro em volta do corpo, e ainda assim estava tremendo. A única fonte de calor da tenda era um braseiro já quase apagado.

Marco Antônio falou. Estávamos esperando por suas palavras:

— Cícero deve morrer.

Eu e Lépido não respondemos.

— Ele tem me atacado além dos limites. Júlio César poupou o velho, "ah, Cícero é um ornamento de nossa cultura", ele dizia, e menos de um mês depois do assassinato aquela boca ornamental esguichou o seguinte: "Existe alguém além de Marco Antônio e dos que gostavam de ver César reinar sobre nós que não desejasse a sua morte ou que desaprovasse o que foi feito? Todos foram responsáveis, pois todos os homens de bem juntos mataram César. Alguns ignoravam o plano, a alguns faltava coragem, a outros, oportunidade. A nenhum faltava vontade."

Foram exatamente estas as suas palavras, estão gravadas na minha memória. Que ornamento, que cultura! Só estas palavras já seriam o suficiente para condenar o mais insidioso dos nossos inimigos. Temos a oportunidade; não nos falta a vontade com certeza.

As mãos de Marco Antônio tremiam sobre a mesa. Pensei no velho me lisonjeando, enfiando seus dentes num figo, interrompendo a declamação do seu discurso contra Catilina para fazer suas necessidades e depois continuando no ponto exato em que tinha parado; senti suas velhas mãos tortas pela artrite apertando o meu ombro. Disse:

— Como queira, Marco Antônio.

Ele virou o rosto, redondo de surpresa, para mim. Lépido emitiu um silvo de emoção. Repeti:

— Como queira, Marco Antônio. "O rapaz" — acrescentei —, "deve ser elogiado, condecorado e eliminado". Cícero já teve adulação para uma vida inteira; ele será honrado por gerações que terão nos esquecido. Que seja este seu epitáfio. Que morra.

Não pretendo usar outras palavras que não sejam as que empreguei naquela ocasião para defender a minha decisão. Aquela noite Mecenas instou comigo para que eu mandasse um mensageiro avisar o velho do que tinha sido decretado. Respondi que a publicação das listas seria advertência suficiente. Como é sabido, ele demorou a agir, movido por vaidade ou indecisão. Sua morte, digna de sua virtude, é do conhecimento de todos e não precisa ser descrita aqui.

IV

Cássio morreu em Filipos, na primeira batalha, jogando-se sobre sua própria espada, como Catão. Bruto, três dias depois, fugiu para as montanhas; hesitou em se matar e implorou ao escravo emancipado que foi seu último companheiro para fazer o serviço. Estas batalhas foram triunfos de Marco Antônio, não meus. Eu estava adoentado durante toda a campanha, mas esta não foi a única razão. A guerra civil é uma coisa horrorosa; eu nunca consegui esquecer que as legiões que se opunham a nós eram também formadas de compatriotas nossos. Contudo, depois da batalha, quando os derrotados nos foram apresentados, ovacionaram Marco Antônio, que chamavam de "imperador"; a mim, eles insultaram. Fiquei em pé na plataforma, com dor no coração e na barriga, enquanto eles me maldiziam. O corpo de Bruto tinha sido trazido das montanhas ao Fórum; com os gestos de um ator, Marco Antônio o cobriu com sua própria capa roxa. Impassível, aceitei o veredito dos derrotados, segundo o qual a minha determinação em vingar meu pai era responsável pela criação do exército que os tinha destruído.

Aquela noite, Marco Antônio ficou bêbado e sentimental. Falou com carinho de Bruto, de como tinham sido amigos quando jovens.

— Ele era o mais nobre de todos nós —, repetiu várias vezes. — Os outros tinham inveja de César. Só ele agiu movido por espírito cívico, honesto e fiel a seu conceito de República. Tinha princípios e morreu por eles. O que quer que se diga dele, era um homem.

Eu não disse nada do que pensava, tentei apenas acalmar Marco Antônio, que tinha mergulhado na culpa da vitória. Na época, eu não reconheci o sentimento. Foi preciso que eu tivesse a experiência da morte dele, mais de dez anos depois, para sentir o mesmo; uma batalha ganha em guerra civil pode ser mais amarga e dolorosa do que uma derrota. A justiça nunca pode estar totalmente concentrada de um lado. Os cadáveres dos cidadãos acusam os vivos. Rezem, meus filhos, para nunca passarem por isso.

Fico satisfeito de pensar que o acalmei. E, no entanto, o que eu sentia por Bruto era bem diferente. Não tinha nenhuma recordação terna dele. Para mim, ele era um orador desonesto. Eu via o homem que César tinha poupado e honrado com a sua afeição, e que havia puxado o punhal contra ele. Existe algo de mais terrível na literatura ou na História do que o momento em que o meu pai agonizante, vendo Bruto entre os seus assassinos, disse claramente:

— Você também, meu filho? — e então cobriu o rosto e parou de resistir?

Somente um homem da soberba mais anormal poderia viver com esta lembrança; Bruto conseguiu. Ele era enfatuado como o sapo da fábula de Esopo; praticava traição, desonestidade e crime com a certeza de sua própria virtude. Fico satisfeito em saber que mandei a cabeça dele para Roma para ser jogada aos pés da estátua de César.

O farisaísmo de Bruto era compartilhado por seus colegas: um dos outros assassinos, Quinto Ligário, teve a insolência de olhar nos meus olhos e exigir um enterro honroso.

— Isso é um problema para os corvos e os abutres — respondi.

Este meu repente irritado foi vergonhoso; espero que vocês não o considerem impróprio. Por outro lado, a história segundo a qual eu disse a um pai e a seu filho, que imploravam que ao menos um fosse poupado, que eles mesmos deveriam decidir tirando a sorte, é uma calúnia! (Notem que quando esta história é relatada, não se mencionam nomes; sempre desconfiem de casos contados sobre sujeitos anônimos.) Foi este boato, porém, que levou Marco Pavênio a me cobrir de insultos, que até hoje me enchem de horror. Ser insultado desta maneira por um homem condenado à morte é como ser tocado por um dedo gelado; que informações ele transmitirá aos Imortais?

Marco Antônio e eu nos aproximamos depois do nosso encontro na ilha. Era como nos primeiros dias na Espanha, quando sombras não tinham ainda descido entre nós. Eu me deixava aquecer pelo seu sol, pela sua afeição espontânea. Marco Antônio sentia grande necessidade de ser amado, e isto o tornava amável onde quer que ele jogasse os seus raios. Por isso, eu ficara feliz de selar a nossa união concordando em me casar com sua enteada, Cláudia; o prazer que isto deu a Marco Antônio e às legiões sobrepujou minha relutância natural em ter qualquer ligação com Fúlvia, a mãe da moça. Mas agora, depois de Filipos, eu tinha a sensação de que Marco Antônio, sempre pronto a dar ouvidos a rumores (como a maioria dos fofoqueiros), estava se distanciando de mim. Minha incapacidade de compartilhar o seu sentimentalismo alcoolizado com relação a Bruto o afligia; ficou perturbado com o que ele considerava minha frieza. Quase de repente deixou de me chamar de "garoto", o que só voltou a fazer duas ou três vezes anos mais tarde. Ainda conseguiu durante muito tempo ser afetuoso a distância. Suas cartas para mim eram divertidas e carinhosas, mas a minha presença parecia congelá-lo; era como se corvos e abutres pousassem na mesa entre nós.

VELEJEI DE VOLTA PARA A ITÁLIA, ENJOANDO COMO SEMPRE, PARA ORGAnizar a desmobilização de cem mil homens. Enquanto isto, Marco Antônio foi em direção ao Oriente para lutar contra o Império Persa, uma guerra que o meu pai tinha passado muito tempo considerando. Agripa resmungou a viagem inteira através do Adriático, dizendo que Marco Antônio tinha se apoderado da tarefa gloriosa e deixado o rebotalho para nós; mas acontece que Agripa, ao contrário de mim, era no fundo um soldado, embora eu soubesse que seu talento maior era para a administração. (Mas isto, deixe que eu lhes diga, queridos filhos, é a base necessária de todo sucesso militar; o general que melhor organiza seus suprimentos é o que triunfa. Vejam a história das campanhas militares de Alexandre para comprovar esta máxima.)

— Além do mais, Marco Antônio está se aproximando da fronteira onde tudo pode acontecer. Pense em Marco Crasso — eu disse a Agripa. (Marco Crasso, o bobalhão gorducho, permitiu que o seu exército fosse cercado nas areias do deserto. Foi o fim de Crasso. Jogaram sua cabeça diante do rei persa, que estava assistindo a uma tragédia grega. De acordo com algumas versões da história, a cabeça foi carregada para o palco.) — Nós, por outro lado — continuei —, temos a oportunidade de nos estabelecer no poder.

— Ah, é? — replicou Agripa. — Você quer dizer que todos vão querer cortar os nossos pescoços? Nunca teremos bastante terra, ou terra bastante boa, para satisfazer os veteranos; por outro lado, todos os municípios e todos os latifundiários desapropriados se tornarão nossos inimigos para sempre.

— Vamos pagar pela terra sempre que possível.

— Ah, é, mais uma vez. A campanha militar esvaziou o Tesouro. E não pense que vamos ter a ajuda de Fúlvia ou do irmão de Marco Antônio, Lúcio, que, é bom que você se lembre, já reservou o posto de cônsul para o ano que vem.

Eu não precisava que me lembrassem disto, pois eu previa problemas nesta área. Assim mesmo prossegui na tarefa que me fora estipulada. Governar é principalmente uma questão de longas horas de dedicação e uma atenção constante a detalhes; a única recompensa é a certeza de um trabalho bem-feito. A minha vida tem sido em sua maior parte assim. Não é bem uma história; entretanto, sem este trabalho, sem uma dedicação escrupulosa às minúcias da administração e da justiça, este grande Império Romano desmoronaria. Não estou certo de que vocês tenham consciência disto; o marido de sua mãe, meu enteado Tibério, apesar de todas as suas falhas de caráter e comportamento grosseiro, dá valor a isto como eu dou e como o pai biológico de vocês, Agripa, dava. Há piores exemplos a serem seguidos do que o de Tibério.

Muito ocasionalmente a monotonia da administração é suavizada pela oportunidade de se praticar uma ação obviamente benevolente. Uma destas oportunidades me foi oferecida naquele ano penoso. Mecenas apareceu um dia com uma petição a favor de um jovem protegido dele — para resumir a retórica de Mecenas, que eu chamava de "anéis de destilação de mirra" —, um poeta chamado Virgílio, de quem eu certamente não teria ouvido falar. A fazenda da família deste jovem, perto de Mântua, estava na lista das que seriam confiscadas. Será que eu não poderia, para agradar Mecenas, salvar a fazenda que o poeta amava? Acontece que este entusiasmo agrícola não era típico dos protegidos de Mecenas, e eu fiquei curioso.

— Ele é um bom poeta? — perguntei.

— Duvido que haja algum mais promissor na Itália — Mecenas respondeu, surpreendendo-me com a simplicidade das suas palavras.

— Está bem — eu disse —, o confisco será suspenso, contanto que você prometa me apresentar o poeta.

NÃO HAVIA NADA DE POÉTICO NO JOVEM QUE ENTROU; EU JÁ SABIA BASTANTE a respeito de poetas para achar isto agradável e ficar impressionado. Ele era esbelto, de cabelos escuros, boca sensível e olhos azul-acinzentados. Apesar de ser pouco mais velho do que eu, seus cabelos escuros já mostravam toques grisalhos nas têmporas; longas horas de estudo haviam marcado a testa e formado rugas até os cantos da boca. Ele falava sem hesitação, mas lentamente, com as vogais bem abertas e os erres muito redondos. Nada afetada, sua voz macia tinha uma cadência ligeiramente gaulesa. Começou me agradecendo por ter-lhe concedido a audiência. Eu disse que Mecenas havia elogiado muito a sua poesia e ele respondeu que Mecenas era generoso demais:

— Até agora não fiz muita coisa boa.

Fui direto ao ponto, porque já tinha adivinhado que para mim a razão do nosso encontro não passava de uma desculpa. Não sei dizer o que me fez sentir tão depressa o seu valor; só que desde o primeiro momento percebi em Virgílio uma autoridade que nunca encontrei em nenhum outro homem. Não era a autoridade que emana dos que estão acostumados a comandar. Meu pai tinha naturalmente este tipo de autoridade, os homens corriam para fazer o que ele queria, eles morreriam se ele assim ordenasse. Eu conhecia este tipo de autoridade, que eu mesmo possuía. A de Virgílio era bem diferente, e vinha de um domínio de verdades secretas, da sua capacidade de penetrar até o fundo das coisas. Nunca fui um adepto da filosofia de Platão. A mim, parece um exagero extravagante, e poético, interpretar o mundo como uma simples sombra da realidade. A Teoria das Formas é um despropósito diante do que a experiência nos ensina; negar a realidade do mundo material não passa de conversa-fiada. Porém, notem, meus filhos, que eu falo de "exagero", não de absurdo. Apesar de ter sido instruído nos Mistérios Elísios, sou prático demais (tenho precisado) para me considerar um místico ou até mesmo para acreditar em qualquer dos inúmeros mistérios e misticismos que clamam pela minha atenção. Por outro lado, o mundo material não me satisfaz; é, na verdade, metaforicamente, a sombra de uma verdade mais profunda; talvez eu devesse dizer, para me afastar da linguagem platônica, que é em relação à verdade o que a nossa pele é em relação ao nosso coração. (Sem dúvida, a pele é bem real, bem sensível, bem deleitável e, no entanto...) Existe, perdido nas névoas do inconsciente, algo que temos de chamar de "alma"; e há uma alma nas coisas tanto quanto nos homens. Nossos antepassados admitiam isto quando honravam o espírito de bosques e rios e com as oferendas que faziam às divindades protetoras. Tais verdades ficam facilmente ocultas na agitação da existência e pelo inevitável cinismo que a vida pública engendra. Virgílio fez com que eu me lembrasse delas. Toda a obra dele, que eu me orgulho de ter patrocinado, fala, com um conhecimento de causa sussurrado, de alegrias e dores subliminares.

Naquele dia concluímos rapidamente o assunto que o tinha trazido à minha presença. Ele pediu que tanto a fazenda da sua família quanto qualquer terra de Mântua não fosse confiscada. Mântua, ele disse, ficava infelizmente perto demais da pobre Cremona, apontada por mim como uma cidade obstinadamente ligada ao partido derrotado e, portanto, pronta para ser espoliada. Em Mântua, acrescentou, só viviam fazendeiros sem nenhum interesse em política. Mântua não poderia ser isenta?

Imediatamente resolvi atendê-lo, mas, primeiro, para que ele compreendesse o valor da isenção, expus os problemas que enfrentava.

— Minha tarefa — disse eu — é a de restaurar a paz e a ordem em uma nação que não sabe o que é isto há quase um século. Durante este tempo, os pequenos fazendeiros perderam suas terras e foram obrigados a vir para as cidades onde formaram um proletariado urbano. Enquanto isto, grandes latifúndios foram criados e trabalhados por mão de obra escrava. Você sabe como isto provocou miséria e distúrbios. Ao mesmo tempo, para lutar nestas amaldiçoadas guerras civis, exércitos de um tamanho sem precedentes foram levantados. Eles não podem e não devem ser mantidos. Você com certeza concorda. Portanto, os veteranos precisam receber terras. Esta doação tem uma dupla função: satisfaz sua ambição natural e dá nova vida à zona rural. Espero que estas minhas providências tragam de volta a agricultura italiana e uma reversão desejável nos velhos moldes de posse de terra. Infelizmente, em uma reforma agrária de tais proporções, alguns inocentes sofrem.

— Ah, eu compreendo — afirmou Virgílio. — Não se pode fazer uma omelete sem quebrar os ovos. — Ele notou minha expressão perplexa e disse: — Um provérbio de Mântua. Uma omelete é um prato salgado feito com ovos. Nós, camponeses, gostamos, é muito bom, devia prová-lo, César, a próxima vez que for ao Norte.

Prometi provar (aliás, ele tinha toda razão, omelete é uma delícia, diga Lívia o que disser) e fiz perguntas sobre a lavoura. Suas respostas foram instrutivas e cheias de um profundo respeito pela parceria com a natureza, que é o quinhão do fazendeiro, que deve procurar ao mesmo tempo dominar e ser solidário. Disse que estas duas atitudes não são, como os ignorantes talvez suponham, opostas:

— São, na verdade, presas uma à outra, como bois de uma parelha; a natureza deve ser dominada e, no entanto, o objetivo é a harmonia, como quando se treina um cachorro ou se doma um cavalo — disse ele. — É impossível dominar verdadeiramente sem a compreensão que nasce de uma solidariedade profunda.

O que é isto senão uma definição de governo?

Agora vejo o que ele me disse naquela manhã como a essência das *Geórgicas*. Ele desenvolveu meu tema da Itália chamando-a de "paraíso terrestre, mãe das colheitas e mãe dos homens" em uma de suas passagens mais belas. Em seu discurso, ouvi nossa grande afinidade. Ele pensava na Itália e na missão de Roma como eu pensava; nasci para dar vida às suas palavras. Mais tarde, no grande poema épico sobre Roma, que insisti para que ele escrevesse, dizia que os deuses tinham prometido a Eneias, quando ele estava fugindo de Troia em chamas, "um império sem limites". E eu já lembrei a vocês que, na interpretação dele, o meu trabalho era "trazer de volta uma Idade de Ouro para os campos onde Saturno costumava reinar".

Meu trabalho foi interrompido por vícios, loucuras e ciúmes. Marco Antônio tinha desaparecido nas areias da Arábia. Sua mulher, Fúlvia, e seu irmão, Lúcio, estabeleceram-se como guardiães dos interesses dele e me acusaram de favorecer os meus próprios veteranos à custa dos dele. Uma acusação absurda, um mero pretexto para criar problemas. Lúcio esperava poder desfazer o triunvirato e forçar o seu irmão a aceitá-lo como um parceiro em igualdade de condições. A vil Fúlvia sabia que Marco Antônio estava cansado dos seus ataques de fúria de virago (o que ele tinha me dito várias vezes na Grécia) e queria convencê-lo de que era indispensável para ele.

A situação foi agravada por um racionamento de milho. Sexto Pompeu estava conduzindo um bloqueio com mais habilidade do que eu o julgara capaz. Por algumas semanas parecia que tudo o que eu havia conseguido estava se perdendo. Felipe, mais uma vez, veio agitar os braços nos meus aposentos como uma Cassandra superalimentada. Até Marcelo falou de acordos com os remanescentes do velho partido dos Senadores, que estavam usando o racionamento de milho para criar animosidade entre o povo — e, é claro, para impedir as minhas reformas. A população levantou-se em Roma e, com a loucura autodestrutiva típica da violência das massas, queimou os celeiros onde estava guardado o que restava da colheita anterior. Ordenei a Agripa que descobrisse os agentes que tinham provocado estes distúrbios e que os submetesse a um julgamento sumário.

Enquanto isso, naturalmente procurei apaziguar Lúcio e até Fúlvia. ("Perda de tempo, benzinho", disse Mecenas. "Jogue um balde de água gelada em cima dela — é o único remédio para uma cadela no cio!")

Eu disse "sem dúvida", porque não desejava de maneira alguma brigar com as relações dos meus companheiros de triunvirato e estava apavorado com a perspectiva de uma nova guerra na Itália, que eu estava fazendo tanto esforço para pacificar. Não podia também deixar de notar as ansiedades dos meus homens. Então garanti a Lúcio e a Fúlvia que eu era completamente leal a Marco Antônio, que os interesses dele eram os meus (e vice-versa); até me ofereci para submeter qualquer questão polêmica ao julgamento do Senado ou de algum órgão independente.

A resposta de Fúlvia foi armar-se de uma espada, fantasiar-se de general e ocupar Preneste. Eu os convidei a se encontrar comigo em Gábios; recusaram; não iam se apresentar "a um Senado de farda". O que eu podia fazer? Tinham resolvido decidir as coisas na luta. Mandei uma legião para Brundísio para vigiar Pompeu e seus oficiais, com quem temia que estivessem se correspondendo. Deixei Lépido com duas legiões para proteger Roma. Mandei Agripa com duas outras legiões atrás de Lúcio. Quando chegou o outono, os rebeldes tinham se lançado para dentro de Perúsia. Agripa sitiou a cidade e manteve o cerco. Eu estava amargurado.

Perúsia é uma fortaleza natural empoleirada nas bordas dos Apeninos. O inverno trouxe muita neve, noites geladas, ventos cortantes que rachavam os lábios. Na cidade, Fúlvia — segundo os meus agentes — declarou que era a nova Loba de Roma e os soldados, sua ninhada. Não hesitou em morder com mais selvageria do que qualquer lobo. Um dos meus agentes, um ex-centurião da legião Marciana, foi descoberto. Amarraram-no com correntes e a própria Fúlvia começou a torturá-lo. O bravo homem manteve-se calado e morreu com mil cortes. Ela, que tinha dado o primeiro, afundou as mãos nas entranhas dele e gritou que estava lendo nelas a minha ruína. Suas próprias legiões recuaram, horrorizadas e, quando ela se retirava, cuspiram em sua sombra.

O cerco atravessou o inverno, até que, com o começo do degelo, conseguimos identificar e bloquear os córregos que alimentavam os poços da cidade. Então os sofrimentos das tropas e dos cidadãos dobraram. Imploraram a Fúlvia que se rendesse; ela enforcou os dois líderes da comissão que fizera o pedido. Lúcio, que tinha tanto medo da terrível cunhada quanto qualquer escravo, mandou secretamente um mensageiro para Agripa. Percebendo que o fim estava chegando, pedia-me que fosse receber a rendição.

Mas a sede de destruição de Fúlvia ainda não estava saciada. Mandou os escravos atearem fogo aos edifícios municipais. Do acampamento vimos as chamas subindo até o céu sem lua, desenhando formas fantasmagóricas no fundo montanhoso; ouvimos os gritos das mulheres e os berros dos soldados em plena pilhagem — alguns conseguiram escapar para as colinas durante a confusão; outros tentaram cortar caminho pelo nosso acampamento e morreram na tentativa.

Na manhã cinzenta, golpeado pelos ventos de março — estávamos, graças à ironia inexorável do Destino, na véspera dos idos de março, o sombrio aniversário do assassinato do meu pai —, cavalguei por entre as defesas desmanteladas para um ar ainda cheio de cinzas e com cheiro de coisa queimada, sangue, vinho derramado e morte.

Lúcio, juntando os pedaços do soldado que tinha sido, havia reunido o que restava das suas legiões para oferecer uma rendição formal. Estava com bafo de vinho; a túnica manchada de sangue, suor e fuligem. Ele sempre fora menor do que Marco Antônio; agora parecia o fantasma do irmão, um espectro desprovido de qualquer nobreza, de qualquer presença; um homem abandonado pelos deuses da guerra.

Agripa instou para que eu condenasse Lúcio e Fúlvia à morte.

— Eles declararam guerra ao Triunvirato — disse, o que era absolutamente verdadeiro.

Lépido mandou mensagem semelhante, ainda mais insistente. Não nego que fiquei tentado. Suas ações não podiam ser perdoadas; tinham procurado destruir o meu trabalho e me destruir. Fúlvia tinha inclusive voltado a espalhar os boatos mesquinhos, escandalosos e infundados sobre minha vida pessoal.

Contudo, é claro que eu não podia eliminá-los. Eram ainda parentes de Marco Antônio. Eu sabia que ele gostava muito de Lúcio. E sabia que, embora estivesse cansado de Fúlvia, ele não poderia engolir o insulto de sua morte por minhas mãos.

Minha posição era absurda, extremamente desconfortável. Eu podia condenar à morte aqueles Senadores duros na queda, antigos correligionários de Pompeu, ligados aos Libertadores, cuja natureza irreconciliável tinha sido amplamente demonstrada e que tinham esgotado sua ração de perdões havia muito tempo. Podia apossar-me de suas terras e distribuí-las entre os meus veteranos (se já não tivessem sido desapropriadas durante as proscrições); tudo isto com a maior justiça e tranquilidade. Mas não podia tocar naqueles que eles tinham resolvido apoiar.

É preciso apaziguar aqueles que não é possível punir. Fiz as pazes com Lúcio. Chamei-o à minha presença, sozinho. Ele entrou, humilhado e ainda sujo, pois eu dera ordens para que não lhe fosse permitido banhar-se ou trocar de roupa. Isto ao menos eu pude fazer, mantê-lo preso umas duas semanas em uma cela cavada na rocha a partir da qual Perúsia fora construída. Assim eu o tornaria cônscio da clemência que lhe seria concedida.

A entrevista foi desagradável. Ele se rebaixou diante de mim. Culpou Fúlvia por tudo — "aquela mulher terrível!" — e implorou que eu poupasse sua vida. Foi tudo muito repulsivo; preferia a insolência com que tinham me tratado depois da batalha de Filipos. Lúcio prometeu lealdade no futuro. A derrota o havia desorientado. As promessas dele não tinham valor, e ele deveria ter percebido que era impossível para mim tratá-lo como ele merecia. Entretanto, eu o ajudei a se levantar, abracei-o, mandei um escravo preparar um banho e roupas limpas para ele, prometi que jantaríamos juntos e então poderíamos conversar. Tratava-se de um jogo que lhe devolveu logo a compostura.

Naquela noite eu lhe ofereci o posto de governador da Espanha com o comando de duas legiões. Este gesto generoso me deu um prazer, que aumentou quando pensei em como Lépido ficaria aflito.

Quanto a Fúlvia, recusei-me a vê-la. Se eu lhe tivesse concedido uma entrevista, instigaria um elemento em minha natureza que aprendi a recear. Mandei-lhe uma carta, ordenando-lhe que se aprontasse para viajar para Roma sob guarda. Lá deveria permanecer no Templo de Vesta até que eu tivesse informado seu marido de todos os seus crimes.

"Cabe a seu marido puni-la", escrevi. "Não é meu papel ser o seu acusador e juiz."

"Isso vai, com certeza, fazer a puta suar", pensei.

Enquanto isto, escrevi a Marco Antônio, contando-lhe o que havia feito por seu irmão. Aconselhava-o a se livrar de Fúlvia:

— Ela é um obstáculo intransponível à nossa colaboração.

Suponho que assim estava fazendo um favor a ele.

Aproveitei a oportunidade para me divorciar de Cláudia. A conclusão da chamada Guerra da Perúsia foi, portanto, feliz.

V

EU ME CASEI TRÊS VEZES. COM CLÁUDIA EU NEM ME CASEI DE VERDADE, porque o casamento nunca foi consumado — não conseguia olhar para ela sem me lembrar de Fúlvia; isto esfriava o desejo despertado por seu jeito de gatinha; eu imaginava o gato selvagem em que ela se transformaria. (Estava errado, coitada! Ela acabou sofrendo de uma loucura melancólica, que os médicos gregos chamam de "depressão", e afogando-se num tanque de peixes.)

Pouco depois do término da Guerra da Perúsia, casei-me com a avó de vocês, Escribônia, o que Mecenas achou muito divertido. Com razão. Ela era vinte anos mais velha do que eu e fora casada duas vezes. Seus dois maridos, apesar de cônsules, tinham sido homens medíocres. Casei-me com ela porque sua filha era mulher de Sexto Pompeu; pareceu-me uma relação prudente e potencialmente valiosa. Mesmo assim, eu certamente não teria me comprometido a me casar com ela — o que foi providenciado pelo meu padrasto — se a tivesse conhecido antes.

Os mistérios da hereditariedade sempre me deixaram perplexo. Como era possível àquela ranzinza, peituda e com falhas nos dentes ser mãe da minha adorada e linda Júlia? A própria Escribônia sentia que a nossa situação era absurda — para começar, eu era bem mais baixo do que ela, além de ser mais moço do que sua filha. Por outro lado, o casamento satisfazia sua ambição. Na noite de núpcias, ela me disse:

— É muita sorte sua, meu jovem, casar-se com uma mulher da minha experiência, e espero ser tratada com todo o respeito. Sei que você agora se diz filho de Júlio César e que o transformou num deus. Faz sentido... Para mim, isto mostra que você tem a cabeça no lugar. Mas é uma cabeça jovem, rapaz. Além do quê, deixe-me informá-lo de que conheci seu verdadeiro pai, e ele era bem vulgar. Disseram-me que o pai dele era um fabricante de cordas, o que não me surpreende. É verdade que o velho Felipe é um cavalheiro, mas ele não é seu parente consanguíneo. Ora, você deve compreender que eu estou me rebaixando com este casamento. Temos sete cônsules em nossa família, um deles lutou ao lado de Coriolano.

Meus maridos anteriores eram ambos cônsules também, portanto, este casamento é singularmente vantajoso para você. E há algo mais que eu preciso lhe dizer. Não gosto dos seus amigos. Exceto Marcelo, são todos mal-educados, degenerados ou as duas coisas. Ninguém, deixe que eu lhe diga, pode se dar ao luxo de ter esses relacionamentos, a não ser que sua família seja inatacável. Os verdadeiros aristocratas podem se misturar com a gentalha sem perder a dignidade, mas no caso de alguém com uma família como a sua, isto é prova de mau gosto. Estou vendo que vou ter de educá-lo. Enquanto isso, você despachará esses seus companheiros em algum tipo de missão bem longe daqui.

"Mais uma coisa: tenho ouvido histórias a seu respeito nada boas para a sua reputação. Todo mundo sabe que espécie de relação você mantinha com o seu tio Júlio... Bem, você é um rapaz bonito, sem dúvida, e Júlio César era... Júlio César. Não o culpo por isso. Ele era um homem encantador, com uma personalidade formidável. Eu mesma, que tenho grande senso moral, teria de dizer sim a Júlio César. Mas fui informada de que você se prostituiu àquele horrível Aulo Hírcio. E ouvi falar daquelas cascas de noz... ficou surpreso, hein? Não vou permitir isto. Meu primeiro marido costumava dizer que rapazes que gostam dessas coisas são iguais aos gregos. Ou aos asiáticos. Ou até mesmo aos sírios. Gosto que um homem se orgulhe de sua aparência, mas não suporto efeminados. Então, se eu pegar você numa destas, pode esperar uma tempestade, meu jovem.

"Sou uma mulher sem caprichos... — Meu Deus, era mesmo! — E digo o que penso. O que admiro é a antiga virtude romana.

"Quanto ao sexo, é importante em um casamento, mas tem de ser como eu quero. Com a sua reputação e experiência você não sabe agradar a uma mulher. Bem, vou ser franca: se você não souber me satisfazer na cama, farei com que todos fiquem a par disso. Não vou ficar casada com nenhum maricas. Sei muito bem que você se casou comigo por razões políticas, e é do meu interesse contribuir para o sucesso da sua carreira. Vou manter meu maravilhoso genro Pompeu na linha — isto é, se você me fizer ter prazer. Sou uma mulher forte, no vigor dos anos, e preciso de sexo três vezes por semana. Estou sendo bem clara, não estou? Veja bem, exijo ser tratada com respeito, inclusive na cama. Não pense que me verá nua. — Estremeci. — Aposto que vamos nos entender quando você aprender sobre o que eu gosto."

Isto é um resumo das suas palavras, é claro. Ela falou e falou durante três horas. Depois me mandou embora dizendo que voltasse em meia hora. Agripa estava esperando por mim com uma jarra de vinho.

— Acho que você vai precisar disto, rapaz! — disse.

Estava certo, como acontecia tão frequentemente. Quando voltei, fortalecido, ela estava sentada na cama com uma touca de dormir na cabeça.

— Disse às minhas criadas para não nos incomodarem sob nenhum pretexto — declarou, e apagou a lamparina. Agarrou-me vigorosamente, como alguém que tivesse esperado muito tempo. Tentei fazer minha imaginação funcionar. Mas nem mesmo as imagens mentais de corpos enlaçados de jovens escravas ajudaram muito.

Ela era uma mulher horrorosa, mas me deu Júlia. Suponho, quando reflito, que talvez ela tenha sido infeliz de nascença. A verdade é que nunca a vi contente. Quando me divorciei dela, expliquei que não aguentava suas reclamações constantes.

De todas as famílias nobres de Roma, nenhuma é mais notável do que a família Cláudia. De acordo com uma canção popular, a árvore genealógica desta família é como uma árvore frutífera com duas espécies de frutos: frutos doces, que são deliciosos e de grande valor culinário, e frutos azedos e ruins. Sem dúvida a história popular os divide entre bons e maus. As pessoas ainda se divertem contando o caso de Cláudio Pulcro, que quando fazia o ritual aos deuses antes de uma batalha descobriu que as galinhas sagradas se recusavam a comer.

— Se não querem comer — gritou —, então que bebam!

E jogou-as no mar, onde se afogaram. (Não admira que tenha perdido a batalha!)

Públio Clódio, o malfeitor que tinha sido o primeiro marido de Fúlvia, era outro alucinado; vocês já ouviram falar de alguns de seus excessos. Ele, inclusive, queimou uma de suas amantes na cama dela. A violência meio louca de Fúlvia era, eu sempre achei, um reflexo da dele. Havia também Ápio Cláudio Soberbo, que, nos primeiros tempos de Roma, tentou escravizar Virgínia, moça que nascera livre, e que ele já havia estuprado. Por outro lado, houve grandes servidores do Estado, como Cláudio Caudex, que expulsou os cartagineses da Sicília, e aquele Cláudio Nero (ouvi dizer que "Nero" significa "forte", no velho dialeto sabino, apesar de alguns afirmarem que quer dizer "negro"), que derrotou Asdrúbal. As mulheres da família Cláudia também têm fama de pertencer a dois tipos.

Nenhuma família tem sido mais importante para mim, mas acredito que o homem que se propõe a entendê-las é um tolo! Uma das razões por que o meu amor por Lívia nunca diminuiu e, pelo contrário, tem crescido cada vez mais profundo, impregnando mais poderosamente tudo, baseia--se na sua impenetrável natureza claudiana. O homem que compreende totalmente sua mulher logo chega ao fim do casamento.

Nada é mais difícil de entender do que o casamento. A política, aquele mistério profundo, é uma brincadeira em comparação. Chegamos ao casamento despreocupadamente, e ele se torna a coisa mais séria da vida. Talvez isto seja um paradoxo; num certo sentido, minhas memórias serão um comentário a respeito.

Digo "despreocupadamente" porque em geral nos casamos por motivos políticos ou familiares. A mulher em questão é o elemento menos importante, escolhida para consolidar alianças ou simplesmente porque traz com ela uma fortuna atraente. Então a maioria dos casamentos começa assim. Muitos nunca deixam de ser meras conveniências. Até mesmo vocês, meus queridos, devem ter observado como são poucos os maridos e mulheres que vivem um no outro, um para o outro. Os que se consideram espirituosos veem o casamento como uma piada que não passa de tempero para o adultério. Considero isto chocante, mas fácil de entender. Os casamentos são, na sua maioria, vazios. E, no entanto, existem alguns, entre os quais considero-me abençoado pelos deuses por poder citar o meu, que nutrem o marido e a mulher, que proporcionam delícias inesgotáveis e que permitem que solidariedade e compreensão cresçam entre os dois. O casamento é, para começar, um contrato legal, mas alguns poucos têm a sorte de encontrar no matrimônio uma comunhão profunda, que, voltando às teorias platônicas, parece oferecer mais a essência do que a sombra de uma suprema realidade divina. Caçoamos do marido que adora a mulher, porém somente aquele cujo casamento é verdadeiro e profundo pode conhecer a maior felicidade de que os seres humanos são capazes. À medida que o conceito filosófico de almas divididas tem algum valor, sua solução só pode ser encontrada no casamento. Contudo esta compreensão profunda é baseada num mistério que permanece. A mulher amada é o centro da existência, a união com ela é completa, e mesmo assim nunca se pode conhecê-la totalmente ou deixar de estar consciente de que ela é outro ser separado.

Lívia é descendente de Ápio Cláudio Pulcro, que aconselhou o Senado a não aliar a República ao rei Pirro, do Epiro, ganhando assim fama de sensato. Quando eu a conheci, ela era casada com um primo, Tibério Cláudio Nero, e eles eram meus inimigos. O marido, que não compreendia a índole dela, era um incapaz, que passou pelas guerras civis como se estivesse jogando dados. Tinha apoiado o meu pai e depois o abandonara. Insistira com o Senado para que honrassem os assassinos de César e depois fora para o lado de Marco Antônio. Em Bonônia, nós o tínhamos nomeado pretor para o ano 42. Havia então se unido a Lúcio e a Fúlvia e sobrevivido ao terrível cerco de Perúsia, durante o qual o padrasto de vocês, Tibério, era um bebê. A seguir, fugiu para a Sicília e fez um acordo com Sexto Pompeu, aquele homem sem discernimento. Em 39, assinamos a paz com Pompeu, em Miseno, e, depois de uma ligeira escaramuça na Campânia, Tibério Cláudio Nero apresentou-se no meu acampamento.

Este homem irresoluto, consistente somente no fracasso, ainda assim era cheio de soberba. Por quê? Era um Cláudio! Sendo assim, tudo lhe era permitido. Sua família sobrevive a qualquer desonra: não são só bem-nascidos — na sua própria opinião, são nascidos bem. Sua jovem mulher não era diferente. Aproximou-se de mim como se fosse uma grande dama e eu, um plebeu sob sua proteção, não como a companheira de um homem vencido e desacreditado.

Aproximou-se e fez o meu coração parar. Ela é, como vocês sabem, da minha altura, ou talvez uns poucos centímetros mais alta. Estava vestida de branco e rosa, sem nenhuma joia: ela sempre desprezou qualquer joia, a não ser os seus olhos. Pensei comigo: "Helena devia ter esta aparência quando Páris a viu na casa de Menelau." E então percebi que estava zangada. Aqueles olhos úmidos, que nos meus devaneios amorosos — perto de fogueiras de acampamentos em terras frias e inóspitas — são sempre ternos, eram duros e desdenhosos. Por minha causa ou por causa do marido? Eu não sabia, mas me senti imediatamente culpado. Ela nunca perdeu este poder de fazer-me sentir culpado, envergonhado.

Recusou-se a falar. Ficou em pé, um pouco afastada, numa atitude que, simplesmente, porque não era nem um pouco provocante, fez nascer em mim um desejo tão intenso como eu jamais tinha sentido antes. Eu disse "simplesmente", mas nunca houve nada a respeito de Lívia que pudesse ser chamado corretamente de "simples". Acho que se ela tivesse, por um momento sequer, dado algum sinal de interesse, se tivesse feito o papel de coquete, meu desejo teria diminuído e eu teria sido capaz de ouvir o que o seu marido estava dizendo. Poderia então sentir raiva, porque ele também, apesar da fraqueza que eu conhecia, dava-se ares de superioridade, motivados por sua consciência de ser um Cláudio. Mas eu não conseguia prestar atenção. Os modos reservados de Lívia tinham me conquistado.

VI

MINHA IRMÃ OTÁVIA ERA UMA PÉROLA ENTRE AS MULHERES: CASTA, inteligente, devota, carinhosa, fiel; de olhos cinzentos, era recatada e graciosa como uma flor de macieira. Sacrifiquei sua felicidade pelo bem da República (pois com a morte oportuna de Marcelo eu não podia recusar o ensejo que se apresentava apesar da dor de Otávia...).

FÚLVIA MORREU ROSNANDO. ATÉ O SEU ÚLTIMO ALENTO, ELA SOPROU veneno nos ouvidos de Marco Antônio: eu tinha dado a ele o papel de Pompeu enquanto eu era César.

— Marco Antônio não deu importância ao que ela disse — garantiu-me Salvidieno Rufo. — Ele tem outros interesses.

— Outros interesses?

— Cleópatra.

— Política — eu disse. — Ele precisa da cooperação da rainha do Egito se quiser ter sucesso na invasão da Pártia. Como você sabe, sou contra isto. Acho que a primeira regra dos generais romanos devia ser não invadir a Pártia. (Tomem nota, meus filhos, acredito nisso ainda mais do que antes.) Mas Marco Antônio está comprometido com este plano de ação. Não consigo dissuadi-lo. E precisa da ajuda do Egito. Precisa do apoio econômico do Egito. Política!

— Isso lhe parece política? — prosseguiu Rufo. — Marco Antônio estava esperando por ela quando ela subiu o Rio Cidno numa galeota como nunca se viu igual. Indescritível, toda púrpura e dourada e com lamparinas perfumadas. Cleópatra estava reclinada em um trono com uma coroa fina de ouro na cabeça, uma única corrente de ouro em volta do pescoço e nenhuma outra joia, exceto os seus olhos. As maçãs do rosto tinham um tom de rosa muito suave, e a boca... você já ouviu falar da sua boca? Não tem comparação, é o eterno e sonhado beijo. Os olhos cor de violeta estavam ligeiramente úmidos. Flautas tocavam músicas calmantes e lânguidas. Quatro cupidos, lindos meninos mestiços de grego com sírio, abanavam-na. Diante desta visão que se aproximava dele, Marco Antônio esqueceu Fúlvia. Ele ama Cleópatra, viveu com ela o inverno todo, e você fala de política. Como você é jovem, Otávio. Não sabe nada sobre o amor.

Isto aconteceu no inverno passado, antes que eu conhecesse Lívia. Meus pensamentos correm por aqueles meses como uma andorinha, vão e voltam.

Marco Antônio foi contra a minha apropriação da Gália. Escreveu-me uma carta, zangado. Suponho que ainda esteja guardada em algum lugar, mas não vou procurá-la. O que se seguiu, no entanto, foi perigoso.

Ele, como de costume, agiu impetuosa e inescrupulosamente. Em vez de aguardar a minha resposta, improvisou um acordo com Sexto Pompeu e Enobarbo, (um dos assassinos de César, que tinha uma frota pirata) e os três embarcaram para a Itália. Naturalmente eu ordenei à minha guarnição de Brundísio que não permitisse que eles desembarcassem. Como resposta, ele bloqueou o porto e desembarcou com as suas legiões em Siponto, algumas milhas mais ao Norte. Corri para o Sul com o coração pesado, temendo que a leviandade de Marco Antônio levasse mais uma vez a Itália à guerra. Maco me disse:

— Os homens não estão gostando, não lutarão com vontade.

— Eu também não vou. Também não estou gostando.

Aquela noite vaguei pelo acampamento. Havia uma lua amarela de verão, e as montanhas da Apúlia assomavam sobre nós como ursos angulosos e ferozes. Eu tinha me enrolado numa capa barata que cobria em parte a minha cabeça e, quando fiquei de cócoras perto de um grupo de legionários, ninguém me reconheceu. Eles estavam mal-humorados, nervosos. Um deles disse:

— Você, Caio, como todos os antigos soldados de César, só pensa na próxima batalha sangrenta. Você está viciado nisto, a guerra é uma droga para você...

— É o que você pensa — respondeu o outro —, você não sabe de nada. São os velhos lutadores como eu que menos gostam de guerra. Uma coisa é dar uma surra nos gauleses, o que traz satisfação, mas eu sou soldado há vinte anos, já fui condecorado dez vezes, lutei em mais de cinquenta batalhas e escaramuças, tenho feridas para provar o que estou dizendo, e nunca vi nada de bom acontecer quando se luta contra outros romanos.

— Então, por que a gente luta? Por que deixamos os chefes sacanearem a gente? Por que diabos a gente não diz a eles para lutar corpo a corpo se eles estão com uma vontade tão forte de brigar?

Isto fez rir aos outros.

— Você pode imaginar o nosso generalzinho entrando na arena com Marco Antônio?

— Seria... — a conclusão ficou ao mesmo tempo aberta e fechada em uma frase.

— Ele é esperto demais para isto, o nosso pequeno César.

Eu disse:

— Mas o que você acha que ele quer? Só poder e sangue, concorda?

— Amigo — disse o veterano chamado Caio —, não sei quem você é, mas você não sabe porra nenhuma sobre o mundo.

— Deixe disto — eu disse —, esses políticos são todos iguais. Não se importam com o que acontece aos seus homens se é para chegarem ao poder. E se você quer a minha opinião, o jovem Otávio é o pior de todos.

— Amigo — disse Caio —, você quer sentir o gosto da minha espada para a refeição da manhã?

— Só estou dizendo o que penso — disse eu. — Então me diga por que eu estou errado.

— Para começar — disse Caio —, você faz ideia de quanta terra ele já deu para os rapazes?

— Ah, isso aí — respondi — não quer me dizer coisa nenhuma. É só um político garantindo um grupo de dependentes, se você quer saber.

— Não quero saber nada de você. Você é um ignorante fodido. Eu estou dizendo para você — retorquiu Caio.

— Se você é tão inteligente — disse eu —, diga-me, por que você acha que estamos aqui. Diga-me por que estamos nos preparando para lutar contra Marco Antônio. Uns meses atrás todo mundo era cupincha de todo mundo, a gente e eles na mesma matança dos outros. Responda-me, seu sabichão barbudo!

— Escuta, cabeça de merda — disse ele — não queremos lutar contra Marco Antônio!

— Não queremos mesmo! — exclamou outro.

— É isso aí, eu tenho dois irmãos no exército de Marco Antônio.

— Eu só gosto de lutar quando tenho certeza de que vou ganhar — retrucou outro. — E eu nunca apostaria no nosso carinha contra Marco Antônio.

— Ah, o comando... — disse eu. — Os generais não contam tanto assim. Toda esta conversa de comando é titica! O que conta é como nós, soldados, nos sentimos. O que eles chamam de moral da tropa.

— Não sei quem você é — disse Caio —, e estou até começando a desconfiar que você é um espião que Marco Antônio mandou para o nosso acampamento. Neste caso, eu vou entregá-lo ao centurião-chefe e me oferecer para eu mesmo pregá-lo numa cruz...

— Pensei que você tivesse dito que os velhos lutadores não são nunca voluntários para nada...

— Desta vez seria um prazer. Acontece que o que você disse é verdade, até certo ponto. O que decide as batalhas é o que os soldados sentem, é o que decide se eles lutam ou fogem. Mas, sabe, uma das coisas que decide se eles ficam ou correm é o que eles pensam do seu general. Do general, da legião e do exército todo. Quando eles não têm confiança, eles fogem. É muito simples. E é por isso que Júlio César vencia todas as batalhas... nós nunca deixaríamos de lutar por ele...

— E a causa? — questionei.

A sua voz ia ficando mais suave quanto mais ele pensava. Já notei várias vezes que a rudeza da fala espontânea e natural dos soldados dá lugar a algo mais admirável quando eles começam a refletir.

— Sempre dizemos que não tem importância — disse ele. — Que a gente luta pelo soldo, porque mandam a gente lutar, porque o centurião tira o nosso couro se a gente não lutar, porque a gente tem medo de não lutar, e é tudo verdade. Mas, por trás de tudo isto, tem outra coisa: os homens lutam melhor quando lutam pelo que acreditam. Sou bastante velho para me lembrar de Vercingetórix e Alésia. Foi a batalha das batalhas.

Isso porque os gauleses estavam lutando por tudo que era deles, pelo que a gente iria tirar e mudar.

Ele abaixou a voz. Alguém jogou um galho na fogueira e as chamas subiram, iluminando seu rosto firme e marcado por cicatrizes. Passaram uma garrafa de vinho. Fui incluído no círculo como se o tom alterado da conversa, a sensação de que estávamos todos sendo libertados por tudo o que Caio tinha conhecido em sua vida de soldado, tivesse dissipado a desconfiança com que eu havia sido visto e me fizesse parte do grupo.

Caio recusou o vinho. Disse:

— A causa do nosso rapaz é boa. Ele representa a Itália, os nossos lares, as nossas fazendas e a ordem pública.

— Mas, desta vez — disse outro —, que razão existe para lutar contra Marco Antônio?

— Talvez nenhuma — respondeu Caio —, exceto que ele está aqui. E isto tem de ter um fim. Se Marco Antônio insistir, temos de fazer frente a ele.

Tirei o capuz da cabeça e dei um passo à frente para que eles pudessem ver quem eu era.

— Você tem toda razão, Caio — concordei. — Não! — Sorri ao perceber que ele estava desolado. — Não se desculpe por ter ameaçado me pregar numa cruz. Não quero que haja uma batalha, mas se tiver de ser, será. Você sabe o que o meu pai disse depois da batalha de Farsália, quando olhou para os mortos do exército de Pompeu?

— "Eles quiseram isto."

— Essas foram suas palavras. E você tem toda a razão também quando fala da minha causa. Eu defendo a República, fazendas para os meus soldados, decência e paz. Já progredimos muito e não podemos escapar do nosso destino...

— Tudo bem, general — disse um rapazinho de rosto magro com orelhas de couve-flor —, mas "destino" é uma palavra importante demais para nós. Acho que destino tem a ver com gente do seu tipo.

— Qual é o seu nome? — perguntei, sentando-me ao lado dele.

— Sétimo — respondeu ele —, porque sou o sétimo filho, entende?

— Muito bem, Sétimo — eu disse —, se um sétimo filho não compreende o destino, quem compreende? Mas você está errado, sabe, todos temos um destino a realizar. E deixe que eu lhe diga, eu sei que a minha sorte está marcada, quer a luta contra Marco Antônio seja agora, mais tarde ou nunca. Vou conseguir para você e para todos os italianos exatamente o que Caio disse que pretendo alcançar. Quanto a isto, confie em mim. Estamos aqui não só por nós mesmos, mas pelos nossos filhos.

— Não tenho nenhum — disse Sétimo.

— Mas vai ter.

— Vai nada, César! — gritou outro — Ele não é capaz... — e a garrafa de vinho passou mais rápida entre comentários obscenos e bom humor...

Eu ainda estava acordado quando a alvorada se insinuou para nós, vinda da Ásia, sobre o cinzento e calmo Mar Jônio, através do golfo e dos alagados ainda silenciosos. Então os primeiros pássaros cantaram, as aves marinhas e os maçaricos; e, muito lentamente, o acampamento começou a acordar, cavalos mudando a posição das patas, balançando as correntes e bufando, homens falando, cozinheiros chamando para a refeição da manhã; eu despertei um escravo e mandei que ele fosse buscar Mecenas.

Ele demorou muito e chegou esfregando os olhos. Estava usando um deslumbrante chambre de tafetá amarelo-claro e ouro, enfeitado com dragões vermelhos. Vinha seguido de um escravo com uma bandeja de carnes: peito de pavão defumado, camarões ao molho de limão e açafrão, lagosta cozida e uma jarra de vinho gelado.

— Eu sei, César — Mecenas disse com voz arrastada —, que a sua refeição da manhã é espartana demais para mim. Acho a maior afetação, meu caro, comer o que os soldados comem — bocejou e prosseguiu. — O que é, benzinho, que não podia esperar até uma hora mais decente?

— É todo esse absurdo... — disse eu.

— Absurdo? Você é ingênuo! — disse ele. — Você tem esta estranha ilusão de que Marco Antônio é um homem sério como nós. Marco Antônio é um sujeito de taverna. Quer poder e fama. É o que o faz se sentir bem. Não adianta falar com Marco Antônio sobre ideais, benzinho... Ele nem sabe o que você quer dizer com isto. Por outro lado, concordo com uma coisa: ainda é cedo demais para brigar com ele. Vou ver o que posso fazer...

Fiquei nervoso o dia inteiro enquanto Mecenas discutia com o enviado de Marco Antônio, Asínio Pólio. Não há nada mais irritante do que a posição de um chefe enquanto seus agentes negociam. Estava muito quente; fiz meus escravos prepararem um banho para mim três vezes, e em cada uma delas achava uma questão qualquer que tomava a minha atenção. Tinha decidido o que tinha de ser feito, e me sentia culpado. Conhecia Marco Antônio bem demais para não sentir culpa e me preparei para enfrentar as críticas da minha mãe. Mais tarde, Lívia me disse:

— Você diz que ama sua irmã. Ela talvez seja a única mulher de quem eu poderia ter ciúmes. E, no entanto, você a submete a este casamento. Por quê?

— Não por mim — respondi. — Por Roma. Pelo mundo inteiro.

Quando Marco Antônio se encontrou comigo para assinar o que ficou sendo chamado de Tratado de Brundísio, ele riu. Estendeu a mão para beliscar o meu rosto, como fazia nos velhos tempos, hesitou por um instante, e me deu um beliscão bem forte.

— Casar com sua irmã, garoto — cacarejou. — Ora, isto é fechar o círculo.

Recuei e disse:

— Tem mais uma coisa: esse casamento é de conveniência, mas eu amo minha irmã.

— Ela é uma beleza — ele retrucou —, e dizem, César, que é tão virtuosa quanto bonita, ao contrário de algumas que eu conheço, hein, e bastante sensata também, para a irmã de um César. Então, qual é a outra coisa?

— Cleópatra — disse eu.

— Ah, a rainha? O que tem ela?

— Segundo os boatos, vocês dois são amantes.

— Os boatos estão por dentro — disse Marco Antônio. — Mas, apesar disso, ela é uma mulher terrível. É muito mandona. Vou ficar muito contente de ter uma boa esposa romana para me proteger da rainha... Mas você precisa compreender que a nossa relação é antes de mais nada política. Preciso do Egito.

— Roma precisa do Egito — rebati. — Será que Roma precisa de Cleópatra?

Marco Antônio sorriu.

— Você é fogo, César — respondeu. — Eu tinha pensado a mesma coisa.

Aquela conversa aliviou a minha consciência, ou poderia tê-la aliviado se a minha consciência se deixasse enganar por palavras. Eu sabia que estava fazendo uma coisa errada, contudo era o que tinha de ser feito.

Expliquei isto a Otávia. Disse-lhe que eu e Marco Antônio precisávamos ficar unidos e que isto só seria possível se ela concordasse em ser o traço de união. Otávia disse:

— Ele tem de prometer que não verá a rainha do Egito sozinho.

Marco Antônio prometeu. Certas pessoas falam de Marco Antônio e Cleópatra como grandes amantes. Tenho notado isto entre alguns amigos aristocráticos da minha mãe. Eles deviam saber que ele fez aquela promessa. Não havia um amor profundo entre eles, acreditem.

Otávia também disse:

— César fez sua filha se casar com Pompeu para selar a aliança entre eles, que durou enquanto ela viveu. Sei bem o que o dever exige de mim, meu irmão.

Otávia tem um rosto pálido, o rosto de uma sacerdotisa, e quando ela disse isto o seu rosto estava muito sereno e belo, como o de uma sacerdotisa diante do altar. Ela disse outra coisa:

— Afinal de contas, eu conheci o amor com Marcelo. Muitas mulheres não têm esta sorte. Mas quero lhe fazer um pedido, meu irmão... Não quero que o meu filho Marcelo cresça na casa de Marco Antônio. Não desejo abandoná-lo, mas vou deixá-lo com a minha mãe e pedir que você seja responsável pela virtude dele, seu bem-estar e educação.

Respondi:

— Vou amá-lo como a um filho ou um irmão mais moço.

Então o casamento foi realizado. Minha mãe ficou furiosa e nunca deixou de me culpar por ter, como ela dizia, "sacrificado" minha irmã. Ela tinha razão, mas o sacrifício era necessário. O Tratado de Brundísio confirmou minha conquista da Gália; deixou-me livre para cuidar de Sexto Pompeu, a quem Marco Antônio abandonou com uma rapidez que deveria ter assustado qualquer amigo dele (e que eu mesmo notei). Em troca, Marco Antônio agora tinha controle de todo o Império Romano, do Mar Jônio ao Rio Eufrates; prometi-lhe cinco legiões da Gália para a guerra da Pártia, que era uma obsessão dele.

— Muito bem, tudo parece satisfatório. Esquecemos alguma coisa?

— Acho que não...

Mecenas deu um tapinha no meu ombro e curvou-se para a frente:

— Lépido — disse.

— Ah, Lépido! — respondi.

— Por Júpiter, é mesmo! — disse Marco Antônio. — Nosso nobre colega, nosso parceiro de triunvirato. Como fomos esquecê-lo? Então, e o nobre jumento?

— Que fique com a África — eu disse.

— Por que não? — disse Marco Antônio, e a conferência terminou com risadinhas.

Na Germânia existem florestas escuras e fechadas. Os galhos das árvores imensas juntam-se para impedir que o sol chegue ao solo coberto de vegetação, emaranhado e cheio de plantas espinhosas. Estas plantas, que dilaceram as pernas do viajante, alcançam até o alto de perneiras de couro de vaca, como as que Ulisses usava quando arava os campos de Ítaca. São florestas mal-assombradas, habitadas por espíritos demoníacos. Uma vez que não há trilhas, o viajante tem de fazer cortes nas árvores para marcar sua jornada. Estas florestas mexem com os nervos; nenhum romano que passe algum tempo nelas volta o mesmo; fica sofrendo dos nervos, do estômago e de estranhas tremedeiras. Suspira de saudades do mundo claro do Mediterrâneo, da paisagem definida e verdadeira de rochas, céu e água; sente falta das certezas destas realidades concretas.

Durante cinco anos, depois do assassinato de César, vivi em um mundo que era como uma floresta germânica. Olhando para trás, agora consigo discernir um traçado geral, mas na época eu ia de dias agitados a noites alertas e insones. Tinha uma ideia da direção em que me movia, mas seguia sem um conhecimento preciso das coisas, apreensivo, circunspecto e frequentemente amedrontado.

Lívia me trouxe para o sol, como se eu tivesse saído da floresta para encontrar uma planície frutífera ao meu redor. Apaixonei-me por ela à primeira vista, porém ela se recusou a me ver durante três semanas. Considerava-me inimigo; eu era o jovem agitador da ordem social, o defensor dos que não tinham propriedades ou família importante — sua linda cabeça estava recheada das ideias aristocráticas mais conservadoras que o seu marido boboca e rancoroso incentivava. Mandei-lhe cartas, flores, presentes de frutas e moluscos — tudo em vão. Mas tive o bom senso de não lhe enviar os meus versos. Então convidei o casal para um jantar e, por intermédio de Mecenas, avisei o egrégio Tibério Nero de que o convite era na verdade uma ordem. Ela chegou vestida de branco, sem joias, com uma expressão de desprezo no rosto. Preparei-me para cativá-la, mas falhei. Eu não tinha quase experiência nenhuma com moças de boa família, e obviamente nenhum dos meus dois casamentos havia me preparado para este tipo de situação. Procurei dizer disparates, sem saber que Lívia não achava graça nisto; mais tarde ela me disse que tinha ficado desapontada com as minhas palhaçadas.

Sem dúvida a conversa não fluía. Eu sabia que Mecenas estava rindo de mim, e deveria ter imaginado que ele era a espécie de presença que Lívia considerava revoltante. Sobre o que, eu me perguntava, morrendo de impaciência e quase gaguejando de nervosismo, esta moça gostaria de conversar? Guerra e política nem pensar! Só discordaríamos. Tentei poesia; ela disse que nunca lia poemas. Perguntei-lhe sobre sua família:

— Eu amava o meu pai — disse-me ela —, ele era um homem honrado. Foi morto em Filipos. Ouvi dizer que foi morto depois da batalha.

Levantou seu queixo e olhou dentro dos meus olhos sem um sinal de compreensão, desafiadora.

Pensei comigo mesmo: ela me desprezará se eu abaixar a crista e não aceitar o desafio.

Inclinei-me sobre a mesa e enchi sua taça de vinho.

— Foi um negócio feio, Filipos — respondi —, que se seguiu a um mais feio ainda: o assassinato do meu pai. Mas sinto muito pelo seu pai, acredite. As consequências de se matar um concidadão são sempre dor e tristeza.

— Isto é fácil de dizer, César.

— E difícil de provar?

— Impossível, eu diria — ela respondeu, os olhos nos meus.

— Tem razão — disse eu. — Impossível. Só posso lhe pedir que acredite em mim e que se lembre disto: se a batalha de Filipos tivesse conhecido desfecho diferente, eu estaria no meu túmulo, e acho que sem nenhuma honraria. A guerra entre romanos é torpe, perversa e errada. Se eu tenho um objetivo na minha vida, este objetivo é o de pôr um fim às guerras civis, que têm desfigurado e deformado a República desde o tempo de Sila e Mário. Mas, para pôr um fim a elas, não basta vencer; as causas sociais das lutas civis devem ser tratadas, pois o Estado está doente. A verdadeira missão de qualquer consciência romana hoje em dia é a de um médico. Mas para curar doenças é preciso usar primeiro a faca do cirurgião...

Um sorriso, como o primeiro raio de sol da madrugada batendo numa parede fria, apareceu no canto de sua boca.

— Estou contente que não esteja mais falando comigo como se eu não passasse de uma garota bonita — disse ela. — Estou contente de ver que pode falar de coisas sérias comigo, César.

Levantou-se do seu divã e, tropeçando na barra do vestido ou escorregando no mármore, caiu no chão. Imediatamente corri para ela.

— Meu tornozelo... — disse.

Olhei para a mesa. Tibério Nero, numa nuvem de vinho, não estava prestando nenhuma atenção à mulher. Eu a peguei no colo.

— Vamos ver isso...

— Ai — disse ela —, mas você é mais forte do que parece.

— É muito difícil esquecer que você é uma linda moça — eu disse depois de tê-la colocado em um divã na antecâmara, examinando o tornozelo que já estava inchado.

— Por que você usa esta barba horrorosa? — ela perguntou.

— Vou rapá-la para lhe agradar.

O tornozelo dela estava bem machucado. Ordenei ao cirurgião que receitasse repouso absoluto para a acidentada, e então convidei Lívia e Tibério Nero a serem meus hóspedes. E foi assim que tudo começou.

— Diga-me tudo sobre você mesma...

— O que você quer saber?

— Tudo.

— Você não pode saber tudo.

— Mas eu tenho de saber.

— Tem, César?

— Tenho. Se vamos passar a vida juntos...

— Ah, nós vamos?

— Estou tratando disso... — Peguei a mão dela e a coloquei no meu rosto. — Está vendo? Sacrifiquei a minha barba. Por você. É o fim de um período da minha vida... Parei de fazer a barba no dia em que tive a notícia do assassinato do meu pai. Agora estou fazendo a barba novamente. Você mudou as coisas.

— Gostaria que você parasse de chamar aquele homem de pai... Suponho que você tenha tido um pai de verdade. Como era ele?

— Um homem comum... Nada de excepcional. Gostava de pescar em córregos, nas montanhas.

— Muito significativo, isto me diz muita coisa.

Ela tinha um modo de falar abrupto e rápido, uma voz ligeiramente metálica. Havia certo nervosismo na sua voz, certa sensação de deficiência. Era decidida e, no entanto, sua voz sugeria — desde aqueles primeiros dias, quando, só de olhar para ela deitada nos travesseiros, o rosto pálido de pele translúcida e os imensos olhos azul-esverdeados emoldurados pelos cabelos da cor de folhas de faia no outono, eu sentia o sangue correndo em mim e um desejo intenso e angustiado (e o medo de que talvez eu nunca pudesse tê-la, de que talvez no fim ela pudesse sempre me negar uma parte misteriosa e secreta dela mesma) —, sua voz, eu dizia, sugeria desde aquela época um senso de solidariedade limitado, uma visão estreita; talvez fosse o que a fizesse tão completa e tão completamente desejável. Ela tinha tanta certeza e, contudo, era ao mesmo tempo tão vulnerável, porque o mundo era mais complicado do que ela pensava e, em algum lugar, nos recessos de seu espírito, ela percebia isto e, apesar de toda a sua coragem, tinha medo.

— E o Ditador — disse ela —, como ele era realmente?

Desviei os olhos para fora da janela. O sol estava brilhando em cima do distante Aspromonte; nas colinas mais próximas, os bosques de castanheiras emitiam um brilho verde profundo; as flores cor-de-rosa de uma roseira entravam pela janela; uma glicínia roxa se espalhava pela parede do terraço; um lagarto tomava sol em cima de pedaços quebrados de alvenaria. Respondi:

— Ele era encantador. Eu tinha medo dele. Devo-lhe tudo. Não gostava dele.

Ela apertou a minha mão:

— Ah — disse —, estou tão contente de ouvir você dizer isto.

Sua mão era forte, do tamanho da minha (que, como vocês sabem, é um pouco pequena); seu aperto, firme e seco. Eu disse:

— Ele era um egoísta. Usava as pessoas desavergonhadamente. Havia algo de cruel e interesseiro em sua indulgência.

(Enquanto eu falava, pensava: estarei descrevendo a mim mesmo?)

Lívia disse:

— Como você pode me amar? No meu estado?

— No que as amigas de minha mãe elegantemente chamam de "estado interessante".

— Estou grávida de seis meses — ela disse.

— Ah, Lívia, como se isto tivesse importância...

Debrucei-me, pus meus braços em volta do corpo dela e levantei sua cabeça. Beijei seus lábios. Era como se estivesse enterrando o rosto em pétalas de rosa. Senti um leve cheiro de almíscar. Ela se reclinou e sussurrou:

— Você não é um destes rapazes que só gostam de mulheres grávidas, é?

— Você quer se casar comigo?

— Trata-se de uma ordem polida, César?

— Não, Lívia, nunca lhe darei ordens. — E nunca dei.

— Você tem uma esposa, eu tenho um marido...

— Vamos nos divorciar deles. Eles podem se casar um com o outro...

— Não — ela disse —, isto não. Mas a verdade é que você rapou a barba...

Beijei-a novamente, desta vez ela retribuiu. Os seus braços se fecharam em volta do meu pescoço. Ficamos ali deitados alguns minutos, cheios de alegria, nas delícias do amor e do desejo, como dois lagartos tomando sol.

Divorciei-me de Escribônia logo que pude. A ocasião não foi das melhores, porque o divórcio foi homologado no dia em que a mãe de vocês, Júlia, nasceu. Todavia eu deixei claro desde o começo que ela era responsabilidade minha, não de Escribônia. Tibério Nero não criou problemas. Na verdade, ele disse:

— Francamente, César, vai descobrir que ela tem vontade própria. E um gênio daqueles. Não posso dizer que esteja ressentido de me ver livre dela. Você vai cuidar do menino, não vai, e da criança que está a caminho? Espero, veja bem, que você ponha algumas oportunidades no meu caminho.

O segundo filho de Lívia, pobre Druso, nasceu três dias depois que nos casamos. Sei que alguns dizem que eu fui o pai dele, mas não é verdade.

VII

A CHUVA QUE CAÍA HORIZONTALMENTE, CARREGADA PELA VENTANIA, chegava até dentro da caverna rasa em que nos encontrávamos. Sétimo, o rapazinho de rosto magro com as orelhas de couve-flor que agora servia a mim pessoalmente, estava procurando proteger uma fogueira crepitante com sua capa. Eu me enrolei na minha e estremeci. A ferida na minha coxa latejava. A mão que pousei na atadura ficou úmida e pegajosa. Estava com náuseas e dor de cabeça. Coloquei de lado o meu capacete amassado do topo até a altura da têmpora esquerda. Não tinha percebido que o núbio batera com tanta força; não era de admirar que eu estivesse com dor de cabeça.

Éramos seis apertados numa caverna que na verdade não passava de uma depressão na rocha. O vento soprava com força na baía. O navio que poderia ter nos levado dali balançava como um bêbado preso na pedra em que tinha batido. Observei-o durante muito tempo na tarde de outubro que escurecia. A última investida do ano, pensei comigo mesmo, e deu nisto. Já fazia muito tempo que o último bote desesperado, lançado do navio, tinha desaparecido. Outro havia sido puxado em volta do promontório; talvez tivesse sido carregado para a terra. Mas durante um longo intervalo tínhamos olhado fixamente para as cabeças agitando-se na água. Estavam só a sessenta ou setenta pés do litoral. Podíamos ouvir nitidamente os seus gritos; podíamos até, acima do vento, identificar os deuses cujo auxílio imploravam e que lhes eram surdos. Depois as vozes sumiram e só se ouviam as gaivotas.

A luz ia morrendo. O mar ainda brilhava contra as rochas lá longe, à direita de nós, mas abaixo de nossa caverna, com a praia escura, era difícil saber onde acabava a água e começava a areia. Uma mortalha cor de chumbo cobria tudo. Então Sétimo, num passe de mágica, conseguiu fazer crescer a fogueira. As chamas dançaram nos rostos manchados e aflitos dos homens. Os olhos cintilavam vermelhos. Ninguém falou. Estavam todos aconchegados e o mais perto possível do fogo.

Eu não conseguia dar ordens. Foi Sétimo quem se encarregou de mandar dois homens de volta ao acampamento que tínhamos sido forçados a abandonar. Deviam procurar comida e vinho. Eles hesitaram, temerosos; com certeza os homens de Pompeu estariam lá.

— Com certeza morreremos de fome se vocês não forem — disse Sétimo.

Eles ficaram sentados em silêncio por muito tempo. Sétimo foi até eles e cochichou alguma coisa. Percebi olhares sombrios dirigidos a mim; de estômago virado, cabeça latejando e boca seca e amarga, pensei que nada os impedia de conseguir glória e riqueza falando com Sexto Pompeu em pessoa. Por um instante eu quase ordenei a Sétimo que nos mantivesse todos juntos.

Então os dois se levantaram, sem falar, e se esgueiraram para fora da caverna. Sétimo se aproximou de mim:

— Tudo bem, general. Dará tudo certo. O acampamento estará cheio de saqueadores. Ninguém saberá que eles são seus homens.

— São mesmo? — perguntei.

Ele assobiou parte de uma canção, encolheu os ombros, olhou para fora, para o mar invisível.

— Como está sua ferida, general?

— É no coração... — respondi.

— Eu queria um copo de vinho... — disse ele. — Quer que eu dê uma olhada na sua coxa?

Fiz que não com a cabeça.

— Fomos traídos — disse eu. — A patrulha de reconhecimento...

— Pode ser — respondeu ele. — De qualquer maneira, entramos nisso por inteiro...

A noite caiu impenetrável à nossa volta, no profundo silêncio só quebrado pelo som das ondas do mar.

— Parece que eles se mandaram — disse um dos dois soldados, que eu não conhecia e que tinham sobrado.

— Ou alguém cortou o pescoço deles — disse seu companheiro. Fixaram seus olhos em mim através da luz do fogo; eu não tinha nada a dizer.

O tempo passou. Eu queria dormir. Enrolei-me ainda mais firmemente na minha capa, porém a dor de cabeça não diminuía, minha coxa ainda latejava e eu continuava sentindo uma nova dor, surda, mas persistente, no coração.

Minha boca estava seca, e a minha língua tocou meus lábios duros e rachados. Nestes momentos, dizem, a mente voa para lugares mais felizes. Acredita-se que soldados debilitados sonhem com o lar. Mas eu não pensei em Lívia, não senti saudade dela. Eu me sentia vazio. Minha atenção ficou concentrada nas chamas quase extintas, mas elas não tinham forma. Quando eu mexia a minha perna, tinha a sensação de estar tentando levantar à força a pata de um cavalo.

Um dos soldados começou a roncar. Ele tinha se esticado no chão como um cachorro e parecia não dar mais importância ao futuro. Seu companheiro escorregou a mão por baixo da túnica e começou a se masturbar. Meu olhar ficou preso no movimento que ele fazia e senti inveja dos dois, depois estremeci. O guincho de uma coruja em plena caça cortou a noite. Engatinhei até a entrada da caverna. A chuva tinha parado finalmente. A lua, aparecendo entre as nuvens, pousou uma pálida mão amarela no mar sereno. Atrás de nós, em algum lugar da ilha, as tropas de Pompeu dormiam.

Senti alguém tocar no meu ombro.

— Dá para andar, general? — perguntou Sétimo.

Balancei a cabeça, duvidando. Ele deu uma olhada para dentro da caverna. Nossos dois companheiros agora pareciam imóveis. O primeiro continuava a roncar profundamente. O outro, com a mão ainda debaixo da túnica, e as pernas dobradas, estava agora com a cabeça apoiada no peito do companheiro. Sétimo se aproximou dele pisando de leve, sacudiu-o delicadamente, e a única reação foi um murmúrio baixo e incompreensível.

— Acho que tudo está bem — disse Sétimo. — Mas não confio mais nestes dois... Não gostei do jeito com que eles confabularam quando o senhor estava cochilando... É melhor sairmos daqui, general. Dá para escorregar pela pedra até a praia se eu for na frente e segurar o senhor lá embaixo?

Sétimo tirou a espada da cinta e jogou-a para baixo, na areia. Depois voltou para a caverna e pegou a minha, e um escudo e o saco que ele fora o único a trazer na fuga. Tudo seguiu o caminho da sua espada. Aí ele desceu para a praia. A altura era de aproximadamente três homens, e eu hesitei antes de abaixar o corpo. Meu pé procurou um apoio. Cravei as unhas na terra solta. Senti que estava caindo. Neste momento meu calcanhar esquerdo achou um apoio. Mudei a posição da minha mão para agarrar um arbusto que tinha nascido na rocha. Desci um pouco. Então, quando o meu braço estava completamente esticado, o arbusto começou a se desprender da pedra. Meu pé escorregou do apoio. Por um instante fiquei pendurado no ar. Então o arbusto foi arrancado e eu caí. Caí de mau jeito e vi imediatamente que a ferida da minha coxa se abrira novamente e estava sangrando.

Sétimo me ajudou a levantar e colocou meu braço em volta do seu pescoço. Começamos a capengar pela praia. Cada passo era uma agonia. Não tínhamos andado mais do que cinquenta passos quando eu senti que desmaiava. Ele se virou para mim, seu rosto nadando em meus olhos.

— Assim não dá... — disse ele. — Tenho de colocar o senhor nas minhas costas.

Acocorou-se diante de mim e passou os braços em volta das minhas pernas, que despencaram de cada lado do seu pescoço. Levantou-se e, no começo, ziguezagueando como um bêbado, principiou a marcha. Gradualmente foi acertando o ritmo, enquanto eu, empoleirado, indefeso e dependente, fazia as vezes do velho Anquises, quando Eneias o salvou de Troia em chamas.

Não sei por quanto tempo ele me carregou, ou quão longe, ou se parou para descansar, porque desmaiei e fui carregado, um mero saco de carne, ossos e vísceras, a noite toda e até de manhã. O sol já tinha nascido quando voltei a mim debaixo de um espinheiro reluzente de orvalho, com Sétimo dormindo a meus pés como um cachorro. Acordou tão abruptamente quanto um cachorro quando sentiu que eu me mexia.

— Não quis deixar o senhor, general — disse ele —, porque o senhor podia acordar e pensar que eu o tinha abandonado. Mas, para sairmos desta, eu tenho de achar alguma coisa para comer e beber. Acho que por enquanto o senhor fica em segurança aqui.

Com a mão que descansou no meu ombro por um momento, até me deu um apertão como faria a um companheiro. Estava ventando e eu fiquei olhando a grama batendo nos seus tornozelos quando ele se afastava. Virou-se uma vez e acenou para mim. Eu permaneci admirado, dolorido e confuso.

Não sei por quanto tempo ele se foi, pois, apesar do perigo e da minha decisão de ficar atento para não ser surpreendido pelo inimigo, voltei a perder a consciência. Não sonhei e, contudo, o meu sono deve ter sido sobressaltado, porque quando acordei vi que tinha, sem perceber, destruído uma planta que crescia a meu lado.

Fiquei deitado ali. O tempo bom, prometido pela lua, tinha desaparecido e o céu estava pesado, cinzento e carregado de nuvens baixas. Um vento áspero varria as moitas e juncos de um mundo habitado somente por aves marinhas. Não havia nenhum som nem sinal de ninguém. Era como se as legiões em luta na véspera houvessem sido engolidas. O negócio tinha virado uma triste confusão depois que os nossos navios aportaram e os soldados de Pompeu, uma legião de assassinos e tropas de cavalaria da Numídia, lançaram-se contra nós antes que tivéssemos tido tempo de nos reorganizar. Nem chegou a ser uma batalha; não passou de uma escaramuça; e eu fui ferido quando tentava sem sucesso reunir um grupo de fugitivos.

Longe, à esquerda, nas margens de um promontório, eu conseguia agora distinguir as colunas de um templo. Não podia acreditar que fosse morada dos deuses. E abaixo do templo duas figuras estavam descendo uma trilha sinuosa: um homem e um cavalo. Andavam muito devagar, como se o caminho fosse difícil ou como se eles fossem velhos e cansados. Quando chegaram ao fim da trilha, viraram-se para mim. Eu segurei o cabo da minha espada e esperei, os olhos fixos nas formas negras que se moviam através das areias cinzentas. Logo fiquei tranquilo: o cavalo era um asno e vi que era Sétimo que o guiava. Ele disse:

— As coisas estão melhorando, general. Encontrei uma fazenda nas colinas. Eles fugiram de lá, sei lá quem eles eram, mas encontrei vinho e uma espécie de biscoito e azeitonas. Tome! — Começou a tirar as coisas de dentro de uma sacola pendurada no pescoço. — Coma e beba um pouco... Mas não muito, porque está com o estômago vazio. — Acocorou-se a meu lado. — Não vi ninguém — disse. Pegou um odre de pele de cabra e o deu para mim. O vinho era fraco e azedo, mas eu me forcei a tomar dois bons goles. Ele esfregou a palma da mão sobre a boca do recipiente e deu uns goles bem grandes. — Dará tudo certo, general, o senhor vai ver.

O asno era ossudo e manco, cavalgá-lo era desconfortável. Não tínhamos ido muito longe quando eu fiquei tonto e Sétimo teve de me segurar para que eu não caísse.

— Assim não dá, general — disse ele —, o senhor está muito fraco.

E estava; mas Sétimo, este camponês das colinas sabinas, com seu latim incorreto e suas vogais longas, não era só forte, ele sabia o que fazer numa crise em que eu me sentia perdido. Naturalmente, até mesmo na ocasião, eu podia me desculpar por conta da minha ferida, da minha dor de cabeça e da febre que me afligia. Porém o velho ditado é verdadeiro: quem se desculpa se acusa. O fato é que o nosso infortúnio — a destruição dos navios, a fuga das minhas legiões diante de um inimigo numericamente inferior — tinha, ao menos naquele momento, aniquilado minhas faculdades. Eu era incapaz de pensar, decidir, agir. Estava reduzido a um estado de absoluta dependência em relação àquele camponês de 19 anos.

Ele me levou até a fazenda, fez um curativo na minha ferida e eu dormi enquanto ele vigiava. Acordei no meio da noite, e ele estava sentado num barril perto da porta, olhando para a *macchia* vazia.

— Você dormiu? — perguntei, e ele sacudiu a cabeça num movimento brusco e até zangado, como se eu o estivesse acusando de ter faltado com o seu dever. Pousei a mão em seu ombro.

— Aonde foram todos? — perguntei. — Parece que estamos sozinhos.

— Não estamos sozinhos... Ouvi um movimento longe e antes do pôr do sol vi uma tropa de cavalos sair do vale mais perto de nós e seguir para a praia. Mas, por enquanto, estamos em segurança.

— Segurança? Não há estrelas. — E com isto eu quis dizer que a minha estrela particular estava invisível pela primeira vez desde a morte de César.

— Seria bom se chovesse... — ele disse. — O senhor estava sangrando no último quilômetro. Eles podem seguir o sangue.

Calou-se e adormeceu. Pobre rapaz. O asno se mexeu no aposento atrás de mim. As palavras de Sétimo ecoavam em meus ouvidos: "Eles podem seguir o sangue."

Da mesma forma, alguém acompanhando a minha carreira poderia seguir o sangue derramado. Todavia, nunca derramado pelo prazer de matar, e sim por necessidade. Mas, eu pensei, naquela noite que já parecia uma jornada pelo Estige, o rio do Inferno, imaginando a cavalaria de Pompeu me procurando pelos vales, se eu morresse agora, se isto terminasse assim, todo o sangue teria sido derramado em vão. As proscrições, a guerra de Filipos, Módena, não teriam servido em nada a Roma, e minha alma desceria ao mundo subterrâneo manchada de sangue e sem valor. Eu tinha acreditado ser uma criatura predestinada — eu tinha dito àquele grupo de soldados aconchegados junto à fogueira do acampamento, entre os quais vi Sétimo pela primeira vez, soldados temerosos diante da batalha, que eu sabia qual era o meu trabalho predestinado para o bem de Roma — e aqui estava eu, ferido e atordoado pela derrota, escondido numa fazenda abandonada numa colina da Sicília, minha frota dispersa e tendo como companheiro um rapazinho magro com orelhas de lutador e um asno manco.

— Temos de pedir aos deuses para Agripa vir. — Sétimo tinha dito, mas meu mensageiro talvez não tivesse alcançado Agripa.

Perto do amanhecer, parou de ventar. Galos cantaram na parte mais alta do vale, o que me alarmou, porque a evidência de vida poderia atrair os soldados de Pompeu. Fui coxeando para dentro do cômodo e tomei um gole de vinho. Sétimo resmungou e se mexeu dormindo. Pela primeira vez desde o desastre, pensei em Lívia com saudades. Estaria traindo Lívia além de Roma?

Toda a minha vida tenho vivido muito dentro de mim mesmo. Por outro lado, tenho pouca experiência da solidão. Somos um povo sociável, nossas casas têm um amontoado de escravos e membros da família, nossos negócios nos fazem frequentar o Fórum, os tribunais, o Senado e os acampamentos. Os pensamentos são desenvolvidos no meio da distração de palavrório; Cícero tinha horror a ficar sozinho. Sua mente trabalhava com mais agilidade do que nunca no meio dos outros. César também detestava a solidão; ele costumava dizer que não se devia confiar num homem solitário ("Quem sabe o que ele está ruminando?") Somente Virgílio, de todas as pessoas que eu conheço, sabe escutar os longos silêncios de lugares desertos; seus sentidos vibram afinados com o espiritual. Eu agora estava achando o silêncio daquela colina siciliana deprimente e — como jurei a mim mesmo dizer a verdade e não esconder nada por mais vergonhoso que seja nestas confissões — amedrontador. Queria acordar Sétimo só para ouvir a fala rude e rústica dele. Certo orgulho me impediu de fazê-lo.

— Deixe o garoto dormir como precisa — disse a mim mesmo.

Mas as minhas mãos estavam tremendo; agulhadas de medo ou apreensão subiam pelo meu braço.

Durante dois dias descansamos naquele lugar. Na segunda manhã, o sangramento intermitente da minha ferida parou. Pouco a pouco minha dor de cabeça foi passando. Nunca fiquei completamente livre das náuseas, apesar de Sétimo ter achado mais vinho, com o qual acalmamos nossos estômagos. Não podia deixar de admirar o autocontrole dele, uma vez que eu ainda estava sendo incomodado por pequenos tremores nas mãos e nos braços. Era fácil dizer a mim mesmo que ele não tinha nada a perder, exceto a vida, e nada a temer, além da morte — enquanto eu... mas aí eu parava; Roma estava muito longe.

No segundo dia choveu com uma intensidade regular e monótona. A névoa marinha tinha chegado até a entrada do vale, que ficara escura. Perto do fim da tarde, a visibilidade ficou reduzida a menos de cinquenta passos; somente as oliveiras mais próximas de nós apareciam grotescamente retorcidas de dentro do nevoeiro. De manhã, Sétimo tinha me dito:

— O que nós dois precisamos é de descanso, general. Dormir, virar pra cá e pra lá, hein, e ficar de guarda! — Eu fiz que sim com a cabeça; parecia-me natural abdicar do comando a favor do rapaz.

Quando a noite chegou, eu estava descansado, mas nem por isso mais confiante na possibilidade de escaparmos com vida. No entanto, as horas de sono tinham acalmado os meus nervos. Sétimo, talvez percebendo a mudança em meu estado de espírito, falou livremente pela primeira vez. Sua conversa foi principalmente sobre sua família. A propriedade do pai dele era pequena; não podia sustentar sete filhos adultos. Três irmãos dele tinham ido para Roma, mas ele não. Conhecera um pouco da vida deles lá, e aquilo não era para ele. Não havia trabalho para eles em Roma. Dependiam da verba oficial para os desempregados e passavam o tempo em tavernas, esperando que alguém lhes oferecesse um trago; seus maiores interesses eram bilhetes de loteria e os jogos. Dois eram casados:

— Com estrangeiras, dá para acreditar, general? Não, a vida da cidade não é vida que preste. Quero dizer, degrada um homem. Mas tenho de falar para o senhor, general, que a vida do meu pai não é muito melhor. É verdade que ele lavra a terra dele, isto dá uma certa satisfação, e nós cultivamos o nosso próprio trigo para o pão e fazemos nosso próprio vinho de nossas uvas; e o irmão de minha mãe nos fornece óleo e azeitonas em troca do vinho; e temos um rebanhozinho de carneiros que o meu irmão mais velho leva para os pastos de verão. Tudo isto pode parecer muito bom, mas fica a cada ano mais difícil. Sabe, meu pai não consegue competir com os grandes latifundiários e seus ranchos de trabalho escravo. Nenhum dos pequenos fazendeiros consegue. Eles rebaixam os nossos preços o tempo todo. Isto não é bom. Ele terá de vender a terra se as coisas não melhorarem. Está a cada ano com mais dívidas. Então eu achei que lá não tinha futuro e me alistei. "Aliste-se e conheça o mundo", dizem. Que mundo estamos conhecendo agora, hein?.

O céu estava limpo na manhã seguinte e o sol brilhava sobre um mundo cintilante. Meu estado de espírito subiu com a névoa. Pela primeira vez senti que talvez escapássemos. Cheguei mesmo a coxear (ainda estava um pouco manco) para fora da cabana até o canto do olival de onde se podia ver, para além da entrada do vale, a estrada do litoral.

Preciso descrever exatamente o que se seguiu:

Eu estava olhando para a campina lá embaixo com uma nova paz no coração, cercado pela beleza frágil daquela manhã de outono, quando de repente fiquei gelado. Uma tropa montada saiu da estrada litorânea e começou a subir a trilha do vale. Eles não poderiam deixar de ver a nossa fazenda; eles não poderiam deixar de nos ver fugir. Nossa segurança era na verdade ilusória. No momento, esta era a minha certeza: eu tinha perdido.

Chamei Sétimo. Ele correu para mim. Apontei para o que nem era preciso apontar.

— Traga a minha espada! — disse eu.

— Não adianta lutar... — disse ele.

— Não, não adianta lutar! Traga a minha espada!

Ele olhou para mim, mas não me obedeceu. Entrei na cabana mancando e o xingando, e a peguei eu mesmo. Segurei-a pela ponta e a ofereci a ele. A mão dele se fechou em volta do cabo, porém ele estava olhando por cima do meu ombro. Ajoelhei-me diante dele e arranquei a túnica do meu pescoço...

— Dê o golpe — disse eu.

Ele continuou evitando olhar para mim e permaneceu imóvel.

— Dê o golpe! — gritei novamente, quase chorando. Meu coração estava batendo depressa e meu corpo todo começou a tremer. — Dê o golpe em nome dos deuses! Deixe que a minha morte seja ao menos digna de um romano. Você não vê que eu não quero cair nas mãos de Pompeu, ser desmoralizado e ridicularizado para sempre? Dê o golpe se você tem afeição por mim...

Mas ele jogou a espada no chão, ajoelhou-se a meu lado e me abraçou...

— General, o senhor está fora de si. Olhe... — ele falou muito docemente e, contudo, havia uma urgência em sua voz que vinha do coração — eu acreditei no senhor. Por isso é que eu fiz o que fiz nestes últimos dias. Quando o senhor veio se juntar a nós na fogueira do acampamento e falou de sua estrela e do que o senhor ia fazer pela Itália, eu acreditei e me afeiçoei ao senhor por isso. O senhor está dizendo agora que foi tudo mentira? Que o senhor e a sua estrela são fraudes como tudo? Não vou fazer isto, mesmo se o senhor chorar e me implorar (e eu estava chorando, sacudido pelos soluços). — Se está decidido, o senhor mesmo tem de se matar, mas eu não prometo que vou me matar também... Vou deixar que os outros tenham o trabalho de me matar. Vou me agarrar à vida (e ele me apertou mais, como se eu fosse a própria vida). — Mas acontece que se eles me acharem perto do seu cadáver vão pensar que fui eu que o matei, e então vão me matar para depois dizerem que foram eles que mataram o senhor ou, quem sabe, vão me recompensar! Só que eu não iria querer este tipo de recompensa... O senhor está me ouvindo? — ele estava gritando a esta altura. — Seja homem, general! O senhor diz que foi enviado para salvar Roma e eu acredito, mesmo agora, que o senhor está como uma criança...

Ficamos ali ajoelhados por um tempo, unidos. Então a voz dele ficou mansa de novo e ele disse:

— Vamos lá, general, levante-se. Vamos receber seja lá o que for que o destino mandar, seja bom ou ruim, como homens. O que acontece depois da morte ninguém sabe, mas todos os homens que eu ouvi falar do assunto diziam que é melhor enfrentar a morte alegremente.

As palavras dele me reanimaram. Eu me levantei com energia, peguei um pano que ele me deu e enxuguei os olhos.

— E com a sua estrela — disse ele —, pode ser que a gente sobreviva ao que está nos esperando, seja lá o que for.

— Está tudo bem — disse eu —, tudo sob controle. Eu não esquecerei o que você fez por mim hoje.

Os cavaleiros estavam próximos o bastante para que ouvíssemos as ferraduras dos cavalos e o tinir dos arreios. Pararam quando nos viram. Três ou quatro se adiantaram e mais uma vez pararam a meio metro de distância. O que vinha na frente virou-se na sela e gritou:

— É ele, é o general em pessoa.

E eles saíram de forma e me cercaram. Olhei para cima e vi o rosto de Agripa.

— De que diabo de lugar você surgiu? — perguntei. — Como veio parar bem aqui?

— Instinto de soldado... — ele disse todo prosa, pois havia dito frequentemente que possuía tal instinto e eu não acreditara. — Você está bem?

Olhei para Sétimo.

— Estamos bem — eu disse — graças a este homem.

VOCÊS TALVEZ ACHEM ESTRANHO, MEUS FILHOS, QUE EU CONSIGA CONTAR esta história, e contá-la com tantos detalhes. Seria fácil ignorá-la. A escaramuça em que fomos derrotados foi um episódio sem importância na guerra arrastada contra Sexto Pompeu. Foi um pequeno contratempo em uma competição que nós dificilmente poderíamos deixar de vencer no fim. Nada na história foi honroso para mim. Perdi a coragem; portei-me como um poltrão. Fiquei constrangido de ver Agripa e não fui capaz de olhá-lo nos olhos.

Todavia, seria desonesto não mencionar minha falta de coragem e de decisão, e estou tentando contar a vocês e à posteridade a verdade sobre mim mesmo. Esta foi a única ocasião na minha vida em que a minha certeza de vitória se evaporou e eu não encontrei dentro de mim defesas contra o medo e o desespero. Eu realmente queria que Sétimo me matasse, e fui salvo unicamente pela confiança que o jovem camponês tinha em mim. Sua firmeza e a sorte por Agripa ter descoberto o nosso esconderijo (e os cavaleiros poderiam não ter sido soldados de Agripa, poderiam muito bem ter sido os de Pompeu, que ainda tinha controle da maior parte da ilha), estas duas circunstâncias me convenceram de que os deuses me favoreciam. Desde então nunca duvidei disto.

O que fazer com Sétimo? Não podia ficar com ele perto de mim como um lembrete perpétuo da minha fraqueza. Aliás, tinha medo de acabar odiando-o. Primeiro, mandei-o para Lívia com uma carta em que eu simplesmente dizia que ele tinha salvado a minha vida — não tive coragem de deixar Lívia saber a que condição eu havia sido reduzido — e deveria ser recompensado de acordo. Acabamos dando a ele terras para cultivo e olivais perto da fonte de Clitumno. Durante alguns anos ele nos mandou azeite de presente no inverno. De repente, os presentes pararam de vir. Eu me informei e acabei sabendo que ele tinha ficado endividado, que por orgulho ou vergonha não me pedira ajuda, o que eu certamente teria dado. As primeiras notícias diziam que tinha vindo para a cidade; mas, quando ordenei que se fizessem buscas, ele não foi encontrado. Outras notícias contradiziam as primeiras: tinha se enforcado no batente de sua própria porta para não ver os seus credores se apossarem da sua terra. Estranha e perturbadora simetria da vida.

A GUERRA CONTRA POMPEU FOI UM TÉDIO E UM TRANSTORNO. Gradualmente, graças ao talento inovador de Agripa e à invenção de um pequeno arpão que, disparado por uma catapulta, prendia os navios de Pompeu aos nossos e o impedia de usar as vantagens da mobilidade que a competência naval de seus piratas tinha até então lhe dado, nós vencemos. A coragem de Pompeu o abandonou; ele fugiu para o Oriente e se entregou à misericórdia de Marco Antônio, cuja carta a seguir conta o resto:

César:

Pompeu chegou aqui tagarelando de medo e babando de indignação com o que chamou de "barbaridade de seus métodos". Sinto dizer — vai partir o seu coração ouvir isto, meu caro — que ele o considera um canalha. Eu disse "considera", mas devia ter usado o passado do verbo. Cansei de Pompeu. Tentamos tudo a fim de que pudéssemos cooperar mutuamente, e nada deu certo. Agora tinha sido derrotado por você, e eu achei que já sobrecarregara a terra bastante tempo com a presença dele. Então fiz com que nos desembaraçassem dele, da maneira mais cavalheiresca possível, claro. Mas a verdade é que todos os Pompeus são uns fracassados. E quais são as notícias do nosso colega, agora sem dúvida realmente supérfluo?

Cuide de Otávia e providencie para que ela tenha um bom parto. Posso confiar em você para garantir isto, irmão.

Tratarei da referência a Otávia mais tarde. Enquanto isso, é melhor eu terminar o relato deste episódio.

Não pude lamentar a execução de Pompeu. Nós realmente havíamos sido absurdamente indulgentes com ele.

Aconteceu, no entanto, por obra de uma dessas eventualidades militares, que muitas das legiões de Pompeu se renderam a Lépido, que tivera uma participação modesta nas últimas semanas da campanha. Isto poderia ter causado problemas, se Lépido fosse diferente do que era, porque agora ele se via no comando de vinte e duas legiões — digamos cem mil homens, uma força enorme.

Durante os anos do triunvirato, Lépido tinha se tornado rancoroso; sentia sua inferioridade e se recusava a admitir as causas. Eu estava tomando a refeição da manhã em Siracusa, depois de ter oferecido sacrifícios aos deuses naquela cidade de mil cultos, quando Agripa invadiu o aposento. O rosto dele estava da cor de um pôr do sol de inverno. No começo não consegui entender o que ele estava dizendo, porque em sua fúria ele engolia as palavras. Finalmente, no entanto, forcei-o a sentar-se e acalmar-se.

— Agora vamos começar de novo.

— É exatamente o que por todos os demônios vamos ter de fazer — ele gritou. — Aquele biltre do Lépido!

— Ah, Lépido — disse eu —, Lépido não é nada.

— Nada, hein? Ele só está se preparando para ser outro Pompeu dos infernos.

— Como?

— Ah, ficou interessado? Muito bem, já é alguma coisa. Pensei que você estava tão ocupado com estes preitos religiosos dos gregos, ou, quem sabe, estes peitos das gregas, que não tinha tempo para coisas simples, como guerra e política...

— Então fale — disse eu —, sou todo ouvidos, como um asno.

Minha piadinha fracassou... Agripa ficou ainda mais sério do que antes. Infelizmente, o pai de vocês nunca entendeu a frivolidade de momentos portentosos. Mas finalmente ele chegou ao ponto: Lépido tinha sofrido um ataque de delírio de grandeza.

— Está aqui a carta da bichona — disse Agripa aos gritos. — Ele anuncia, no meio de um palavrório floreado, que, como as legiões de Pompeu se renderam a ele, ele agora deve considerar a Sicília sua província e, portanto, ordena que você e as suas legiões abandonem a ilha. Não é o máximo da cara de pau?

— Os deuses enlouquecem aqueles que eles desejam destruir... — comentei.

— Que diabo você quer dizer com isto? O que vamos fazer?

— Nada.

— Nada? Você deixará isto ficar assim? Pelo amor de Júpiter me dê permissão para atacar o acampamento dele. Eu o pendurarei tão alto quanto o Colosso de Rodes.

— Nada — repeti. — Vamos ficar onde estamos. Porém, deixe que o comunicado de Lépido seja conhecido por todos. Então veremos que efeito tem.

Agripa franziu a testa. Segurei o seu braço e senti que ele estava tenso.

— Não será preciso lutar — disse eu. — Espere e verá.

Lembro-me que o tempo estava muito bom, apesar de que eu mal podia aproveitar, pois havia bastante trabalho administrativo a ser feito. Durante a guerra civil estávamos ocupados, vocês precisam se lembrar, com a tarefa de revitalizar o governo romano através do Império. É verdade que naquele tempo eu só era nominalmente responsável pela metade ocidental do Império, mas, mesmo assim, era muito trabalho. A Gália, por exemplo, apesar de conquistada por meu pai, mal tinha vindo para dentro de nossa esfera administrativa. Na própria Roma eu já tinha embarcado no meu grande programa de construções, restaurando templos e prédios públicos, construindo outros, e pondo um pouco de ordem no esquema irregular e desestruturado de habitação para os pobres. A vida inteira grande parte do meu trabalho tem sido deste tipo. Não estou reclamando. Na verdade, estabelecer a ordem e determinar procedimentos ordeiros sempre me deu prazer. Meu maior orgulho tem sido o de servir a meus concidadãos.

Mas percebi uma alegria inusitada em nosso acampamento, uma atmosfera de bom humor irresponsável. Informados da declaração de Lépido, todos acharam que era a maior piada o fato de o "ilustre asno" ter falado com tamanha autoridade. Então a cada dia mais soldados seus se juntavam aos nossos. O próprio exército estava cansado das guerras. Naqueles oito anos, desde o assassinato do meu pai, nenhum de nós tinha conhecido a paz. Agora Lépido queria agitar as coisas de novo, destruir o frágil equilíbrio que tínhamos conseguido, e ninguém lhe deu apoio. Na verdade, riram da postura militar dele. Uma semana depois das "ordens" dele, seus soldados haviam começado a desertar. Chamei um eminente desertor para vir falar comigo. Era o sobrinho de Lépido, Paulo. Interroguei-o cuidadosamente a respeito do estado de espírito do seu tio. Ele mostrou grande desprezo por Lépido. Resolvi que era chegado o momento de agir e convidei-o a me acompanhar.

Na manhã seguinte, a cavalo, levando somente uma guarda pessoal de uns doze homens, com Agripa de um lado e Paulo do outro, deixei o nosso acampamento. Atravessamos a planície no frescor das primeiras horas do dia. O orvalho cintilava no milho novo e a suave brisa do sudoeste acariciava nossos rostos.

Atravessamos sem incidentes os oito quilômetros que separavam os dois acampamentos, só fomos questionados quando alcançamos os postos avançados de Lépido. E mesmo assim num tom desanimado. A sentinela estava mal-ajambrada, o centurião, um pouco bêbado e pouco firme nos pés.

— Vieram ver o general? — gritou e, então, reconhecendo-nos, fez um esforço visível para se portar à altura.

— À vontade, soldado — disse eu. — A disciplina aqui não parece ser das melhores.

— Senhor — ele tentou ficar em posição de sentido e fazer continência. — Poucas vezes vi algo mais abaixo da crítica.

Fizemos um aceno com a cabeça e cavalgamos para dentro do acampamento. A desmoralização era evidente. Nem parecia que eles tinham tomado parte numa grande vitória poucas semanas antes. Viam-se soldados mais ou menos despidos por toda parte, e mulheres também. Uma jovem africana descobriu os seios e gritou para nós que se daria gratuitamente, quando quiséssemos, quem quer que fôssemos.

— Contanto que não seja Lépido em pessoa — continuou. — A ele eu cobraria os olhos daquela cara afetada.

E os soldados que estavam por perto riram ouvindo-a insultar ao seu general.

Juntos, embora eu não me sentisse nem um pouco ameaçado, fomos até o campo de exercícios. Uma tropa — talvez de infratores — estava sendo submetida a um exercício sem método por um centurião entediado. Pararam quando nos viram — sem esperar pelas ordens do centurião —, e eu subi ao estrado. Agripa, aos urros, ordenou que o centurião reunisse os outros centuriões. Isto foi feito mais depressa do que eu esperava, e logo o campo de exercícios estava cheio de soldados —, praças e centuriões — e de alguns oficiais também. Agripa ordenou silêncio e eu dei um passo à frente.

— Concidadãos — gritei —, muitos de vocês sabem quem eu sou. Para os que não sabem, eu sou César. — À menção do nome ouviu-se um grande clamor e a multidão avançou. — Venho até vocês recusando-me a usar qualquer proteção — e, dizendo isto, arranquei o peitoral, expondo meu peito.

— Alguém aqui vai atacar César? — gritei. Por um instante fez-se absoluto silêncio, depois ouviu-se um murmúrio de aclamação. Levantei minha mão direita. — Então vocês são melhores do que os senadores — disse, e eles riram concordando. — Mas sinto dizer-lhes que o seu general pensa diferente. Peguei a carta e agitei-a acima da cabeça. — Vejam. Tenho uma carta dele, que me diz para sair da Sicília. Não é uma carta amigável, apesar de Lépido não ter motivo para se queixar de mim. Então eu vim aqui para pedir o conselho de vocês. Devo obedecer ao seu general?

Soldados gostam de ironia. É a sua forma natural de expressão, e eles ficam satisfeitos quando é empregada por homens como nós à custa de pessoas de nossa classe social. Não é de admirar. Afinal de contas, a ironia é um convite para participar de uma conspiração com o orador.

— Confesso — prossegui — que fiquei num estado deplorável quando recebi esta carta. Conhecendo Lépido como conheço, fiquei realmente apavorado. E o meu pessoal também. Agripa, que está aqui, vocês não vão acreditar nisto, queria a todo custo que fizéssemos as malas e fugíssemos em disparada para Roma. Mas aí pensamos duas coisas. A primeira foi: e se Lépido nos seguir até Roma e nos disser para sair de lá também? A segunda foi: será que os soldados de Lépido, aquelas bravas legiões que tiveram vitórias gloriosas até mesmo sob o comando dele, concordam com seu nobre general? (Falando nisto, onde ele está?) Então vim perguntar a vocês...

Bem, vocês podem imaginar a reação deles. Eu sabia que não estava correndo nenhum perigo. Nunca houve legionários romanos que preferissem Lépido a mim (não estou dizendo que poderia usar da mesma tática em se tratando das tropas de Marco Antônio ou mesmo de Pompeu). Portanto, eu estava em segurança e tinha calculado o efeito de minhas palavras corretamente. Deram-me vivas, morreram de rir e rodearam o tablado esticando as mãos para apertar as minhas ou me tocar. Deixei que a euforia crescesse, depois recuei e voltei a levantar a mão...

— Obrigado, soldados, obrigado, companheiros. Este é um grande dia para todos nós. Temos paz no mundo romano. A República não está mais sendo atormentada por guerras civis que começaram quando as ameaças do Senado à sua vida e liberdade obrigaram César a atravessar o Rubicão com suas tropas. Fico satisfeito por saber que vocês não deixarão a ambição mesquinha de Lépido perturbar a paz. Vocês agiram com nobreza. Agora é o momento de recompensá-los. Todos os que desejarem abandonar a ativa nos próximos meses serão recompensados com fazendas e uma gratificação de fim de serviço. Os que escolherem permanecer no exército receberão um prêmio em dinheiro, logo que eu consiga fazer os funcionários do Tesouro soltarem a quantia necessária. Se houver uma longa demora, e vocês todos sabem como eles conseguem enrolar a gente em burocracia enquanto eles ficam no bem-bom, ora, então eu adianto o dinheiro do meu próprio bolso, peço emprestado aos meus próprios banqueiros se for preciso. E depois tento espremer o Tesouro para cobrir as minhas despesas. E agora deixem-me terminar, agradecendo formalmente a coragem que demonstraram e o que fizeram por Roma, pela paz e pelo bem-estar da República de seus concidadãos...

Enquanto isto, nem sinal de Lépido. Confabulei com Agripa e deixei-o encarregado de restaurar a ordem e a disciplina no acampamento. Concordamos que deveria haver um desfile das tropas no final da tarde.

— Você fará Lépido aparecer nessa hora, não fará? — perguntou Agripa; mas o tom de sua voz não era de pergunta.

O triúnviro havia se recolhido a uma bela propriedade nas encostas da colina acima do acampamento, e eu fui até lá. O local era encantador, a casa de pedras de um creme pálido enfeitada com grinaldas de rosas, glicínias e clematites, um lugar, pensei, para se passar uma aposentadoria idílica. Combinava com o meu estado de espírito tranquilo.

Lépido tinha se esforçado em se preparar para me receber. Continuava bonitão como sempre, e o amor-próprio ou a autoestima ainda não o tinham abandonado de todo. Procurou dar às suas primeiras frases o antigo tom condescendente, mas um tremor na voz o traía. Pedi-lhe que fizesse sair todos os que lhe serviam e o conduzi ao terraço.

Os sons do acampamento chegavam aos nossos ouvidos. As extensas plantações de milho das planícies sicilianas se estendiam até as montanhas. Dando-se meia-volta, via-se um mar cintilante e dócil como raras vezes encontrei em minhas campanhas militares. Uma vez sozinho comigo, Lépido desmoronou; chegou a ajoelhar-se diante de mim, as mãos na minha túnica num gesto constrangedor. Disse-lhe para se levantar, para se lembrar de que era um nobre romano, um cônsul e meu colega.

— Apesar de também ser — acrescentei enquanto me sentava — um tolo.

Não senti nenhum prazer neste encontro. Não consigo nunca deixar de ficar constrangido quando assisto a uma cena de humilhação. Aquele dia em Filipos, quando os derrotados passaram por mim me xingando, havia perdido todo o prazer que eu poderia ter tido na vitória. Contudo, era preciso acertar as contas.

— Eu poderia acusar você de traição — disse eu. — Poderia denominá-lo inimigo da República, um inimigo público, um fora da lei. Não seria difícil. Marco Antônio me apoiaria e duvido que você achasse alguém para falar em sua defesa. Até mesmo o seu sobrinho, Paulo, insiste para que eu faça isto.

Ele choramingou desculpas. Tinha sido mal-assessorado. Sua carta fora mal-interpretada. Ele só pretendera reivindicar para si o governo da Sicília. Foi um discurso longo e débil, e os vestígios daqueles modos pegajosos com os quais ele tentava me agradar eram irritantes. Interrompi-o e disse-lhe o que exigia para perdoá-lo.

O último ato foi representado diante do exército. Agripa havia organizado o desfile, os soldados estavam surpreendentemente elegantes, todos engraxados, polidos e lustrados. Tinham resolvido me honrar e honrar a eles mesmos para provar, à maneira dos soldados, que eram dignos de respeito, e para, ao mesmo tempo, exprimir sua gratidão e lealdade. Talvez também quisessem humilhar Lépido.

Passei em revista as tropas, com as pausas de costume diante dos indivíduos para os quais os centuriões haviam chamado a minha atenção.

Então ficamos aguardando Lépido. Ele apareceu montado num cavalo cinzento. Um erro, porque nunca fora um bom cavaleiro e, agora, agitado, vinha se sacudindo todo. Porém conseguiu desmontar sem muita dificuldade e com um único tropeço. Olhou em volta desorientado, pois estivera ocupado demais controlando o cavalo (que aliás era absolutamente dócil), para poder ter uma ideia do que estava acontecendo. Ficou perturbado com o fato de que eu estivesse esperando por ele sobre uma plataforma de mais de três metros de altura, de forma que era preciso que ele subisse vários degraus para chegar até mim. Discretamente minha guarda pessoal deteve sua comitiva e ele subiu sozinho. Continuei sentado numa cadeira dourada. A boa educação exigia que eu me levantasse, mas decidi que a minha superioridade seria mais marcante se eu permanecesse sentado.

Lépido estava suando. Parou diante de mim. Eu o olhei nos olhos, mas não disse nada. O silêncio vibrava no ar. Senti a intensidade do olhar dos soldados e esperei.

Compelido pelo meu olhar silencioso, Lépido caiu de joelhos. Estendeu as mãos, os pulsos juntos e os dedos esticados.

— César — disse.

Atrás de mim, minha guarda pessoal colocou a mão direita no punho da espada. Lépido engoliu em seco.

— César — repetiu —, vim aqui pedir perdão...

— Lépido — respondi —, viemos juntos, com Marco Antônio, para restaurar a República, vingar o assassinato do meu pai e trazer paz ao Império. Mas você tentou roubar minha glória e minha vitória; você planejou fazer guerra contra mim. Minhas queixas são graves e não são só minhas. Estou pronto a perdoar as ofensas contra mim mesmo, mas as ofensas contra a República são horríveis...

Fiz uma pausa e depois levantei a voz para ter certeza de que todos os soldados podiam me ouvir.

— Todavia — disse eu —, uma vez que você foi rejeitado pelos soldados que julgava seus, os quais, pelo contrário, reconheceram que deviam uma lealdade maior à República e obedeceram a ela, vou pôr em prática a clemência que era a palavra de ordem do meu pai. Você perderá seus altos cargos; o Triunvirato está dissolvido. No entanto, conservará um cargo que é o mais alto de todos, o de Pontífice Máximo, no qual você sucedeu a meu pai. Apesar de você ter usado este cargo indignamente, minha devoção aos deuses é tão grande que eu não vou ter a pretensão de afastar o seu indigno sacerdote. Continue, então, sendo o que você era. De agora em diante, porém, precisará de um representante para cumprir com os seus deveres, pois está banido de Roma e condenado ao exílio perpétuo.

Acreditem se quiserem, aquela coisa asquerosa rastejou e abraçou os meus joelhos. Chegou a lamber a poeira dos meus pés no seu alívio abjeto.

Recuei e ordenei que o levassem dali. As tropas deram passagem e, em silêncio, observaram-no partir. Sinto dizer que alguns soldados cuspiram na sombra dele.

— Pela primeira vez ele não provocou riso — Agripa disse depois.

O comportamento de Lépido nos deprimiu. Não julgávamos um nobre romano capaz de tamanha degradação. Os soldados também estavam envergonhados de o terem aceitado como comandante.

Minha sentença de exílio não era estritamente legal, é claro, mas era necessária. De qualquer modo, fiz com que fosse confirmada e ratificada pelos tribunais assim que voltei a Roma.

Fui sincero em minha decisão de mantê-lo como Pontífice Máximo. Não cabia a mim mexer com as formalidades da religião.

VIII

É QUASE IMPOSSÍVEL NA POLÍTICA TIRAR UM MOMENTO PARA DESCANSAR e gozar os frutos do que se realizou. (Nisto a política é como o casamento.) Eu tinha restaurado a ordem no Ocidente, plantado as sementes da fertilidade na Itália, principiado a longa tarefa de embelezar Roma. Virgílio já havia cantado a promessa de uma nova Idade de Ouro; um sol benigno amadurecia os milharais e as uvas da fartura. Mas Marco Antônio...

Durante três anos, enquanto fez de Atenas seu quartel-general, ele viveu bem com a minha irmã. Ela só tinha o alcoolismo dele para se queixar. Naturalmente, havia também certas atitudes absurdas. Não era apropriado a um nobre romano introduzir seus pronunciamentos públicos com as palavras "Marco Antônio, o grande e inimitável!", o que o tornava objeto de chacota para os outros. Não era politicamente aconselhável anunciar os favores que Dioniso lhe dispensava quando ele tão frequentemente deixava claro que era um escravo do deus; e talvez não fosse de bom gosto proclamar sua descendência de Hércules — que estava longe de ser um modelo de marido e pai, não é? Mas tudo isso era facilmente perdoável; afinal de contas, todo mundo sabe que os gregos e os orientais em geral gostam de linguagem extravagante e na verdade cultuam a insinceridade. É por isso que os romanos acham tão difícil compreender realmente os orientais; não percebemos que para eles a retórica é um prazer em si mesma, frequentemente sem qualquer relação com a ação, nunca indo além de um significado puramente verbal; acho que nem Marco Antônio sabia disso, e acredito que ele se sentia seduzido por sua própria propaganda.

Contudo, de certa forma, Otávia chegou a amá-lo (e todos nós também, de certo modo). Ela me disse:

— Ele é uma criança grande e, portanto, traz à tona uma espécie de ternura; é doloroso observá-lo sofrendo as consequências de ações que são, eu lhe asseguro, absolutamente espontâneas.

Além disso, eles se deleitavam com Antônia, filha deles, e Otávia, bondosa e cheia de tato, além de virtuosa e casta, aceitou a existência dos gêmeos nascidos de Cleópatra. A estes gêmeos Cleópatra dera os nomes de Alexandre Hélios e Cleópatra Selene — Sol e Lua, imaginem, e já naquela época eu me perguntava se Marco Antônio havia consentido em dar estes nomes às crianças; não me surpreenderia se ele tivesse, pois tinha péssimo gosto.

Também em Atenas, graças a Otávia, eles davam um jeito de viver, apesar dos excessos dele, com certa decência e certo controle. Ora, Marco Antônio até passou algum tempo estudando filosofia nas escolas gregas, apesar de, como dizia Mecenas, ser provavelmente o romano menos capaz de se beneficiar dos seus sutis questionamentos.

Então, como eu já contei a vocês, sem nenhum aviso, Marco Antônio mandou Otávia de volta para Roma; por problemas de saúde, disse ele. Interroguei minha irmã com firmeza. Ela foi incapaz de dar qualquer explicação, ou talvez ainda fosse leal demais ao marido para fazê-lo.

— Ele maltratou você? — perguntei.

Ela negou. Marco Antônio, ela insistia, era um ser mais complicado do que eu imaginava. Ouvi o que ela dizia com muita paciência, procurando compreender, mas na verdade ninguém melhor do que eu conhecia as contradições de Marco Antônio. Ele não era um simples homem de ação; eu sabia disto. Sabia também que homens de ação, tendo dificuldade em articular ou organizar seus pensamentos, são realmente muito mais complicados do que intelectuais ou poetas, que lidam facilmente com as palavras. Os homens de ação são incapazes de se explicar porque lhes falta o poder da introspecção. (Por esta razão, Pompeu, o Grande, era um enigma para todos; ele não se compreendia. Por esta razão também, o pai de vocês, Agripa, sempre foi mais difícil de se conhecer do que Mecenas.)

— Vocês brigaram? — perguntei. Ela balançou a cabeça. Pela primeira vez na minha vida eu não estava sendo capaz de conversar livremente com a minha irmã. Eu me ressentia da influência que Marco Antônio ainda exercia.

Pedi a Lívia para falar com Otávia, na esperança de que ela se abrisse mais com outra mulher. Mas Lívia também fracassou. Havia uma barreira entre minha mulher e minha irmã. Talvez Otávia tivesse ciúme da influência de Lívia sobre mim, como eu tinha ciúme da de Marco Antônio. Consultei minha mãe. Ela simplesmente me lembrou de que sempre fora contra o casamento. As minhas mulheres tinham falhado. Fiquei aliviado quando Otávia se mudou para a sua própria casa no Palatino.

NATURALMENTE EU TINHA ESPIÕES PLANTADOS NA CASA DE MARCO Antônio, como ele tinha na minha. A ausência de Pompeu e Lépido tornou as coisas mais difíceis entre nós. Pior ainda, a longa estada de Marco Antônio no Oriente corrompeu o seu intelecto; ele começou a se esquecer de que era um aristocrata romano. Seduzido pela adulação absurda dos habitantes de suas províncias, acabou se considerando um rei. E um deus.

Faltou com a sua palavra, quebrou a promessa que tinha feito a mim. Poucos meses depois do retorno de Otávia a Roma, ele estava vivendo novamente com Cleópatra.

Fiz mais uma tentativa no sentido de chamá-lo de volta ao caminho certo. Indo contra os meus conselhos, ele embarcou naquela há muito sonhada campanha militar contra a Pártia. Melhor soldado do que o desgraçado milionário Marco Crasso, cujas legiões tinham sido dizimadas no deserto, ele tomou o caminho do Norte, atravessando a Armênia. Seu marechal, Públio Canídio Crasso, homem extremamente competente e de caráter desprezível, já havia dominado as tribos do Norte até o fabuloso Cáucaso. Nas colinas de Erzero, reuniu um grande exército, de dezesseis legiões, dez mil cavaleiros gauleses e espanhóis (que eu tinha enviado) e uma hoste de cavalos armênios conduzidos pelo príncipe nativo Artavasdes. Jamais fora reunida uma força militar romana mais esplêndida do que esta, e eu tinha dilapidado meus próprios recursos para suprir as necessidades do meu colega.

As primeiras notícias que nos chegaram em Roma falavam de triunfos. Marco Antônio havia avançado, sem encontrar resistência, além da fronteira em direção a Fraspa, capital da Média. A cidade zumbia com boatos de tesouros fabulosos e conquistas incomparáveis. A casa de Otávia era invadida todas as manhãs por senadores ansiosos em impressioná-la com sua dedicação ao marido dela. Agripa estava dividido entre a inveja e a preocupação. Ele ansiava por este tipo de glória; sua campanha militar mais recente nas nossas fronteiras do Norte parecia mero trabalho policial comparada à campanha de Marco Antônio. Ao mesmo tempo, ele me disse:

— Você está vendo, não está, que, se Marco Antônio se der bem, nós nos damos mal? Tendo conquistado a Pártia e anexado os tesouros daquele império, uma vez estabelecido o seu domínio naquelas terras, ele será absolutamente invencível. Ora, estou lhe dizendo, o retorno de Sila da guerra contra Mitrídates, que eu andei lendo, não será absolutamente nada em comparação. E você sabe como Sila destruiu Mário e o Partido Popular. Marco Antônio nos passou a perna pra valer e você foi tão tolo que até mandou ajuda para ele. Você mesmo se enterrou e me enterrou também — ele prosseguiu, falando mais depressa, de acordo com a intensidade de sua agitação. — Ah, não adianta apelar para aquela cara de gatinho que você faz, ou me lembrar, como estou vendo que vai fazer, que na sua opinião a Itália é a chave do poder. Conversa-fiada. Mário ficou com a Itália e adiantou muito. A Ásia é a verdadeira chave. Quem ficar com a Ásia dominará Roma. Pompeu também fez isto, lembra-se? Bem, talvez tenhamos um ano para nos prepararmos. Estou lhe dizendo, quando Marco Antônio voltar em triunfo, ele se virará contra nós. Certo como dois mais dois são quatro. Ora, aqueles filhos da puta no Senado já estão sabendo para onde o vento está soprando... Olhe como estão se acotovelando em volta de Otávia, jurando que sempre foram partidários de Marco Antônio — continuou neste tom, num crescendo de agitação.

Finalmente, eu disse:

— O caminho para Fraspa é longo e através do deserto. E continuo dizendo que a Itália é o alicerce do poder. Enquanto isso, preste bem atenção, estamos todos radiantes com o sucesso que o nosso colega tem tido até agora. Ele está conquistando glórias e territórios para Roma. Vou louvá-lo no Senado.

Era realmente longo o caminho para Fraspa. Além disto, a estratégia de Marco Antônio dependia de Artavasdes, em quem ele confiara. Que idiota! Um oriental é tão digno de confiança quanto o vento que sopra onde quer. É claro que ele abandonou Marco Antônio e o traiu. Duas legiões sob o comando de Ópio Estaciano foram dizimadas. Grande parte das provisões de Marco Antônio foi destruída. Apesar de ter com grande esforço continuado a avançar em direção a Fraspa, perto do fim do ano faltavam-lhe os recursos necessários para subjugar a cidade e ele foi obrigado a recuar. Durante toda a terrível retirada que se seguiu, a cavalaria parta atacou os seus flancos como um bando de lobos. Nem mesmo a Armênia oferecia segurança; com gratidão, Marco Antônio se arrastou de volta para a Síria. Muito se falou depois do seu empenho durante toda a marcha, e não vejo por que duvidar destes relatos, pois ele ainda era um bravo e talentoso comandante. Outros, entretanto, garantiram-me que o exército só foi salvo graças à habilidade e à coragem de Canídio. Eu não sei. Marco Antônio nunca permitiu que se publicasse uma história completa da campanha; e talvez isto fosse mesmo impossível, visto que as anotações tinham se perdido no deserto com as legiões que eu havia mandado.

Naturalmente as notícias em Roma sublinhavam, durante algum tempo, o aspecto positivo da campanha. Ouviu-se muito a respeito das façanhas de Marco Antônio quando ele chegou a Fraspa. Isto causava enorme admiração. A realidade só aos poucos atravessou o mar, e então eu me diverti, observando como diminuíam as multidões matinais na residência de Otávia.

Marco Antônio me escreveu com urgência implorando reforços.

— Só é preciso mais um avanço — dizia ele —, para se ganhar a guerra. Por amor aos deuses, garoto — tornei-me por pouco tempo, e por ser necessário a ele, o "garoto" novamente —, lembre-se do que eu fiz por você contra Pompeu, lembre-se da minha afeição por você, lembre-se de Filipos e de nossa dedicação a seu pai, lembre-se do elo que a nossa amada Otávia representa entre nós, e envie vinte mil homens.

Respondi suplicando a ele para que abandonasse os seus planos com relação à Pártia.

— Um grande deserto — eu disse —, separa os dois impérios, como você descobriu, meu caro colega e irmão, a duras penas. O deserto garante que a Pártia jamais ameaçará os verdadeiros interesses de Roma. A República precisa de paz. Agradeça aos deuses por não ter sofrido o destino de Crasso (o que para mim pessoalmente seria uma tristeza, partiria o coração de Otávia, e para Roma significaria a perda do seu maior general). Encare a sua derrota honrosa como uma advertência dos deuses para você não repetir tamanha imprudência.

Chegou-me de volta uma explosão incoerente de insultos e ameaças. ("Ele tinha de estar bêbado para escrever estes disparates", eu disse a Mecenas.) De novo exigia vinte mil homens. Agripa teve um ataque de fúria:

— Mesmo que nós pudéssemos dispensar vinte mil homens — gritou —, não seria ele quem ficaria com eles. Mas precisamos destes soldados na Gália, na Ilíria, na fronteira com os Alpes Julianos. César, você não pode ceder diante desta loucura!

— Calma! — respondi.

Não querendo dar a Marco Antônio a recusa áspera que o seu pedido louco e egoísta merecia, o que eu fiz foi mandar setenta navios, como prova de minha boa-fé, mais uma tropa de elite de dois mil soldados, meus veteranos da guerra contra Sexto Pompeu. Otávia acompanhou os soldados, e eu instei com ela para que convencesse seu marido a ser razoável.

Os olhos dela se encheram de lágrimas:

— Você sabe o que está fazendo comigo? — perguntou. — Você percebe que está expondo sua irmã a uma situação horrível?

Fingi não entender, mas quando me despedi dela a ternura do meu abraço não podia deixar de revelar a compaixão e a culpa que eu estava sentindo.

O marido a recebeu brutalmente. Vestido mais como um potentado oriental do que como um general romano, ele se recusou a vê-la a sós. Sentado em um trono de ébano esculpido e enfeitado com ametistas, topázios e rubis, ele a submeteu a um longo discurso de queixas em que denunciava minha ingratidão e deslealdade.

— Em nosso casamento — disse ele —, você era o sinal da minha amizade com César. Mas ele mesmo rasgou este contrato. Volte para Roma para que o mundo inteiro possa ver a maneira vergonhosa com que ele me tratou. — Que comportamento desprezível! — Considere o nosso casamento terminado — acrescentou.

Otávia chorou, mas lágrimas que teriam derretido o mais frio dos corações não conseguiram degelar aquela arrogância insana.

Quando ouvi as notícias, eu também chorei: primeiro por Otávia, que tinha sido humilhada; depois pelas consequências das ações de Marco Antônio. Olhei para a cidade e vi mais uma vez guerra e peste. Senti dor no coração como quando se vê um barco levando um ser amado para as vastidões cinzentas do oceano.

ESTÁ NA HORA DE FALAR SOBRE CLEÓPATRA, O QUE PARA MIM É DIFÍCIL. Tão difícil quanto falar de serpentes.

Quando escrevi a Marco Antônio, censurando-o por ter reatado seu caso amoroso com ela, o que era faltar com a promessa que ele me fizera quando do Tratado de Brundísio, ele respondeu com um pouco de sua velha insinceridade brincalhona:

> Que diabos aconteceu com você? E daí se eu estiver dormindo com a rainha? Ela é minha mulher. Depois, não é novidade... A coisa começou há anos, como você sabe, nove ou dez, eu acho. E você? Você não é fiel de verdade a Lívia, é? Aposto que não.
>
> Parabéns — ou pêsames — se, entre agora e quando receber esta carta, você não tiver ido para a cama com Tertúlia, Terência, Rufila ou Sálvia Titisênia — ou com todas! Por amor aos deuses, pergunto a você, e logo a você, será que vale a promessa de um legionário (e nós sabemos quanto isto vale, não é?) sobre quem ou o quê, ou como, ou onde, ou quando, ou com que frequência você vai para cama? O sexo, meu caro, pode ser superestimado, acredite...

Uma defesa que praticamente não era uma defesa. Mas o fato de que ele escrevera nestes termos ao irmão da sua mulher mostra o estado de espírito dele. Era este o efeito que Cleópatra tinha.

Ela havia seduzido meu pai quando ainda era quase uma criança. Ele se recusou a vê-la quando invadiu o Egito, porque os seus planos para o reino não incluíam os Ptolomeus. Então ela fez com que a entregassem a ele enrolada em um tapete. O tapete foi desenrolado na presença dele e todos os encantos dela foram revelados, porque, naturalmente, mas também com algum artifício, as escassas peças de seu vestuário estavam agradavelmente fora do lugar. E ela ficou ali deitada no chão diante dele, dando risadinhas, travessa como um gatinho. (Ele a chamava de "gatinha".) Ora, vocês podem dizer — e com razão — que era tão difícil seduzir Júlio César como é comer os primeiros morangos da estação. Contudo, prestem atenção no que se segue. Ela não só pulou para a cama dele mais do que depressa; ele a colocou no trono do Egito, providenciando para que o irmão (com quem ela deveria ter repartido o reino) fosse eliminado a pedido dela. Que espécie de menina é esta que com 14 anos sacrifica o irmão pelo poder? Eu considero isto muito mais impressionante do que a sua capacidade de fascinar o meu pai.

Não foi pela beleza. Ah, ela era bonita, muito bonita quando jovenzinha: pequena, sinuosa, cheia de energia, com olhos que dançavam e traços expressivos, e uma voz que parecia estar sempre reprimindo o riso. Eles falavam grego, é claro — vocês devem saber que a família real do Egito é grega e tem tão pouco sangue egípcio quanto o pai de vocês, Marco Agripa, por exemplo, não sabem? O grego dela era estranho e provinciano — os gregos de Alexandria engolem as consoantes e juntam as palavras de forma que a conversa deles parece a tagarelice de andorinhas no telhado. Ela cometia muitos erros de gramática. Como vocês sabem, o grego correto exige que o sujeito plural neutro use o verbo no singular; Cleópatra não dava importância a isto. Naturalmente, só um pedante se preocupa com as sutilezas da gramática, e é de muito bom-tom para um cavalheiro cometer erros de vez em quando. Mas as nossas damas romanas se orgulham de falar o latim corretamente. Cleópatra não ligava para estas coisas; ela deixava de usar o subjuntivo, por exemplo, sempre que lhe dava vontade. Aliás, ela nunca se deu ao trabalho de aprender um pouquinho que fosse de latim, pois não há dúvida de que desde o começo, apesar de seus romances com o meu pai e com Marco Antônio, ela sentia um profundo ódio de Roma.

Nada poderia ter sido mais calculado do que o seu ataque a Marco Antônio. Foi ainda mais óbvio do que o seu primeiro encontro com Júlio César, que poderia ser explicado como uma espécie de travessura infantil e que certamente tinha algum encanto. (Como ele mesmo disse: "Bem, a última coisa que você espera de um tapete é que ele desembrulhe uma deslumbrante peça daquele tipo de musselina!") Eu já citei para vocês uma versão daquele encontro entre Cleópatra e Marco Antônio. A versão de quem? De Salvidieno acho... Suponho que seja exata. A chegada da galeota causou uma enorme comoção, a maioria das versões que tenho ouvido dizem a mesma coisa. Foi, com certeza, inesquecível. Cleópatra não era realmente linda — para começar, suas pernas eram curtas demais (Lívia costumava chamar atenção para isto e acrescentar que os tornozelos dela eram muito grossos). Mas ela estava maravilhosamente maquilada e vestida; sua aparência, quando ela se preparou para cativar Marco Antônio, representava o supremo triunfo da arte, senão da natureza. Todos concordam. O que é frequentemente ignorado é a extraordinária vulgaridade do espetáculo. Eu mesmo gosto de teatro e reconheço que é inclusive uma parte indispensável da política; mas na vida privada deve-se evitar fazer teatro e, de qualquer modo, é preciso haver um equilíbrio em tudo. Para mim é impossível discriminar entre o exibicionismo vulgar de Cleópatra e o tipo de espetáculo repugnante oferecido aos turistas no bairro de meretrício de Corinto; a única diferença é que a exibição dela era mais cara. Moralmente tratava-se da mesma espécie de prostituição.

Naturalmente, Marco Antônio sucumbiu — seu gosto sempre deixou muito a desejar. Não conseguiu perceber como o espetáculo era essencialmente cômico, especialmente porque Cleópatra, que era realmente muito inteligente, estava até certo ponto parodiando a si mesma. Estava representando um papel, sabia que estava e sentia prazer nisto. Ela era o tipo de mulher que não consegue se abster de desprezar os homens que se deixam iludir por ela, e desde aquele primeiro encontro, Cleópatra sempre teve certo desdém por Marco Antônio. Ela não desprezara Júlio César porque via na atitude dele em relação ao sexo um espírito tão irônico quanto o dela. Além disso, ela era uma criança na época, e ele era o homem mais poderoso do mundo; é bem possível que até Cleópatra tenha ficado deslumbrada. Não o amou, porque não tinha capacidade para amar ninguém. Era incapaz de depender de alguém, e sem isto é impossível amar verdadeiramente; não conseguia se perder em outra pessoa.

Marco Antônio era outra coisa. É verdade que no começo ele se manteve relativamente distante. Quando ele me disse em Brundísio que era só política — "política e sexo, garoto — ela é ótima na cama, a rainha" —, acredito que estivesse dizendo a verdade. Ficara completamente sob a sua influência nos primeiros dias, mas logo sua inteligência e sua vontade haviam se reafirmado. A prova disto é que durante três anos ele conseguiu obedecer ao acordo e não ficou sozinho com Cleópatra uma única vez.

AGORA EU PODIA OLHAR PARA TRÁS E VER UMA DÉCADA DE REALIZAções: eu havia restabelecido a ordem na parte da República diretamente sob o meu controle; vingara meu pai; nenhum dos que se denominavam Libertadores sobrevivera para ocupar cargos públicos — apesar de que Marco Antônio ainda protegia Domício Enobarbo Júnior, cujo pai fora um deles —; tinha reunido um grupo de amigos leais e dedicados ao serviço e à virtude de Roma; com a ajuda competente e esforçada de Agripa, eu já havia restaurado edifícios públicos vítimas de anos de abandono e estragos; meu governo havia assegurado a gratidão dos meus concidadãos; agindo de acordo com meu amigo Mecenas, eu tinha encorajado e promovido as artes; sob o meu patrocínio, Virgílio, tranquilo na posse de suas terras ancestrais, tinha quase terminado seu grande poema em louvor da Itália, as sublimes *Geórgicas*, e já estava gerando, nos profundos mistérios do seu espírito de poeta, o hino ao destino de Roma ("Qual é, César", ele me perguntou, "a missão de Roma?" "Ordem e clemência", respondi, uma apreciação a que ele deu expressão artística no verso retumbante: "proteger o humilde e subjugar o orgulhoso"); em honra aos meus empreendimentos, meus concidadãos tinham por livre e espontânea vontade erguido uma estátua dourada minha no Fórum.

Eu tinha uma tristeza na minha vida particular. Não obstante cinco anos de profunda felicidade doméstica, Lívia e eu não tínhamos filhos. Continuávamos a cercar de ternura minha filha Júlia e os filhos de Lívia, Druso e Tibério, assim como meu sobrinho, Marcelo; todavia a falta de um filho nascido do nosso sangue era uma privação dolorosa. Em vão Lívia celebrava os mistérios da

Grande Mãe; em vão visitava os santuários encontrados em todas as comarcas do interior da Itália, onde as donzelas imploram aos deuses que as abençoem com a fertilidade. Falando com vocês, meus amados netos e filhos adotivos, seria impróprio repetir as perguntas pessoais sobre as causas de nossa esterilidade que perturbavam as nossas noites. O que eu posso dizer aqui é que a feliz presença de vocês há muito nos consolou do que poderia ter sido.

Não obstante, naquele longo verão de meus 31 anos, a mágoa me importunava, correndo como uma coceira num músculo, ao lado de uma dor mais profunda. Cada vez que eu levantava os olhos em direção ao leste, parecia-me ver nuvens escuras assomando-se às colinas. Não conseguia me distrair muito tempo com os lagartos se aquecendo ao sol; a guerra mímica deles na arena me perturbava. Estava cansado depois de dez anos de luta e deprimido por saber o que aconteceria.

Procurei refúgio em Lívia, e ela foi inflexível:

— Roma não pode ter dois senhores! — afirmou.

Quando protestei dizendo que não era "senhor" de Roma e que, como um verdadeiro romano, achava o termo "senhor" repelente, ela se afastou de mim e, apoiada no cotovelo direito, olhou-me sem sorrir e declarou:

— É tão impossível para você fugir da verdade como para um homem andar numa tempestade e permanecer seco.

— O AMO ESTÁ NA CAMA — DISSE O JOVEM ESCRAVO PINTADO QUE ESTAVA de guarda à porta do quarto de Mecenas.

— Não importa.

— Ele não está sozinho — o jovem sorriu com malícia.

— Não importa. Preciso vê-lo — eu disse e empurrei-o para poder passar.

O quarto estava às escuras. Pedi luz. Mecenas estava deitado, seu corpo entrelaçado com o de um rapazinho louro e pálido, um gaulês, suponho, cujo rosto tomou uma expressão furtiva quando acordou com a minha interrupção. Mecenas se espreguiçou.

— César... — bocejou espalhafatosamente. — Céus! Como sempre um senso perfeito do momento oportuno. Uma hora mais cedo e eu teria ficado seriamente contrariado. Pode ir, benzinho... — disse para o rapaz que, mal-humorado, sentou-se um instante na beira da cama, com os cabelos despenteados, os olhos turvos de sono, sem forças para falar.

Então se levantou, Mecenas deu tapinhas afetuosos no seu traseiro, e ele saiu do quarto.

— Maravilhoso, não é? — disse Mecenas. — Não sei por que eu de repente passei a gostar destes louros masculinos, uma combinação deliciosa de força e maciez, avidez e vergonha. Sabe que ele...

— Ah, pare com isso... — interrompi — você não precisa fazer teatro para mim.

— Bem, seja bonzinho e passe-me aquele roupão... Você parece preocupado.

— Acha que eu viria aqui a esta hora se não estivesse? Não consegui dormir. Estou com problemas de barriga, com uma dor de cabeça dos diabos e com os nervos em pandarecos.

— E Lívia não ajuda?

— Não foi o que eu disse...

— Não?

— Você não pode dizer certas coisas a uma mulher, não pode revelar certos ângulos, não pode compartilhar certas dúvidas.

— Como se eu não soubesse disto... Eu amo a minha mulher, sabe. Mas ela não é para uso diário. O que há?

— Não sei o que fazer... — eu disse e sentei-me na cama. — Ajude-me! — E pontuei: — Não estou dizendo a verdade. Sei o que deve ser feito. Mas estou nervoso, apreensivo. Há tanta coisa a se fazer. Não sei se posso fazer tudo... Não sei se vão aceitar que eu faça.

Mecenas pôs a mão no meu ombro:

— Relaxe... — disse ele. — Fizemos um longo percurso desde os idos de março.

— César — respondi — foi longe para chegar aos idos.

— Você tem uma estrela muito brilhante... — respondeu.

Conversamos a noite toda, explorando os caminhos à nossa frente. Uma longa conversa com Mecenas sempre me acalmava. Eu via a sutileza das coisas, a relação complicada de um acontecimento com o outro; jamais conheci alguém que fosse capaz de discernir com mais precisão do que ele o desenho que a vida traça para formar a História. Eu sempre ia embora mais seguro de onde ir e do que fazer. E, no entanto, desta vez, apesar de intelectualmente concordar com os argumentos dele, eu ainda sentia um gosto de dúvida e perplexidade.

Agripa foi direto:

— Olhe aqui, meu chapa, é muito menos complicado do que você pensa. Imagine que você está preso num despenhadeiro com o inimigo bloqueando as duas saídas. Ora, você não pode esperar droga nenhuma. A única solução é sair massacrando quem está no caminho. É o que eu acho. Encare os fatos. Você se esquece de que tem de olhar para os fatos, não para o seu medo. Marco Antônio é Marco Antônio. Isto já é ruim. Mas agora ele é Marco Antônio e a porra da Cleópatra. Roma precisa do Egito. Não podemos alimentar a cidade sem o Egito. Não podemos pagar as tropas sem o Egito e as taxas do Império Oriental. Tudo o que fizemos na Itália depende do domínio do Egito e do Oriente. Mas, por outro lado, enquanto tivermos Roma, a Itália e o Ocidente, Marco Antônio não pode deixar de sentir que o poder dele é precário. Não sei o que Marco Antônio quer. Talvez ele queira ser rei. E daí? Não tem a menor importância. Existem forças opostas que não podem entrar em acordo. Então, rapaz, só há uma saída: temos de acertá-lo antes que ele nos acerte.

— Marco Antônio tem amigos, parentes, partidários aqui em Roma. O nosso poder aqui não é de modo nenhum absoluto.

— Tudo bem, a gente começa com eles. Já fizemos isto antes.

Balancei a cabeça. Discutir com Agripa era como ser um boi tentando discutir com o empregado do matadouro; ele ficava segurando um porrete na posição de ataque. Mas desta vez eu balancei a cabeça:

— Não podemos instituir proscrições, este tempo já passou.

Convidei Virgílio para uma visita à minha casa nos Montes Albanos. Comemos em um terraço que dava para a tranquilidade sagrada do Lago Albano. Oliveiras e vinhas iam até as margens do lago sob um céu do azul mais intenso. O indolente calor do verão nos envolvia.

Comemos peixes recém-pescados no lago e morangos trazidos da vizinha Nemi, e bebemos o vinho cor de palha produzido na minha propriedade. As flores se fechavam no calor, flores vermelhas, amarelas e roxas riscadas de branco; quando acabamos de comer, os escravos nos deixaram a sós.

Durante a refeição tínhamos falado de poesia e agricultura. Como sempre, o conhecimento sereno de Virgílio me reanimou; mas quando ficamos sozinhos ele disse no tom baixo de sua voz de nortista, cujo som nunca deixava de ser reconfortante:

— Seu espírito está inquieto, César.

Fiz um gesto vago sobre a paisagem lá embaixo, que estava deserta no momento, com os camponeses descansando depois do almoço à espera do declínio do sol para voltar a trabalhar.

— É verdade — disse Virgílio —, você tem razão. É bom. É a vida. Contudo...

— Não quero lutar contra Marco Antônio — disse eu. — É muito simples, não é?

— Ah, simples... Quando o que se vê é complicado, não se pode fugir das complicações voltando meramente à simplicidade. Para os camponeses que trabalham nos campos e nos pomares, a vida é de uma simplicidade primitiva. Precisam prestar atenção aos humores e ritmos da natureza e das estações que se sucedem. Mas você não conseguirá viver em paz como um camponês. Eu sabia por que você havia me pedido para vir aqui hoje e pensei no que devia lhe dizer. — Pegou um morango, segurou-o contra a luz, por um instante, entre o polegar e o indicador, e depois o largou. — A história de Cincinato é o ideal de todos os romanos de verdade — continuou. — Lavrar campos harmoniosos, abandonar este trabalho valioso, adequado a todos os homens de bem e nossa herança por direito, quando chamado para salvar o Estado; depois receber o poder supremo de um ditador; vestir a toga do Estado para cumprir o seu dever, derrotar os inimigos da República e receber os louvores agradecidos dos seus concidadãos; e então renunciar ao cargo, despir a toga e retomar seu lugar atrás do arado, enriquecendo e domesticando o solo da Itália; não é esta vida uma vida perfeita, como perfeita é essa história que todo romano legítimo absorve quase que junto com o leite da mãe?

Concordei com um gesto de cabeça, mas não consegui falar porque estava emocionado demais.

Ele pegou um morango de novo.

— A fruta mais perfeita e deliciosa do mundo — disse ele. — Vem de Nemi, não vem? De campos férteis perto da água... Mas os bosques de Nemi guardam um conto mais sinistro. Lá fica o Templo de Diana, guardado por um único sacerdote, um homem que não pode nunca dormir em segurança e que, pelo contrário, precisa rondar todas as noites em volta do templo sombrio com uma espada na mão. Ele é, como você sabe, César, um sacerdote e um assassino, um escravo fugido que obteve o direito de tomar conta do lugar sagrado da deusa matando o sacerdote anterior. Não podemos saber como certos homens são escolhidos para este dever cruel, árduo e sagrado. Que eles são selecionados por poderes divinos, não há dúvida. Que sua missão é sagrada, apesar de tão cruel e cercada de medo, perplexidade e angústia, também é certo. Ele faz o que a deusa ordena em resposta a alguma necessidade além da compreensão humana. Sua vida talvez seja um símbolo da decadência e da corrupção do mundo que só pode ser perdoado pela ação benigna dos deuses e pelo amor. Sem Diana não há fertilidade; sem fertilidade não existe alegria nem vida. Porém o paradoxo permanece: o Templo de Diana, lar da Grande deusa que dá origem à vida, é vigiado pela espada de um assassino, e ele mesmo deve sofrer morte inglória, talvez ignorando até a nobreza e importância do papel que desempenhou. Não podemos desvendar o mistério, mas podemos reconhecer sua verdade.

Fez uma pausa e lançou-me um olhar da maior ternura, no qual estavam misturados afeição, compaixão e respeito tais como eu nunca vi em outro semblante. Olhei aquele rosto triste e nobre, no qual a delicadeza refinada dos traços não conseguia esconder a força que emanava de sua absoluta honestidade, e senti que a minha coragem voltava.

— César — disse ele —, sei pouco de História e menos ainda de política. Mas ouça: Cincinato é uma lenda; pertence a um mundo infantil em que só havia franqueza, e as boas ações eram recompensadas por um espírito tranquilo. Como lenda, é para crianças: um ideal que lhes é apresentado para que cresçam vendo e admirando o que é bom, franco e verdadeiro. Mas o sacerdote de Diana que toma conta do Galho Dourado e do templo de Nemi não é uma lenda, e sim um mito que misteriosamente revela a verdade aos homens. O mundo ultrapassou Cincinato, e você não pode despir sua toga e voltar ao arado. Você está condenado a passar a vida rondando com a espada na mão o templo que é Roma. Sinto muito. — Sorriu tristemente e cobriu a minha mão com a dele num gesto de compreensão e pena.

Assim foi que levei meu espírito transtornado às quatro pessoas que eu amava e que podiam me orientar; e mesmo todos eles tendo indicado o mesmo caminho, foi com o poeta, levando-me incólume pela mão, que passei por dentro dos espinheiros que escondiam suas trilhas e pelas presas selvagens das feras que me ameaçavam.

XI

As grandes rodas de Marte e Belona foram acionadas. Roma fervia num calor febril como no verão depois do assassinato do meu pai. Mais uma vez as pessoas tomavam partido, faziam manobras para conseguir posições (como os condutores de bigas fazem no circo), olhavam velhos conhecidos com desconfiança e má vontade. Mais uma vez as relações sociais foram corrompidas.

As histórias mais terríveis nos chegavam do Oriente: Marco Antônio, fosse por causa de bebida, fosse pela paixão ou por esta estranha loucura de poder com a qual os deuses às vezes atormentam grandes homens e os fazem esquecer o consequente castigo, estava perdendo todo o equilíbrio, todo o senso de relação entre as coisas. Até mesmo havia celebrado, em Alexandria, um Triunfo pela sua guerra contra a Pártia. Preciso explicar a perversidade deste gesto? Um Triunfo, sem dúvida vocês estão cansados de saber, é uma honra concedida a um general romano pelos Patriarcas Conscritos do Senado; só pode ser celebrado em Roma, uma vez que não é uma honra meramente pessoal, é uma proclamação da grandeza e do espírito inspirador da cidade. Arrogar-se o direito de se julgar merecedor de um Triunfo é pura loucura, um ato de soberba imperdoável para os homens, sem dúvida punível pelos deuses de Roma.

Ele não parou por aí. As circunstâncias do Triunfo foram tão ultrajantes quanto o Triunfo em si. Desprovido de qualquer devoção, o evento foi um pretexto para a glorificação de Cleópatra. Ela, em um grande trono de ouro esculpido, sobre um estrado, recebeu como presente prisioneiros que deviam ter sido oferecidos a Júpiter, o maior e mais poderoso dos deuses. No dia seguinte, vestida de Ísis, deusa das planícies férteis do Nilo, compartilhou um trono com Marco Antônio, tendo os filhos Cleópatra Selene e Alexandre Hélios sentados a seus pés. Ao lado deles encontrava-se um menino magro de 13 ou 14 anos, também filho de Cleópatra — sobre isto não havia dúvida; ela tivera a audácia de chamá-lo de Ptolomeu César (ou Cesarião) e afirmar que ele era filho do meu pai, mentira evidente em suas feições nem um pouco romanas. Mas, nessa ocasião, Marco Antônio, com o rosto arroxeado e os olhos úmidos, levantou-se cambaleando, chamou o menino, abraçou-o e, mostrando-o às legiões, aos eunucos e escravos do Egito, proclamou que se tratava realmente do filho de César:

— Rei dos reis! Filho do divino Júlio César e de Cleópatra, mãe de reis e rainha de reis.

— É um insulto a você como filho daquele homem... — disse Lívia.

— Ele está louco... — suspirou Otávia. — Aquela mulher desnorteou os sentidos e destruiu o bom senso dele. Eu quase seria capaz de chorar se não estivesse tão zangada.

— Para mim é a bebida — comentou Agripa.

— Esperem — Mecenas interrompeu —, ainda tem mais. Continue, rapaz — disse ao mensageiro.

Meu agente, um jovem grego chamado Nícias, encolheu os ombros:

— Estou lhes avisando, há coisas ainda mais esquisitas para contar. Só espero, César, que não me trate como meus compatriotas, na sua fase heroica, tratavam os portadores de más notícias. Bem, não foi fácil para Cesarião, permitam-me chamá-lo assim, pois é o único nome que ele tem no momento, levar Marco Antônio de volta ao trono, onde ficou sentado muito tempo em silêncio, enquanto todos em volta, a cada minuto mais constrangidos, se perguntavam se ele perderia a consciência. A esta altura não havia a menor dúvida de que ele estava definitivamente bêbado, e todos, muito nervosos, pensavam no que aconteceria se... mas aí Cleópatra deu-lhe um cutucão com a varinha que estava segurando como símbolo de alguma coisa... desculpem, mas eu não estou muito por dentro do simbolismo egípcio, que como grego acho terrivelmente tolo e até cômico... e ele levantou sua cabeçorra; é uma cabeça maravilhosa agora que ele está decadente, parece a cabeça de um leão ferido ou de um touro velho afundado até os joelhos num pântano e pronto para um último encontro com o inimigo que praticamente já o destruiu. Bem, ele levantou a cabeça, e por um instante, uma expressão de invencível ódio por si mesmo apareceu no seu rosto, e ele lançou um olhar positivamente maligno para Cleópatra (como Perseu segurando a cabeça da Górgona) e começou a falar de novo, mas desta vez sem a fanfarronice de antes. E, vai ser difícil de acreditar, passou a dividir o Império entre os filhos: Alexandre, uma minhoquinha sonsa de nove ou dez anos, um típico pirralhinho egípcio, ganhou a Armênia e todas as terras a leste do Eufrates; e a menina Cleópatra, a Líbia e a Cirenaica. Dá para acreditar? E...

— E Cesarião?

— Nada para ele ainda. Dizem que eventualmente ele será o senhor da Ásia.

— Vocês sabem o que isso significa... — disse Agripa.

Todos nós sabíamos.

— E então — disse Nícias — todos, exceto os destacamentos de legionários, começaram a gritar saudando Marco Antônio, que chamavam de Dioniso e Osíris, consorte da deusa-rainha do Egito e todos aqueles exageros absurdos dos orientais.

(Os gregos são capazes do mesmo tipo de disparates, mas Nícias, que tinha se identificado com Roma, tornara-se mais romano do que os romanos em sua aversão a extravagâncias emocionais e intelectuais.)

— Marco Antônio — continuou — ficou um pouco sem graça, mas não podia contradizê-los.

Não foi preciso providenciar para que as notícias da cerimônia fossem difundidas pela cidade. Espalharam-se rapidamente, causando medo e espanto. Todos compreenderam o que estava implícito: Cleópatra não tinha apenas seduzido Marco Antônio, ela tinha aliciado sua mente. Alexandria tomaria o lugar de Roma. As legiões seriam comandadas pela feiticeira do Nilo. A República seria destruída. Já me chamaram de mestre da propaganda, mas naquele momento não precisei usar meus talentos neste sentido. Os fatos falavam bem alto.

Apesar de tudo, Marco Antônio ainda tinha partidários na cidade. Eu precisava agir com cautela. Enviei a Marco Antônio um protesto firme, porém amigável, salientando que ele não tinha a autoridade necessária para dispor das províncias do Estado romano da maneira como eu ouvira dizer que o fizera. Ele respondeu com insolência, exigindo que o Senado aprovasse o que ele havia feito no Egito. Seus defensores no Senado, os cônsules Caio Sósio e Domício Enobarbo, não se atreveram a divulgar esta mensagem, mas comunicaram o fato de que Marco Antônio considerava o triunvirato morto e seus poderes, obsoletos. O que estava implícito era que de agora em diante eu não tinha nenhuma autoridade, nenhum poder.

Participei de uma sessão do Senado e, num discurso da maior moderação, fiz um esboço da sequência das ações de Marco Antônio durante o ano anterior.

— Será o desejo dos patriarcas conscritos entregar Roma nas mãos de Cleópatra? — perguntei.

Pergunta que os amigos de Marco Antônio não puderam responder; em vez disto, Sósio, um homem tão desprovido de mérito quanto de realizações, procurou mudar de assunto me atacando. Chegou a ponto de propor que eu fosse declarado inimigo público. Um tribuno vetou esta proposta, um ato bondoso, porém desnecessário, uma vez que a moção não teria sido aprovada. Não obstante, seu veto me livrou de um constrangimento momentâneo e fiquei grato a ele.

Aquele debate, no entanto, me convenceu de que era chegado o momento para um gesto arrojado: primeiro pedi a Mecenas que convocasse os cônsules.

— Faça com que eles saibam — disse eu —, do modo mais suave e sinistro de que você for capaz, que estou descontente. Faça com que saibam que não vou admitir este tipo de comportamento. Pergunte, polidamente, quantas legiões eles têm. Sugira que os amigos deles no Oriente devem estar lamentando suas ausências. Lembre a eles como é breve a autoridade de um cônsul. Pergunte se eles acham que as multidões respeitarão os amigos de Cleópatra. Em resumo, meu caro Mecenas, conto com você para fazer os dois morrerem de medo.

— Não se preocupe, benzinho, quando eu terminar, eles terão medo até de cagar.

— Mas não tanto medo que não consigam fugir.

Fugiram. E eu então anunciei que todos aqueles que se considerassem amigos ou protegidos de Marco Antônio poderiam sair da Itália. Aproximadamente um terço do Senado partiu.

HAVIA, PORÉM, TRÁFEGO NAS DUAS DIREÇÕES. MUITOS ROMANOS QUE tinham se juntado a Marco Antônio não conseguiram suportar sua desmoralização exótica, fora da realidade e revoltante. Entre eles estava Lúcio Munácio Planco.

Vou falar um pouco sobre ele, cuja volta me deu muito prazer. Planco vinha de uma sólida família burguesa de Tíbur. Ele havia sido um dos oficiais do meu pai nas guerras gaulesas e em Farsália, mas nunca fora um adepto meu durante toda a agitação da última década. Na verdade, ele tinha lutado contra mim na guerra da Perúsia, porque era amigo íntimo de Lúcio, irmão de Marco Antônio. Mais tarde juntou-se a Marco Antônio e recentemente fora procônsul da Ásia e da Síria. Ninguém tinha mais experiência ou melhor conhecimento do que se passava na facção de Marco Antônio. Um fato curioso é que eu só havia me encontrado com ele uma vez: no tempo das proscrições, quando ele provou seu zelo pela República, concordando com a inclusão do seu próprio irmão na lista, e sua atitude diante de interesses pessoais ao fazer questão de que os Copônios de Tíbur, velhos rivais de sua família, também fossem incluídos.

Eu não teria reconhecido o homem magro e grisalho que entrou. Ele tinha um modo agitado, inquieto, que, pelo que tenho observado, é a consequência de uma longa carreira política. Sua fala também era nervosa e espasmódica.

Desculpei-me pela revista a que ele fora submetido antes de ter permissão para entrar.

— Isto me envergonha — disse eu. — Mas o fato é que há uns dois meses alguém me ameaçou com uma faca, e então os meus amigos insistem que eu só veja a sós quem tenha sido revistado, e, meu caro Planco, eu queria muito vê-lo a sós.

Conversamos um pouco sobre as mudanças que ele tinha notado na cidade depois de uma ausência que datava do ano seguinte ao assassinato de César.

— Talvez — disse ele — isso torne mais fácil, para mim, aplaudir as restaurações feitas por você; talvez tenha também permitido que eu guardasse uma Roma ideal em minha mente; e foi, César, minha visão desta Roma ideal que me persuadiu a terminar minha antiga relação de amizade com Marco Antônio. Eu não consigo engolir as perversões manifestadas por ele atualmente.

Eu estava convencido de que não passava de retórica vazia. Eu tinha Planco na conta de um velho e experiente espertalhão, pronto a farejar a direção do vento e a manobrar — se é que estou usando a expressão náutica certa — de acordo. Aliás, era a razão por que sua vinda tinha me agradado, além de, é claro, as notícias que ele poderia trazer...

Permaneci na defensiva, no entanto, no caso de Marco Antônio ter mandado o seu amigo para me enganar. Ele logo me fez mudar de ideia:

— Não consigo engolir o que aconteceu — disse ele — e o que está acontecendo lá. Garanto que nenhum romano conseguiria. A última gota foi ver Marco Antônio em roupas egípcias, andando no meio dos eunucos daquela mulher. Ele se divorciará de Otávia, sabe, e encenará um casamento público com aquela mulher. Não que isto queira dizer grande coisa, na minha opinião eles já são marido e mulher há anos. Ele está meio apatetado, meio cego, a ponto de não ver nenhum modo de reaver sua posição. Mas, César, vim dar-lhe informações valiosas sob uma condição...

— Condição?

— Uma condição que sua gratidão e dignidade naturais terão prazer em satisfazer —, disse, e lambeu rapidamente os lábios com uma língua bifurcada. — César, servi à República minha vida inteira... Vivi tão honrada quanto humanamente possível nestas duas últimas e terríveis décadas. Reconheço o que você tem feito para escorar o Estado, porém eu também tenho feito a minha parte, apesar de termos às vezes divergido. Mas chega disto. Recebi algumas honrarias... sabe que em Milasa, na Cária, onde eu era procônsul, há um sacerdote consagrado em minha honra, estes orientais são incríveis, não são? Acontece que honra é uma coisa que não sustenta um homem na sua velhice...

— O que você tem para... — hesitei diante da palavra "vender"; pois não combinava nem um pouco com toda aquela conversa de honra... — me dizer? Estou certo de que seremos capazes de satisfazê-lo.

— Marco Antônio fez um testamento — disse ele. — Fui testemunha e sei o que ele disse. Para mim, há várias honrarias e presentes, uma posição de sacerdote de Júpiter, uma propriedade na Baía de Nápoles, que eu tenho em vista... Gostaria de um contrato, César... os termos do testamento são escandalosos...

— As pessoas acreditariam?

— A minha palavra... — ele respondeu.

— Palavras — disse eu — são ignoradas hoje em dia. A moeda da linguagem foi desvalorizada. Veja os insultos que Marco Antônio derramou sobre mim! Não querem dizer nada, não têm o menor efeito.

Planco sorriu:

— Isto seria diferente. Deixe que eu lhe diga o que há no testamento. Ele afirma novamente que Ptolomeu César é filho de César e deixa uma enorme herança para ele e para os outros fedelhos de Cleópatra. Não deixa nada para Otávia ou para sua filha, Antônia. Ordena que o seu corpo seja enterrado no mausoléu real, em Alexandria. Não preciso explicar o que está implícito no testamento, preciso, César?

Não precisava; senti minha cabeça rodando, agitada. Planco tinha me oferecido o que eu precisava para converter uma luta pessoal (como alguns insistiam em ver as coisas) numa causa justa de Roma e de toda a Itália.

— Palavras... — eu disse.

— Posso prová-las. Mas primeiro o meu contrato...

Chamei um escravo e assinei tudo o que ele ditou. (Não tinha muita importância...)

— O testamento — disse ele — está depositado no Templo de Vesta.

LÍVIA FOI INFLEXÍVEL: ISTO NÃO PODIA E NÃO DEVIA SER FEITO. ERA errado, um sacrilégio! O que quer que estivesse no Templo de Vesta estava sob a guarda sagrada da deusa. Homem nenhum podia entrar no santuário; homem nenhum podia forçar as virgens vestais a entregar o que tinha sido confiado a elas. Seus olhos soltavam faíscas, e amor, medo e raiva misturavam-se em meu coração. Se homem nenhum... será que ela não poderia?

— Cegaram você, César — ela disse. — Está ameaçado de perder seu senso de certo e errado. Eu lhe imploro, não se meta nisto, esqueça e abandone a tentação malévola que este homem, Planco, plantou em sua mente. E eu estou lhe avisando: se você cometer este sacrilégio, nosso casamento será para sempre estéril!

Como pode um homem reagir a uma súplica desta natureza partindo de sua mulher? Não existem palavras. Nenhum argumento pode acalmar um coração trêmulo como o que Lívia revelava. Tomei-a em meus braços, mas ela afastou sua cabeça, resistindo ao meu beijo. Não correspondeu ao meu abraço.

— Você vai matar tudo que houver de bom e verdadeiro em você e em nós... — disse.

Uma sombra cobriu a face do sol e o aposento ficou frio. Mecenas também hesitou. A notícia o sacudiu tanto que ele perdeu toda a sua afetação. Segurou imediatamente uma rã entalhada que usava numa corrente em volta do pescoço. Fez-se uma pausa em que ele não conseguia falar.

Então foi até a janela e olhou para as colinas...

— Lamento dizer que teria medo de praticar essa ação e estou com medo por você, meu caro — disse. — Pode me considerar um sombrio e supersticioso etrusco velho, mas... Sua estrela... é, sim, os deuses têm sido bondosos com você e conosco. Continuarão sendo depois do que você propõe... essa violação?

— Vamos talvez lutar com Marco Antônio no mar. Acho que Netuno não dá a mínima para o Templo de Vesta.

— Os deuses punem a falta de devoção, qualquer que seja a sua forma. Meu caro, se fizer isto, você sofrerá um dia, não sei quando, mas sofrerá...

Lembrei-me do que Virgílio tinha dito a respeito do Templo de Diana e tive consciência de que Mecenas estava falando a verdade.

Fiquei amedrontado com o fato de que Lívia e Mecenas, que não gostavam um do outro, tivessem dado o mesmo conselho e a mesma advertência.

Fiquei amedrontado e, contudo, não podia recuar. Planco havia me oferecido dados chumbados. Quando eu os jogava na mesa, eles me favoreciam inevitavelmente. Minha mão segurando a caixa dos dados estava fria e parecia só ossos; minha boca se encheu de náuseas enquanto eu hesitava. Voltei mais uma vez para Lívia e supliquei que ela me livrasse da culpa. Ela, sendo mulher, podia agir como intermediária. Tinha permissão para entrar no templo. E acaso a Alta Sacerdotisa não era irmã da mãe dela?

— Você está querendo que eu faça o que eu sei que é errado: pedir a minha tia para trair a confiança depositada em sua ordem através de todos os séculos da história de Roma — ela disse.

Senti que o meu rosto estava ficando obstinado como o rosto de um menininho teimoso.

— Você não está entendendo — disse eu. — Não podemos evitar a guerra, e você me recusa a única possibilidade de garantir a vitória. Marco Antônio possui todas as riquezas do Oriente para apoiá-lo. Eu tenho de ir ao encontro dele, porque não suporto a ideia de haver guerra na Itália. Mas não me atrevo a deixar inimigos aqui. O que eu proponho seria o fim de Marco Antônio. Se você não me ajudar, vou pedir ajuda a Otávia.

— Pois que vá... — disse ela. — Faça isto. Vamos ver se ela comete um sacrilégio para ajudar o seu querido irmão.

E com estas palavras, e uma expressão tão cheia de amor conjugal quanto a de Clitemnestra, saiu do aposento.

O que aconteceu foi que eu não tive coragem de falar com Otávia. Eu me convenci de que não tinha o direito de pedir a ela que arcasse com este peso. Mas esta não foi a verdadeira razão. Fiquei com medo da sua raiva e do seu desprezo.

Até Agripa se retraiu, quando lhe contei do testamento, começou imediatamente a tagarelar sobre estatísticas militares, todas no sentido de provar que Marco Antônio estava perdido independentemente do que acontecesse em Roma e na Itália. O fato de que se recusava a olhar nos meus olhos é que mostrava que estava com medo, que estava mentindo. Não consegui me lembrar de outra ocasião em que ele tivesse mentido para mim.

Então, no fim das contas, tive de arcar sozinho com a responsabilidade.

Com Planco escondido em algum lugar, escrevi para a Alta Sacerdotisa, pedindo que ela me recebesse. Ela se recusou, porém polidamente. Sem dúvida ela sabia das minhas intenções; era pouco provável que Planco tivesse guardado segredo. Por outro lado, pensar em outro motivo não faria bem à minha autoestima.

Foi então que um dos tribunos, não me lembro o nome, organizou uma demonstração pró-Marco Antônio no Fórum. Houve um começo de tumulto, algumas casas foram incendiadas e a polícia de Agripa teve de esvaziar as ruas. As pessoas começaram a falar com o frenesi que sempre usam em épocas de agitação. Desta vez dizia-se que logo estaríamos de volta aos tempos de Clódio e Milo, aqueles malfeitores cujos seguidores desordeiros e violentos tinham acabado com a vida política havia uns vinte anos. Esta conversa alarmou Agripa — o pai de vocês era um grande homem, um grande soldado e um administrador ainda maior; mas, no fundo, era um policial. Não havia nada que ele temesse mais do que a desordem.

Veio me ver como um touro desnorteado para dizer que eu estivera certo e ele errado:

— Não se trata mais de decidir o que fazer, e sim de como fazer — disse.

— Fico feliz em saber o que você acha disto. Alguma ideia? Devo dizer que não podemos contar com a cooperação das vestais.

— Neste caso — ele retrucou —, precisamos escolher entre a força e a trapaça.

— Isto não é uma escolha — respondi. — Posso deixar por sua conta?

Ele enfiou os pés pelas mãos. Estávamos jantando tarde (Lívia gostava de jantar tarde, o que era uma surpresa para os que a rotulavam de senhora romana convencional e antiquada, sem compreender que Lívia obedecia às convenções quando estas lhe davam prazer, mas era capaz de ignorá-las sempre que interferissem em suas preferências e tendências). Estávamos, como eu dizia, jantando tarde, quando o meu padrasto chegou esbaforido, cheio daquela consternação fingida com a qual tinha o hábito de divulgar as últimas novidades e, tendo atraído a atenção geral com sua respiração ofegante e seus pulinhos, exclamou:

— Vocês não acreditarão na notícia atroz que eu acabei de ouvir. Houve uma tentativa de roubo no Templo de Vesta.

— Tentativa?

— Roubo?

Lívia levantou a cabeça como uma égua assustada:

— Quem eram os ladrões? O que eles queriam?

Felipe, contente com a atenção que lhe estava sendo dispensada, sentou-se em um divã e bateu palmas chamando um escravo:

— Dê-me vinho, estou sem fôlego de tanto correr para chegar aqui — disse ele. Ninguém sabe... Eram escravos, naturalmente. Gregos, dizem. Escravos de quem? Isso ainda não foi esclarecido. Nem o que estavam procurando. Mas dizem que teremos revelações. Eles serão interrogados, é claro! Você está pálido, meu rapaz — disse para mim. — Está exagerando, eu já lhe disse isto. O que acha das minhas novidades? Terríveis, não? Pensar numa coisa assim acontecendo. Não sei onde o mundo vai parar. — E tomou o vinho, vejam bem, como se o vinho pudesse lhe dar uma resposta...

Lívia me rejeitou aquela noite. Eu sabia que ela tinha resolvido fazer isto porque se recusava a olhar para mim e, quando eu me deitei na cama, ela tinha virado o rosto para a parede, fingindo que estava dormindo.

Antes, porém, eu tinha falado com Agripa. Um escravo fora buscá-lo num lugar qualquer em que ele estava jogando. Depois de lhe dar o choque, fiquei bem calmo.

— São seus homens, imagino... — eu disse.

Fez que sim com a cabeça, o rosto exangue, o seu costumeiro ar de confiança tendo desaparecido.

— É preciso impedir que eles falem — disse eu. — Acho que não se pode contar com o silêncio deles. São gregos, não são?

— São gregos, sim. Droga, tinham de ser. Eu não podia usar analfabetos.

— Tudo bem — respondi —, mas é preciso fechar a boca deles. Você sabe disto... Você se interessou pelos aquedutos da cidade. Você sabe o que acontece quando há um vazamento... Exatamente. Ora, os seus encanadores fracassaram na sua tarefa de conserto. Eles mesmos estão vazando. Não podem ter a chance de falar. Eu encarreguei o prefeito pretoriano do caso. Mas a questão é a seguinte: existe alguém entre eles que seja capaz de contar a história certa para salvar a própria pele? Descubra isto, viu, antes que ele seja morto tentando fugir. E se ele existe, é esta a história que ele deve contar...

Olhei para Lívia na semiescuridão, sabia que ela não estava dormindo. Seu ressentimento e sua censura tornavam o ar do quarto pesado e ameaçador. Quando pousei minha mão em sua coxa, senti seus músculos se retesarem.

— Vai dar tudo certo — eu disse.

Sem mudar a posição do corpo, ela se distanciou de mim. Eu tinha sido excluído de tudo o que mais desejava naquele momento e não ousava me aproximar dela.

Trouxeram o rapazinho pela manhã. Eu tivera o cuidado de reunir uma dúzia de senadores, dos quais sabia que pelo menos três eram amigos de Marco Antônio.

O grego era muito jovem, uns 16 anos, suponho, com os cachos no cabelo e o corpo macio untados em óleo. Sua boca estava inchada e ele tinha uma contusão numa das maçãs do rosto, que estava começando a inchar também. Parecia estar muito assustado, como um cachorrinho à espera de uma surra. Fiquei surpreso ao ver como era jovem, mas Agripa me explicou que ele tinha sido o vigia.

— Com certeza Demócrito (um ex-gladiador que fora o chefe do grupo) tinha tesão por ele — disse. — Dá para ver que ele é um maldito veadinho. Típico grego, sabe?

O rapazinho agitou as longas pestanas sobre os grandes olhos de gazela. Eu lhe lancei um olhar severo, rejeitando o sorriso tímido que ele estava tentando produzir. Perguntei a Agripa:

— Como ele se chama e de onde vem?

— Timóteo. Nasceu escravo. Faz parte de uma trupe de dançarinos. Recrutado pelo gladiador Demócrito.

— Foi interrogado?

— Não foi preciso... Começou a tagarelar assim que viu os instrumentos de tortura.

Virei-me para o grupo de cônsules que tinha convidado para assistir ao interrogatório.

— Algum de vocês gostaria de interrogá-lo? Você, talvez? — perguntei a Múcio Coceio Nerva, cônsul havia três ou quatro anos, que tinha servido sob Marco Antônio, mas que também era, como toda a sua família, amigo íntimo de Planco. Escolhi com cuidado. Coceio Nerva, chefe de uma família ascendente, estava balançando numa corda bamba de indecisão; ficou dançando no ar, incapaz de decidir qual dos lados seria mais útil à sua carreira. Neste momento, e por um instante, parecia que ele recusaria o meu convite, depois pensou nas consequências disso e fez um sinal afirmativo com a cabeça. Começou a interrogar o rapaz num tom duro e gutural. O rapaz gaguejou nas primeiras respostas (pensei comigo mesmo que ele sem dúvida tinha talento de ator; boa escolha, Agripa). Percebendo o seu medo, Nerva se entusiasmou. As perguntas soavam como rosnados, e o rapazinho, obedientemente, começou a ganir. Então, finalmente, como se estivesse cedendo a uma pressão intolerável, contou a sua história.

Ele não era responsável por nada, porém tinha de confessar que participara de tudo desde o início:

— Eu estava bebendo — ele disse — com Demócrito, ele era meu amigo, meu amigo especial, entende, em uma taverna na Suburra. Tínhamos pouco dinheiro, os negócios não têm andado nada bem ultimamente com tantos patrocinadores fora da cidade, e estávamos nos queixando disso. Mas a verdade é que Demócrito estava sempre se queixando. E aí um grandalhão com nariz de papagaio veio até a mesa onde nós estávamos bebendo e se sentou. Não gostei da cara dele desde o começo... Falou com Demócrito como se eles se conhecessem, mas logo deu para entender que ele só conhecia Demócrito de nome, por indicação de alguém. Olhou para mim desconfiado. "Pode dizer qualquer coisa na frente do rapaz", Demócrito garantiu. Então o homem fez que sim com a cabeça e disse que tinha um trabalhinho a ser feito. "Que tipo de trabalho?", perguntou Demócrito. "Grande", o homem respondeu. "Você sabe ler?", perguntou. "Não muito bem", respondeu Demócrito. "Saco", disse o homem. "Mas eu tenho amigos que sabem", disse Demócrito, não querendo perder aquela oportunidade. "Então está bem", disse o homem, "de qualquer jeito não é trabalho para um só." "O que é, então?" "Bom", disse o homem, "você conhece o Templo de Vesta?" "Quem não conhece? Apesar de que homem nenhum jamais entrou lá", respondeu Demócrito rindo, mas muito interessado, porque pelo jeito a coisa era grande mesmo. "Eu não conheço", disse o homem. "Sou cidadão romano, mas nasci numa colônia e nunca morei em Roma. Sou um soldado do Oriente e não conheço a cidade, caso contrário eu mesmo faria o serviço." "Tudo bem", disse Demócrito, "então o que é?" E aí o homem foi direto ao assunto: "O general Marco Antônio deixou o seu testamento com as vestais e agora quer pegá-lo de volta." "Por quê?", perguntou Demócrito se fazendo de bobo, "por que e o que a gente leva nisto?" Bem, para encurtar a história, o que a gente levava naquilo era bastante, mas acho que os senhores querem saber o porquê, e pelo que eu entendi parece que este testamento seria um problema e que era melhor sumir com ele, foi o que acharam alguns amigos do general, ou até o próprio general...

— Muito bem — disse Nerva —, nós entendemos isto... Mas vocês não pensaram que ele só precisava pedir de volta o testamento? Por que se dar ao trabalho de planejar este roubo complicado?

O rapaz olhou Nerva nos olhos pela primeira vez.

— Claro que pensamos nisto — ele disse. — Nós não somos burros, o senhor sabe? Perguntamos a ele exatamente isto. E ele deu a resposta. Ele disse que tinham escolhido este método porque César, aqui presente, seria com certeza acusado do roubo. E era esta a finalidade...

"Ah, não", pensei. "Agripa se excedeu." Isto era de um requinte exagerado. Alguém, sem dúvida, perceberia que, se o roubo tivesse sido realizado, eu teria sido capaz de apresentar algum tipo de testamento... senti fisgadas no estômago, mas naturalmente eu estava vendo a questão de um ângulo diferente; aparentemente ninguém mais estava levando em conta esta possibilidade... No entanto, era uma possibilidade perigosa. Alguém acabaria achando o ponto fraco da história.

— Isto é um disparate — disse eu. — Peço desculpas, Nerva, por intervir neste interrogatório que você está conduzindo com tanta habilidade e que já trouxe à tona informações tão interessantes, mas não faz sentido. Há uma falha fundamental na história deste rapaz... Evidentemente, se o roubo tivesse sido bem-sucedido e eu tivesse sido acusado... o que (hesitei) é um pensamento impuro e que me ofende profundamente, a acusação só seria convincente se eu tivesse um testamento para mostrar. De outra forma, não teria validade.

Os cônsules enrugaram a testa diante daquela poça de lama. O rapazinho virou seus olhos enormes para mim.

— Eu também pensei nisto, general — ele disse —, e, achando que o meu amigo ia se meter numa encrenca, eu até levantei a questão. O agente sorriu e respondeu de uma forma que deixava bem claro que ele era realmente seu inimigo. Deu-nos uma explicação. Depois do roubo, um simpatizante seu, César, lhe entregaria o testamento. Seria um documento de tal natureza que não seria possível resistir à tentação de publicá-lo. Mas Marco Antônio teria o testamento verdadeiro, com o selo das vestais, e o testamento verdadeiro seria muito mais "inofensivo" (foi esta a palavra que ele usou) do que o publicado. Então ele mandaria o testamento verdadeiro para o Senado, ou pediria que ele fosse examinado por senadores importantes. Na verdade, senhores, o objetivo da conspiração não era o de se apoderar do testamento, porque, de acordo com a informação que nos deram, ele é mesmo inofensivo; o alvo da conspiração era César aqui presente. A intenção era a de desacreditá-lo. Ficaria parecendo que ele primeiro tinha cometido um sacrilégio, encomendando o roubo, e depois de descobrir que o testamento roubado não seria útil para ele, tinha cometido um segundo crime: o de falsificação...

Fiquei impressionado com o talento do rapaz. Decerto, àquela altura, ele estava obviamente tendo prazer em representar o seu papel de um homem gozando a sensação de libertação causada pela confissão autodegradante. Além disso, fiquei admirado com o efeito que tiveram suas últimas palavras. Os cônsules estavam evidentemente convencidos de que elas eram verdadeiras. Eu podia, portanto, sem qualquer risco, confessar-me atordoado pela enormidade do que havia sido revelado e incapaz de resolver que atitude tomar. Foi o que fiz, e muitas cabeças foram sacudidas.

Somente um cônsul, o primo de minha mulher, Ápio Cláudio Pulcher, ainda parecia ter dúvidas. Ele disse que gostaria que aquela história fosse confirmada pelos outros membros da gangue.

— Mortos resistindo à prisão — disse Agripa. — Segundo a minha polícia, era um grupo violento. O único que se entregou imediatamente, em prantos e sem resistência, foi este vira-casaca.

— Devemos ficar gratos por isso — disse Nerva. — Senão, quem sabe que conclusões vis, e prejudiciais à República, poderiam ter sido tiradas?

O desfecho foi satisfatório. Ficou resolvido que um requerimento seria dirigido ao Senado pedindo às vestais, em nome do Senado e do povo romano, que, apesar das convenções, entregassem o testamento depositado em seu templo por Marco Antônio, uma vez que tinham motivo para acreditar que continha elementos relacionados à segurança e à soberania do Senado e do povo romano. Até mesmo as vestais se sentiram obrigadas a atender o pedido, ao que fizeram, acrescentando, contudo, uma cláusula em que proclamavam a reverência devida a documentos testamentários entregues à sua guarda — uma reverência, não preciso dizer, que eu nunca deixei de ter.

A publicação do testamento teve o efeito esperado. Despertou temores e ansiedade, e logo se ouvia em toda parte que Marco Antônio pretendia mudar a capital do Império de Roma para Alexandria. Houve explosões espontâneas de sentimentos populares contra Marco Antônio, que no passado fora o queridinho do povo. Nessa ocasião, a sua casa no Aventino foi incendiada pela multidão. Por todos os cantos ouviam-se histórias sobre sua submissão abjeta a Cleópatra. Diziam que ele tinha feito parte da fileira dos seus eunucos, vestido com trajes egípcios e que tinha participado dos ritos abomináveis com que os habitantes corruptos e decadentes do Vale do Nilo celebravam seus deuses repugnantes.

Ninguém se atreveu a levantar a voz para defendê-lo, nem mesmo no Senado. Pelo contrário, as opiniões estavam tão contra ele que, sem que fosse preciso que eu sugerisse, despojaram-no de seu poder e de seu cargo de cônsul para o ano seguinte, para o qual já havia sido eleito. Até propuseram que ele fosse declarado inimigo público, mas nesta hora achei de bom alvitre intervir. Eu não desejava que os ânimos se exaltassem ainda mais contra Marco Antônio, não que eu sentisse carinho por ele — exceção feita aos restos de afeição que ele, contra a minha vontade, sempre me inspirou —, e sim por uma razão política. Quatro anos antes, depois da derrota de Pompeu, eu tinha declarado formalmente o fim das guerras civis. Não tinha a menor vontade de sugerir que elas recomeçassem. A guerra que estava sendo preparada desta vez era dirigida contra um inimigo de Roma, não contra um concidadão que desejava subverter o Estado. Nosso inimigo era Cleópatra. Eu estava convocando a Itália inteira para o esforço supremo de uma grande guerra patriótica.

Consequentemente, preparei meu golpe de mestre. Conclamei toda a Itália, todo o mundo ocidental, senadores, tropas militares e civis a um juramento de lealdade a mim na luta de Roma contra o pérfido Egito. Ninguém era obrigado a fazer este juramento. Aliás, em razão da presença de Marco Antônio nas fileiras inimigas e em razão também da natureza solene das obrigações pessoais, deixei claro que, os que tinham por Marco Antônio algum tipo de lealdade pessoal, não deviam ser pressionados; cheguei a dispensar especificamente a cidade de Bolonha, uma velha protegida de Marco Antônio, e declarei que não consideraria sua lealdade a seu antigo benfeitor uma expressão de desafeto por mim ou por Roma. Diziam que tal clemência benigna ultrapassava os gestos de indulgência de Júlio César.

Porque o juramento era voluntário e porque a causa era justa, sendo a causa de Roma e da Itália, o país inteiro afluiu em peso aos gabinetes, que foram montados em todos os municípios, a fim de provar sua confiança em mim. Nada em minha vida me deu um orgulho mais duradouro do que isto. Até mesmo as colônias de veteranos que tinham servido sob Marco Antônio fizeram o juramento. Devo acrescentar que tudo foi feito apesar dos impostos mais pesados que Roma e a Itália jamais tinham suportado; não mais dispondo de recursos do Oriente, achamos necessário impor um imposto de renda de 25% para pagar pela guerra. Mas como todos sabiam que a guerra era justa, e todos tinham esperança de que um esforço conjunto e entusiasmado pudesse fazer com que ela terminasse rapidamente, até este imposto foi pago. Antes de a razão dos impostos ser realmente compreendida, e antes de o juramento ter reunido os nossos concidadãos para a causa comum, houve distúrbios periódicos em algumas cidades provincianas.

Eu compreendia e perdoava; nenhum homem sensato gosta de pagar impostos. Logo, porém, ficou claro que o imposto era necessário e era pago ainda mais prontamente quando as pessoas se lembravam das enormes contribuições para o Tesouro Público que eu já fizera e continuava fazendo. Além disso, todos sabiam que eu vivia modestamente e gastava pouco comigo mesmo.

Com o triunvirato tendo sido abolido, o Senado reagiu, oferecendo-me o direito de comandar sem limites de função ou de atribuição. O título de ditador havia sido abolido também, e eu não tinha o menor desejo de trazê-lo de volta, pois suas associações não eram mais aquelas do passado heroico da República; mas eu agora possuía, de fato, todos os poderes da ditadura e por um período ilimitado. Todavia, terem estes poderes vindo não somente do Senado mas também da confiança espontânea da Itália inteira era um fator importante.

Uma única sombra empanava minha serenidade: Lívia, perturbada além da conta, na minha opinião, pelo caso das virgens vestais, ainda me negava a cama conjugal. Meu amor era bastante profundo para que eu continuasse a respeitar seus sentimentos, mas o seu afastamento me fazia sofrer. Meu corpo e meus sentidos podiam achar o consolo fácil de que os homens precisam (ou acham que precisam), mas eu sentia um vazio gelado no meu coração.

Eu tinha mais de trinta anos e a minha juventude morreu naquele inverno, quando nos preparávamos para a guerra contra Cleópatra.

XII

Teria Marco Antônio perdido todas as suas qualidades positivas? Eu me fazia esta pergunta quando estávamos em nosso acampamento de Miquilitsi, nas colinas ao norte da Baía de Ácio. Ele já tinha cometido tantos erros que eu era forçado a me perguntar se a sua alma estava nesta guerra. Não deveria nunca ter permitido que chegássemos à Grécia sem problemas, com a possibilidade de nos posicionarmos vantajosamente nas colinas como tínhamos feito. A princípio temi uma cilada, mas quando ele atravessou os estreitos, acampou duas milhas ao sul de onde estávamos e enviou sua cavalaria para o Norte, numa tentativa de cortar o nosso abastecimento de água, os movimentos dele, no passado tão seguros e precisos, eram agora tão hesitantes e letárgicos que eu percebi que não havia cilada alguma. Marco Antônio tinha perdido a confiança em seu próprio gênio militar.

Agripa capturou as ilhas Patras e Leucádia, tendo conseguido como resultados cortar com a sua frota as linhas de comunicação de Marco Antônio. Ele teria de lutar para voltar ao Egito e, enquanto isto, nós podíamos interceptar seus suprimentos.

Eu só precisava esperar. Estávamos numa posição que só poderíamos perder se fizéssemos um movimento em falso. Eu havia decidido ficar quieto e obrigar Marco Antônio a se mexer.

Havia apenas dois aspectos negativos: primeiro, minha saúde esteve abalada aquele verão inteiro, mas eu, sem dúvida, estava sofrendo menos nas colinas do que o infeliz exército de Marco Antônio, perseguido por moscas, febre e rações de fome na planície abaixo de nós. Todos os dias víamos grupos de faxina enviados além da linha para cavar valas comuns a fim de sepultar as vítimas da febre. Mas eu mesmo sofria de uma dor de garganta persistente. Minha pele estava seca e quente. Dormia mal à noite. Tinha problemas de digestão e, já naquela época, era um escravo dos males renais que, como vocês sabem, obrigam-me a seguir uma dieta rigorosa.

E, depois, havia Lívia. Ela tinha ficado em Roma (que eu deixara sob a responsabilidade de Mecenas) para tomar conta das crianças. Eu sentia a sua falta, ela tinha sido minha companheira nas minhas melhores campanhas. Pior, porém, eram as suas cartas. Não conseguia perdoar nem esquecer o caso do testamento. O tom das cartas, falando da saúde das crianças, era frio e brusco. Aqui vai um exemplo:

Amanhã vamos primeiramente para a sua casa em Vilestro, e depois para a casa que o meu pai nos deixou na Baía de Nápoles. Será bom sair da cidade, que já está quente demais. As crianças estão bem e mandam-lhe lembranças respeitosas. Druso começa a desenvolver seus dotes atléticos, o que é ótimo. Está cavalgando muito bem. Tibério tem estado quieto e distante. Rogo aos deuses para que ele não se torne uma vítima da doença congênita depressiva que afeta os Cláudios. Não posso deixar de lembrar-me de como meu pai caía numa depressão apática. É o que frequentemente acontece com pessoas orgulhosas e sensíveis, desprovidas da capacidade de autoaceitação que faz com que muitos, me refiro aos bem-nascidos, sejam capazes de realizar mais graças desde que sua tranquilidade lhes permita fazer até o que sabem ser errado sem autocensura. Tibério não é assim. Quando ele faz uma coisa errada (como todas as crianças fazem) e tem de ser repreendido, sua autoestima fica seriamente ferida, e ele é então capaz de desistir de qualquer esforço. É a faceta negativa do orgulho dos Cláudios, o que, por outro lado, levou tantos da sua família a prestar grandes serviços à República. Júlia, naturalmente, não tem tais inibições. Não gosta de ser repreendida (como, sinto dizer, tem de ser frequentemente), mas não é o orgulho que fica ferido no caso dela. Ela não tem, infelizmente, muito senso moral, o que é lamentável, apesar de não me surpreender mais. Não gosta de ser repreendida porque fere sua vaidade — o que é uma coisa bem diferente de orgulho, tanto quanto o autêntico queijo de búfala da Campânia é diferente das imitações baratas que são vendidas em Roma. Ela fica ofendida quando alguém tem a audácia de achar que ela não é perfeita — sinto dizer que ela é muito mimada —, mas, em vez de pensar se a repreensão é merecida ou não e de examinar a sua consciência — o que aliás seria difícil para ela fazer, visto que, e Otávia concorda comigo, ela é desprovida de tal coisa —, fica ressentida e critica quem quer que a tenha repreendido; em geral, lamento informar, eu mesma. Contudo devo dizer também que ela e Tibério são muito amigos. Ele é muito carinhoso e paciente, apesar de ela implicar com ele sem parar, e pode ser, portanto, que o caráter nobre dele tenha alguma influência sobre o dela e consiga mitigar o egoísmo, a desobediência, a prepotência e o gênio caprichoso que são seus maiores defeitos. Mas tenho de confessar que duvido. Júlia está tão convencida de sua própria perfeição que é difícil acreditar que ela seja suscetível a qualquer influência. Sinto saber que você não está bem de saúde; na verdade, porém, com o seu organismo, você não pode esperar ficar livre de achaques e enfermidades. Além do mais, parece que o clima grego é frequentemente debilitante. Eu estou bem, mas, como já disse, será bom sair da cidade.

Sua obediente esposa,

Lívia.

Opa! Vocês talvez digam, que carta! Nem uma palavra de amor e uma ferroada em cada frase. Tudo o que ela dizia sobre a pobre Júlia era evidentemente dirigido a mim. Na minha resposta, procurei apaziguá-la:

Lívia,

Sei que você acha que tem razão de me escrever no tom frio e indiferente de suas cartas. Acredite quando eu digo que, apesar de ficar ferido com a sua voz e as suas palavras, elas só aumentam o amor e o respeito que sinto por você. Conheço sua razão e a respeito. Você quer que eu defenda as minhas ações? Talvez eu devesse fazer isto. Talvez eu só consiga fazê-lo com o mar entre nós e eu aqui empoleirado nas montanhas acima do acampamento de Marco Antônio e esperando, com um pouco de febre na alma assim como no corpo, pela batalha que determinará se a minha vida será de serviço a Roma ou se será lembrada apenas como uma comédia amarga de ambição medíocre. Por aí você vê, minha querida e única amada, o meu estado. Por favor, não fique ofendida se, apesar de sua frieza e da raiva que pulsa sob a frieza e a inspira, eu me dirijo assim a você. Você é a única mulher que eu amei completamente como um homem pode amar uma mulher, quer dizer, totalmente, e se você me negar este amor, então há muito pouco em minha vida privada que me possa consolar, que possa me proteger contra a desolação com que a vida pública sem dúvida castiga os homens. Você é a minha força e o meu refúgio. Não me rejeite! Você não só é a única mulher que eu amo deste modo, mas eu sinto que nunca haverá outra!

Consigo escrever estas palavras, apesar de não ser capaz de dizê-las a você. E este talvez seja o único defeito do nosso casamento, e o rochedo que poderia destruir a frágil jangada na qual estamos descendo o rio da vida. Em um certo sentido — talvez em mais de um, mas certamente neste — somos parecidos demais! Somos ambos reticentes. Ambos achamos difícil falar sobre o que sentimos. Ambos nos retraímos, quando discordamos, em um silêncio que se torna mais amargo e inflexível quanto mais ele dura. E é este silêncio que poderia corromper e matar o nosso amor. Não uma ação, mas uma longa ruminação, em que o ressentimento se transforma em veneno. Não sei se eu poderia sobreviver a isto. Você é, em muitos sentidos, mais forte do que eu, mas se isto acontecesse, se o amor que cresceu entre nós, um amor que amadureceu durante os anos em que estamos casados, fosse envenenado, algo morreria em você também. Você ficaria, acho, presa por uma retidão estreita e incapaz de perdoar. Você tem, se me permite dizê-lo (e tente se lembrar de que eu falo por amor), certa timidez, que se expressa numa relutância em considerar a maneira de viver e pensar dos outros. Talvez seja desta forma que o orgulho dos Cláudios se manifesta em você. Aliás, tenho certeza disso. Eu posso lhe dar confiança e alegria de verdade. Não se afaste do que eu sou capaz de oferecer.

Quanto ao assunto em questão, aquela ação minha que desaprova tão veementemente e que enche você de aversão e até de ódio — o que posso dizer? Tenho um grande respeito pelo que é sacrossanto, e nunca, em minha vida particular de cidadão, violaria um lugar sagrado ou deveres sagrados. No entanto, em minha capacidade de homem público, preciso às vezes ver as coisas de outro modo. Um homem em um cargo público precisa às vezes ter consciência do que é necessário. Precisa estar preparado para fazer o que é errado se for para o bem comum. Em minhas ações como triúnviro, sempre tive isto em mente. Você acredita que em minha capacidade privada eu poderia ter consentido que se tomassem medidas tão imorais quanto as proscrições? Mas Roma assim o exigia. A mesma coisa aconteceu com o testamento de Marco Antônio. Pedi às vestais que o entregassem a mim, explicando detalhadamente porque considerava necessário que o fizessem. Rejeitaram o meu pedido. Ai de mim! O que eu podia fazer? Será que eu deveria dizer: Roma exige que o testamento seja de conhecimento público, de forma que Roma e toda a Itália compreendam o perigo da situação em que nos encontramos, porém, apesar desta necessidade, eu não vou agir porque não devo fazer o que sei, como cidadão, que é errado? Eu estaria faltando com o meu dever.

Não posso colocar a minha consciência individual acima do meu dever para com Roma.

Eu contei a você o que Virgílio disse a respeito de Cincinato e o sacerdote de Nemi. Suplico-lhe que pense nas palavras dele e procure compreender a minha posição.

Obrigado pelo que me contou a respeito das crianças. Júlia tem tanto charme e beleza que naturalmente acha que tudo lhe deva ser perdoado. Você está certa em repreendê-la, mas ela ainda é criança e, tenho certeza, entrará nos eixos. Espero que o nosso querido Tibério, cuja inteligência e caráter eu já respeito, não caia em depressão. Você tem toda a razão de ficar preocupada com a sua hereditariedade.

Seu marido sempre amoroso,

Otávio.

O último parágrafo talvez fosse imprudente, mas eu tinha de mostrar que lera a carta dela.

A resposta veio rápida e inflexível:

Sua carta foi absolutamente típica. Não sei por que você acha que eu reluto em dizer o que sinto, mas desta vez vou jogar o seu jogo e escrever tudo. O que ameaça o nosso casamento é cada ocasião em que você baixa o nível moral que eu tenho o direito de esperar de você. Quando isto acontece, eu realmente detesto você. Pronto, está dito. E gostaria que você compreendesse que quero dizer exatamente isto. Também detesto quando você tenta explicar de maneira ambígua e mentirosa o que sabe que é errado. É bem fácil encontrar consolo nas palavras de Virgílio... Não vejo por que você acha que eu ficaria impressionada com elas. Ele é apenas um poeta, e todo mundo sabe que os poetas sabem mentir, são peritos em fazer o que é bom parecer ruim e vice-versa. São tão falsos quanto os advogados, e os argumentos que você usa são os de um advogado.

O que você diz sobre o meu caráter mostra que você nunca se deu ao trabalho de procurar me compreender. Não me reconheço em sua descrição, mas vejo uma coisa: tendo agido mal, como confessa tacitamente em sua longa e sofisticada defesa, você tentou pôr a culpa em mim, e me culpar pelo que pode estar errado entre nós, culpar minha atitude, meu orgulho de Cláudia, por exemplo. Isto é simplesmente desonesto e indigno de qualquer marido, quanto mais de um marido em sua posição, uma posição que você conseguiu, deixe-me acrescentar, ajudado pelas minhas relações familiares.

É melhor você não me escrever de novo daquela forma. Não vou aturar isto. Se você quiser se divorciar de mim, poderá, é claro, fazê-lo. Mas se vamos continuar casados, insisto que você deve mudar de tom. É realmente ultrajante você tentar fazer com que pareça que a culpa é minha.

Hoje Júlia me contou a mentira mais desavergonhada. Fui obrigada a fazer com que a castigassem...

Por favor, não me escreva, a não ser que seja de outra maneira. A propósito, algumas histórias desagradáveis estão circulando a respeito de você e de seu sobrinho Marcelo. Não é prudente demonstrar um favoritismo tão evidente por um rapaz bonito, e não é bom para ele. Você mesmo sabe como a sua reputação sofreu por causa do modo como aquele homem, César, tratava você. Não estou dizendo que tenha havido um deslize moral de sua parte naquela época, ou que haja agora. Mas nos dois casos você demonstrou falta de discernimento, o que normalmente não acontece. Otávia está aflita e magoada com as histórias sobre você e Marcelo. Não preciso dizer que o seu amigo Mecenas sente prazer em espalhá-las.

O que eu poderia responder? Apenas isto:

Lívia, eu a amo, e, portanto, vou aceitar a sua censura e não vou mais tentar me justificar. Vou até agradecer pelo aviso que mandou sobre Marcelo. Não havia me ocorrido que a minha afeição por este rapaz excepcional e virtuoso pudesse ser interpretada dessa maneira... Sem dúvida eu o amo, mas o amo como amo Druso, Tibério e Júlia. Ele é da família. Mecenas, é verdade, tem uma língua ferina (que eu acho que está se tornando mais ferina com a idade). Vou escrever para ele dizendo-lhe que pare com isto. Ainda assim, por favor, não se esqueça nunca de que Mecenas tem sido mais útil para mim do que qualquer outro homem — e até mais do que Agripa...

Enquanto isto, reze por mim... O confronto com Cleópatra não pode estar longe.

Marco Antônio me enviou mensageiros. Eles chegaram na manhã em que recebi a notícia da grande vitória de Agripa contra Sósio, almirante de Marco Antônio. Eu mesmo dei as boas-novas do triunfo aos enviados de Marco Antônio, Marco Júlio César Silvano e Quinto Délio.

— Como vocês podem ver — disse eu —, a sua causa está perdida. Podem responder ao seu general que o único assunto a ser negociado são os termos da rendição.

Délio fez uma careta e disse:

— A rainha nunca permitirá isso, César. Estamos do lado errado. Não fica nada bem para romanos ser comandados por uma mulher, e é o que está acontecendo na verdade...

Não só os romanos estavam abandonando Marco Antônio. Na manhã seguinte, Amintas, rei da Galácia, na Ásia Menor, saiu do seu acampamento com sua cavalaria numa missão de reconhecimento, deu meia-volta com seus homens pelo lado das colinas e se rendeu aos nossos postos avançados. Trouxeram-no até mim, um oriental esbelto, de olhos furtivos, pronto a oferecer um tesouro em troca do seu reino, auto-humilhação em troca de clemência. Apesar de enojado com o seu servilismo, prudentemente eu o recrutei para o meu exército.

Cavalgando pelo acampamento, vi Délio sentado do lado de fora de uma tenda, empanturrando-se de carne de porco diante de uma garrafa de vinho.

— Comida e bebida, César! — ele gritou. — É mais do que Marco Antônio é capaz de oferecer.

Não pude deixar de refletir que homens como Délio abandonariam a minha causa do mesmo modo alegre e sem escrúpulos; e, então, pensei: tenho mais em comum com Marco Antônio do que com qualquer outra pessoa nos dois acampamentos.

Chegou-nos a notícia de que o general mais importante de Marco Antônio, Cneu Domício Enobarbo, também tinha abandonado o acampamento. Marco Antônio, com aquela nobreza acanhada e teatral que era parte essencial de sua estranha personalidade, e que frequentemente inspirava gestos admirados tanto por aristocratas quanto por soldados, ordenou que o equipamento, as armas e o tesouro de Enobarbo fossem enviados ao dono. Quando Marcelo soube, gritou para mim:

— Por que estamos em guerra com um homem destes?

Que resposta eu podia lhe dar?

Deixem-me fazer uma pausa e deter-me um pouco, não no gesto teatral de Marco Antônio, o que não lhe custou nada e pode ter, por um instante, devolvido a ele o senso de sua própria virtude, mas em Enobarbo. Sua carreira é um exemplo do desperdício provocado pela guerra civil. Ele foi o meu mais ferrenho inimigo. E foi o que eu mais queria ganhar para a minha causa. Mas ele não deu ouvidos aos elogios, aos argumentos e eventualmente nem à razão.

Era um republicano obstinado e virtuoso, casado com um mundo que havia desaparecido e que talvez tivesse sido sempre imaginário. O pai dele, cunhado de Cato, tão severo e farisaico quanto o próprio Cato, lutou e morreu em Farsália. O filho aderiu a Bruto e a Cássio, lutou contra nós em Filipos e depois resistiu durante anos com uma frota cuja base de operações ficava na costa ocidental da Grécia. Pólio o convenceu a juntar-se a Marco Antônio, o que todos nós interpretamos como uma reconciliação com a nova ordem que estávamos tentando implantar. Lembro-me de ter escrito para ele, dando-lhe as boas-vindas. Ele respondeu friamente: tinha se juntado a Marco Antônio, não a mim, pois não poderia nunca se reconciliar com o herdeiro do homem que havia dedicado sua vida à destruição do Estado livre. Encolhi os ombros com desespero. O que será que aquele termo já morto significava para ele? Ninguém tinha sido livre do medo, da repressão, da desonestidade e da corrupção políticas durante três gerações. Mas Enobarbo pertencia a uma época morta, quando o que importava era a lealdade pessoal e familiar, o espírito de clã, quando o interesse por Roma era só da boca para fora. Cato tinha sido igualzinho. Ele teria desmembrado o Império por amor de uma política puramente imaginária. Como ter paciência com estes loucos?

Contudo, eu não podia deixar de admirar Enobarbo, mesmo reconhecendo que esta admiração representava nostalgia da infância de Roma. Mais uma vez compreendi a sabedoria das palavras de Virgílio e compreendi também que a história de Cincinato era mais do que uma lenda, era uma tentação. Homens como Cato e Enobarbo brincavam de viver no passado e simulavam uma virtude impossível que os tornava capazes de agir com indiferença egoísta diante dos verdadeiros interesses do Estado. Cuidado com os idealistas, era a minha advertência a Marcelo; mas Marcelo, com seus olhos de um azul-escuro límpido, sua postura alta e elegante, sua bela cabeça orgulhosa com cabelos encaracolados, suas pernas retas e fortes e seu sorriso cândido, e até mesmo a expressão de censura orgulhosa quando se deparava com algo que lhe parecia repreensível, estava na idade dos Catos impossíveis. Como qualquer jovem de bom caráter, ele vivia num mundo de certezas morais.

E, todavia, a virtude de um homem como Enobarbo não podia nunca ser desvalorizada. Eu sabia disso. Ele fora quase que o único entre os que cercavam Marco Antônio a deplorar constantemente o poder que Cleópatra tinha sobre o general. Se ao menos Marco Antônio o tivesse ouvido... Se ao menos Enobarbo tivesse confiado em mim. Ele se recusara até mesmo a chamar Cleópatra de rainha. Com todos os seus defeitos, ele era um romano de verdade. Na última vez em que eu o tinha visto, como cônsul em 32, ele estava saindo da cidade para o acampamento de Marco Antônio. Eu implorei para que ele não fosse. Ele me olhou nos olhos e disse:

— Marco Antônio não é um déspota.

Nenhum argumento o fez mudar de ideia, e eu o deixei partir.

Agora Marco Antônio também havia perdido este homem nobre e mal orientado...

O MELHOR GENERAL DE MARCO ANTÔNIO, CANÍDIO, INSISTIU COM ELE, como ficamos sabendo depois, para se refugiar na Macedônia e tentar resolver a questão onde podiam ter a esperança de conseguir ajuda de seus aliados bárbaros. Isto teria sido um precedente perigoso e ignóbil, mas suponho que Canídio argumentava que não era mais imprudente ou vergonhoso depender dos bárbaros do Norte do que da rainha do Egito. Sem dúvida, um lance destes teria nos causado problemas. Precisaríamos seguir, com uma linha de abastecimento cada vez mais longa, por um território acidentado, para acabar lutando num lugar escolhido por Marco Antônio. Prevendo tal possibilidade, lancei o flanco esquerdo do meu exército pelos desfiladeiros, mas não podia posicionar um contingente forte lá sem pôr em risco o corpo principal do exército. Délio, porém, me tranquilizou. Ele disse que Cleópatra nunca permitiria que as ações de Marco Antônio expusessem o Egito à nossa frota.

— Pode ter certeza, César, que a rainha ganha qualquer discussão. Marco Antônio não tem mais possibilidade de abandoná-la do que um cachorro de abandonar uma cadela no cio. Está enfeitiçado, não existe outra palavra. Sabe disso e se sente sem forças. É triste de ver e é triste assistir às suas bebedeiras quando afoga sua vergonha no vinho.

Délio estava certo. Tínhamos reduzido Marco Antônio ao ponto em que ele precisava lutar para escapar do cerco.

AS TEMPESTADES DE AGOSTO TINHAM PASSADO, E O DIA 2 DE SETEMbro amanheceu claro, fresco e sem nuvens. Uma brisa suave estava soprando para a terra, e a frota ancorada balançava, um movimento que eu sempre achei desagradável. Tínhamos tomado posição talvez 1.500 metros para dentro do canal onde os navios de Marco Antônio estavam presos. Eu tinha sido acordado logo antes da aurora, e fui para o convés. Meu capitão, um grego chamado Melas, apontou para a terra, onde se via o cinza da madrugada cortado por raios de um vermelho sinistro.

— O que está acontecendo? — perguntei, esfregando meus olhos.

— Está começando... — ele respondeu — Marco Antônio está incendiando os navios de que não precisa. A informação que recebemos foi correta. Ele está planejando sair hoje.

Um barquinho a remo se aproximou do nosso navio. Uma escada de corda foi jogada e Agripa veio a bordo. Seu rosto estava com aquela expressão de impaciência tensa que ele sempre tinha nos momentos de decisão.

— É agora, César — ele disse. — Toda a campanha foi dirigida para este momento. Ou melhor — corrigiu-se, deixando de lado o tom de oratória que tinha usado para impressionar os soldados —, temos ainda algumas horas...

— Como é que você pode ter certeza? — perguntei. (Eu sempre detestei o mar e as batalhas navais; seus princípios eram misteriosos para mim.)

— Não reparou? — ele respondeu. — Ou será que você se esqueceu? É provável que o vento mude à tarde e sopre para o noroeste... Isto dará a

Marco Antônio a possibilidade de correr na frente. Ele espera que o vento nos afaste das nossas bases terrestres e que assim ele possa quebrar a nossa linha... mas se não conseguir isto, então o vento ajudará a sua fuga. Ele poderá correr muito depressa com o vento atrás das velas...

— Parece muito arriscado... — disse eu.

— O que mais ele pode fazer? — perguntou Agripa.

Nós já havíamos tido esta conversa. Numa reunião do Estado-Maior, havíamos analisado as opções de que Marco Antônio dispunha e concluído que o que ele tentaria fazer hoje era a sua chance de evitar uma capitulação lenta e humilhante, consequência do colapso e da desmoralização do exército preso pelo nosso bloqueio. Eu gostaria que lhe faltasse coragem e que ele desistisse desta última tentativa. Para começar, sempre acho enervante o adversário fazer exatamente o que se prevê. Tenho sempre a impressão de que com isto a sorte mudará. Mas Agripa estava animadíssimo com o sucesso da sua previsão.

Um pouco mais tarde, depois de termos inspecionado todos os preparativos e nos desejado boa sorte mutuamente (pois, por melhores que sejam os planos, a sorte é o árbitro da guerra), e consultado e oferecido sacrifícios aos donos de nossos destinos, Agripa entrou de novo no barquinho e foi embora. Fiquei olhando até a sua embarcação se transformar numa pequena mancha no oceano e depois desaparecer atrás da linha de galeras à nossa esquerda.

Perto do meio-dia, as orgulhosas velas altas da frota de Marco Antônio podiam ser vistas rodeando o promontório e, então, como num sonho, elas foram abertas e se posicionaram para a batalha a uns setecentos metros de distância. Todo mundo prendeu a respiração enquanto a suave brisa continuava a soprar em direção à terra.

Mergulhei um pedaço de pão no vinho grego com gosto de resina (que se conserva melhor a bordo do que os nossos vinhos italianos, que são mais delicados) e assim quebrei o meu jejum.

Pela centésima vez, pelo menos, revivi as discussões que tínhamos tido. Meu desejo pessoal fora de evitar esse confronto. Eu teria deixado Marco Antônio sair dos estreitos sem obstáculos e correr para o Egito. Eu tinha certeza de que uma fuga precipitada desmoralizaria os romanos e italianos em suas tropas. Eles veriam, eu disse, que Marco Antônio tinha finalmente se unido para sempre ao Egito, que ele havia perdido completamente a esperança de se reconciliar com o Ocidente e se resignado a ser o cachorrinho de estimação de Cleópatra. Quando vissem isto, acrescentei, muitos abandonariam seu general; e nós conseguiríamos vencer sem lutar. Agripa esperou que eu acabasse e deu um soco na mesa:

— Não, não e não! — gritou, e eu vi que os nossos oficiais ficaram impressionados com a veemência do seu tom. — Não — ele disse de novo, em voz baixa, para enfatizar sua sinceridade. — Isto não passa de conjecturas. Os fatos são estes: os navios de Marco Antônio são maiores do que os nossos e muito mais rápidos com as velas desfraldadas. Se nós nos esquivarmos e deixarmos que ele corra, é provável que ele escape sem nenhum dano à sua frota. E então toda a nossa campanha militar do verão terá sido desperdiçada. Será preciso começar outra vez. E você acha, César, que podemos cobrar os impostos que cobramos este ano por mais um ano? Eu lhe digo, por razões militares e políticas precisamos acabar com isto.

Eu o ouvi e concordei. Sempre me deixei influenciar por um argumento sólido. Aliás, uma das razões do meu sucesso é que eu nunca mantive obstinadamente meu ponto de vista por orgulho. Estou sempre pronto a admitir que em certas áreas outras pessoas sabem mais do que eu.

Então eu tinha concordado e agora estava vendo a frota de Marco Antônio balançando na água. Lá no alto, as gaivotas gritavam. Os homens mudavam a posição dos pés, mantendo seus olhos fixos no inimigo, exceto alguns poucos veteranos que tinham se deitado no convés e estavam batendo papo. Eram homens que, tendo participado de tantas batalhas, já não tentavam antecipar os acontecimentos. Haviam presenciado muitas mortes e sabiam que talvez não vissem a lua aparecer naquela noite; preferiam, portanto, relaxar e conservar suas forças. Eu invejava o fatalismo deles.

Já passava do meio-dia e o vento ainda não ficara mais forte nem mudara de direção. A luz tremulava no calor. O suor escorria pelas minhas pernas. Minha boca estava seca e amarga. O mundo inteiro balançava num silêncio tenso e terrível.

Então, muito delicadamente a princípio, chegou às minhas narinas o cheiro pungente de fumaça. A fumaça negra, que antes subia quase em linha reta dos navios em chamas para depois flutuar fina para longe, acima do acampamento, estava agora virando para o alto-mar.

Melas gritou suas ordens para os marinheiros e os meus centuriões fizeram os soldados tomarem suas posições. Velas ajustadas e remos malhando a água, a frota de Marco Antônio veio em nossa direção em ordem de batalha. Quando ainda se encontravam a uns cem metros de distância, ouvi os gritos de guerra à esquerda de nós, onde Agripa já estava lutando.

Um talento literário como o de César consegue dar sentido e ordem às batalhas. Em mim elas sempre deixam uma confusão de impressões: vejo um rapazinho a meu lado cair com uma flechada na garganta, suas mãos seguram a haste e se enrijecem na posição; ele cai virando-se um pouco, de forma que a ponta é cravada ainda mais profundamente no pescoço antes que a haste se parta e ele fique assim, segurando a parte de cima, quebrada e inútil, e o rosto dele se volte para mim, um lado no chão do convés, os olhos inocentes tornando-se vítreos e uma surpresa indignada se apagando dentro deles... vejo uma carga explosiva em chamas descrevendo um grande arco no ar e caindo nas velas de um navio inimigo, e ouço gritos de marinheiros aterrorizados no meio do fogo. Ouço o som de ganchos unindo os nossos navios aos deles, os palavrões roucos e o choque de espadas. E, lá no alto da nossa ponte de comando, vejo o oceano inteiro transformado em um horrível espetáculo de mímica e ouço os corpos caindo na água, escarlate de sangue, e em toda parte os gritos dos que morrem.

César poderia ter dado sentido a isso, ou ter fingido dar. Eu não consigo, e enquanto as coisas aconteciam, o horror afastava qualquer sensação de triunfo.

De repente, por um instante, veio a calmaria. Alguns navios tinham se rendido, outros estrebuchavam atirando projéteis. Nos nossos flancos, navios manobravam para levar vantagem sobre o inimigo. Houve de repente uma dessas pausas misteriosas que acontecem em batalhas, quando a fúria e o ataque iniciais se esgotam e os deuses põem a sorte na balança. Alguém gritou:

— Eles não aguentam mais, vão fugir!

E no meio deles uma pequena galera saiu da grande nau capitânia e com remos apressados foi até onde um outro navio de velas púrpuras esperava diante do contingente egípcio. Como aconteceu eu não sei, mas o grito se elevou:

— Marco Antônio está fugindo!

A galera se aproximou da embarcação de vela púrpura, viram-se homens embarcando e, com uma velocidade que me surpreendeu, começou a correr diante do vento com toda a frota egípcia serpenteando atrás. Tenho uma imagem em minha mente de um rosto cinzento em ruínas na popa da nau capitânia que fugia, um rosto eloquente de ambição vã, noites em claro e forças perdidas. Acho que não o vi, a não ser mentalmente; mas este é Marco Antônio para sempre, o grande touro castrado, o rosto exprimindo revolta contra a queda que ele mesmo provocara, em lágrimas, dando as costas ao Egito, aos meses que restavam e à vergonha que teria de suportar.

Passamos a noite toda no mar entre os gritos e gemidos dos feridos e agonizantes. As circunstâncias depois de uma batalha naval são ainda mais terríveis do que depois de uma batalha terrestre, porque até os elementos são hostis. A água escura bate cruelmente contra os navios, ameaçando até mesmo os vencedores na eventualidade de o vento, que aquela noite estava soprando com força, trazer uma tempestade. Na escuridão, os homens lutaram sem parar para salvar os que estavam presos nos cascos em chamas, para pescar os que estavam na água, para consolar os agonizantes e cuidar dos feridos. A crueldade da guerra só pode ser devidamente avaliada pelos que presenciaram a ternura dos soldados depois de uma batalha.

De manhã voltamos à terra. Marco Antônio tinha deixado parte do seu exército, sob o comando de Canídio, guardando o acampamento. Um gesto inútil. Todos sabiam que não havia nenhum motivo para lutar, nenhuma esperança de escapar. Durante alguns dias, Canídio obstruiu qualquer negociação, recusando-se a responder aos meus emissários. Na quinta noite, ele escapuliu do acampamento e, cavalgando sem descanso pelas colinas, chegou a Corinto, de onde embarcou em um navio para o Egito. Seus soldados ficaram aliviados quando souberam que ele partira. Renderam-se imediatamente. Fiel à minha promessa de clemência, dispersei algumas legiões, cujos soldados mandei de volta à Itália para aguardar nova colocação, enquanto incorporava outros ao meu exército.

O drama tinha chegado ao fim. Faltava apenas o epílogo.

XIV

O Egito fedia. O Nilo, quando volta ao seu leito normal na estação seca, deixa uma camada de limo cinzento na terra que cobre durante os meses em que transborda de suas margens. Os camponeses misturam este limo com o estrume do gado, dos carneiros e dos camelos e, no solo assim enriquecido, produzem duas colheitas de trigo por ano. Mas fede.

E o Egito cheira mal moralmente também. Alexandria é uma cidade esplêndida, de origem grega, e era naturalmente a casa de Ptolomeu, à qual Cleópatra pertencia como descendente de um general de Alexandre. O porto, sob a guarda de Faros, uma construção maravilhosa de 130 metros de altura, em três planos de tamanho decrescente feitos de pedra calcária, mármore rosa e granito púrpura do Alto Egito, é verdadeiramente uma das maravilhas do mundo. A cidade foi planejada, em seus quarteirões públicos, com um cuidado esmerado. Quem pode deixar de ficar impressionado com a grande avenida de mais de trinta metros de largura que corta a cidade de um extremo a outro? Da mesma forma, quem pode deixar de admirar suas escolas e sua biblioteca, o túmulo de Alexandre e o dos Ptolomeus, suas inúmeras oficinas de ourives, fabricantes de perfumes, de vidros, de entalhadores de marfim e as que produzem papiros? A riqueza e a variedade da economia egípcia sem dúvida surpreendem qualquer observador. E, no entanto, como eu já disse, o lugar fede.

Não se trata simplesmente do vulgar cheiro de humanidade que, nesta cidade, onde meio milhão de habitantes suam por todos os poros no calor do fim do verão, é composta de uma multidão heterogênea e excitável de gregos, judeus e nativos do Egito, sempre prontos a se rebelar, covardes e traiçoeiros. (Mas organizá-los é meramente uma questão de administração eficiente, como a que logo pusemos em prática.) O que é inquietante no Egito, porém, é a tendência para a magia negra, os cultos estranhos e repelentes que adoram deuses animais, a suposição básica de que a verdade é encontrada em locais escuros e secretos e não na luz. Fora da cidade, no deserto, ficam os vastos e misteriosos túmulos dos antigos faraós, lembretes monstruosos daquela religião vil que cultua os mortos. O Egito antigo é uma terra de veadagem. Dizem que a origem do poder é encontrada na sodomia com o acompanhamento de fórmulas mágicas. Um faraó supostamente teria descrito o Egito como "parecendo com a fenda entre as nádegas". A fertilidade do limo do Nilo lembra excremento, e um de seus deuses mais poderosos, Khepri, é um besouro esterqueiro — ele é o senhor da Terra dos Mortos.

Como pode um romano deixar de ficar enojado com estas velhas superstições, como pode deixar de desprezar a nação que as criou?

Teria Marco Antônio sido subjugado e subvertido pela antiga magia do Egito? Em certo sentido, sim. É claro que Cleópatra não era egípcia, e sim grega, e uma vez que os Ptolomeus só se casavam entre si, ela estava livre de qualquer mácula egípcia hereditária; por outro lado, poucos duvidam de que ela tenha usado feitiçaria para destruir as virtudes romanas de Marco Antônio e transformá-lo em seu desprezível escravo; portanto, faz sentido acreditar que Marco Antônio foi vítima dos gananciosos e vorazes deuses do Egito.

Ele tinha levado seu exército para a orla do deserto. Um dia resolveu jogar a última cartada, a última antes de aceitar a derrota e entregar-se à minha compaixão. A sua situação era realmente desesperadora. Suas legiões em Cirene o tinham abandonado e se juntado às fileiras do meu general, Cornélio Galo. A informação que se tinha era a de que Cleópatra havia tentado incitá-lo a uma ação conjunta; ela propunha planos loucamente quiméricos: podiam ir de navio até a Espanha e apossar-se das minas de prata; podiam dar as costas ao Egito e ao mundo romano e dirigir-se, como Alexandre, à Índia, para criar um novo império. Marco Antônio teria ouvido tudo em silêncio, de olhos baixos, enquanto com a mão procurava uma garrafa de vinho. Teria então olhado para Cleópatra com o ódio amargo de um homem que olha para o instrumento de sua ruína.

Ele me escreveu:

Você jogou e ganhou.

Marco Antônio quase não é mais Marco Antônio. O deus Hércules, que me amava, agora torce os lábios numa expressão de desprezo, vendo até que ponto eu caí. Todavia, nós realizamos muitas coisas juntos, você e eu. Pela nossa antiga afeição e amizade, por sua irmã Otávia, minha única esposa verdadeira, eu peço clemência. Você deve compreender como estou me sentindo humilde para chegar a pedir isso. Por que, César, deve o mundo romano continuar a ser dividido por desordens? Ainda tenho legiões dedicadas à minha causa. Ainda sou capaz de dar um golpe violento e, se me encontrar numa situação de desespero, posso garantir que o golpe será doloroso. Mas estou cansado de lutar. Estou pronto a desistir. Conceda-me, César, um salvo-conduto para as minhas terras, e viverei o resto dos meus dias tranquilamente, cuidando de minhas vinhas e de meus olivais nas planícies férteis e nas suaves colinas da minha querida Bolonha. Se você me conceder este pedido, entregarei em suas mãos a rainha maldita que me enfeitiçou.

Como responder a uma carta tão sórdida? Fiquei tremendo de vergonha, pois não pude deixar de ler a falta de amor-próprio e de mérito que haviam ditado aquelas palavras. Não podia responder. Nem fui capaz de mostrar a carta a Agripa. Estou publicando-a agora simplesmente para que seja documentada, para que os historiadores não sejam enganados.

Eu sabia como o moral das legiões de Marco Antônio estava baixo, e lancei minha cavalaria contra elas. Os heróis de tantos combates depuseram as armas.

— Por que morrer por nada? — um centurião gritou.

— Morra pelo general — um oficial, de rosto vermelho e aflito, gritou de volta.

O centurião o olhou nos olhos.

— O general não é nada — disse, e enfiou a ponta da sua espada na areia.

Diante disso, a última resolução de Marco Antônio fracassou. Ele se recolheu à sua tenda. O que terá passado diante de seus olhos naquele momento? Será que viu a manhã em que tinha feito aquele discurso bombástico com a toga ensanguentada de César na mão? Teria se lembrado daquela outra manhã na ilha coberta de névoa ribeirinha quando nos encontramos para reorganizar o mundo? Teria ele até mesmo invejado Lépido, vivo graças à sua própria insignificância? Mas era impossível imaginar Marco Antônio vivendo em aposentadoria desonrosa. Eu não poderia tê-lo tratado como tinha tratado Lépido.

Trouxeram-lhe a notícia de que Cleópatra se matara. Ele imediatamente irrompeu em lamentos, nos quais dor e censura, amor e ódio estavam estranhamente misturados. Quando terminou, chorou um pouco, pediu um copo de vinho, bebeu e preparou-se para dormir. De noitinha ele acordou. O sol estava se pondo no deserto. Marco Antônio ficou de pé na entrada de sua tenda e olhou o mundo que se tornava púrpuro no crepúsculo. Pediu vinho de novo, mas desta vez só tocou a borda do copo com os lábios. Na distância, ele ainda podia ouvir os gritos e gemidos dos feridos, mas o seu acampamento, agora tão menor em tamanho, tão silencioso, com o silêncio de homens que aguardam o seu destino, deve ter parecido muito distante dos campos de batalha da Gália, da Espanha ou da Armênia. As areias se estendiam em todas as direções, até se perderem na névoa noturna.

Dizem que ele levantou a cabeça com violência, pediu sua espada, ordenou a um de seus homens que a segurasse firmemente e atirou-se contra ela.

Talvez o homem tenha recuado diante desta incumbência, ou talvez um instinto derradeiro tenha detido Marco Antônio, pois a espada não alcançou nenhum órgão vital e, apesar de cair ao chão sangrando muito, ele ainda não estava morto. Ele deu um gemido de dor ou frustração e implorou a seu servo que desferisse o golpe final. Mas o homem recuou mais uma vez e a noite caiu sobre o general ferido. Depois que ele tinha perdido a consciência, embrulharam-no em um cobertor e o carregaram para dentro da tenda. Enquanto isto, ouvindo a notícia, os soldados começaram a desertar, indo embora do acampamento.

Ele acordou de madrugada; seus servos, amedrontados, aproximaram-se e disseram-lhe que as notícias recebidas na véspera tinham sido falsas. Cleópatra não estava morta. Ela tinha se refugiado no mausoléu real, às vezes conhecido simplesmente como o Monumento. Ele lhes suplicou que o levassem para lá e, com muita delicadeza, com um carinho que me emociona relembrar, eles o colocaram em uma liteira e obedeceram às suas últimas ordens.

Colocaram-no no mausoléu. A esta altura ele estava muito fraco e não se sabe se voltou a ficar consciente. Provavelmente morreu nos braços de Cleópatra, mas não se tem certeza e os relatos se contradizem. Segundo uma das versões, Cleópatra o insultou por ter provocado a sua desgraça e as derradeiras palavras que Marco Antônio ouviu foram cheias de ódio e censura; mas eu não acredito nisto. Cleópatra o amava à sua maneira e, além disso, tinha um senso dramático que não permitiria que o deixasse morrer daquele modo.

Naturalmente eu o pranteei quando soube de sua morte. Como poderia deixar de fazê-lo? Já vi gladiadores molharem a arena com suas lágrimas quando olham para o companheiro que acabaram de matar, e nunca houve gladiadores tão unidos quanto Marco Antônio e eu.

Assim morreu este homem tão notável. Agripa, com sua característica generosidade, observou que nunca a humanidade havia sido guiada por um espírito mais extraordinário. Dizem que Cleópatra desmaiou no momento em que ele morreu, e o mesmo quase aconteceu comigo, que precisei me amparar no braço de Agripa por causa da tontura que me acometeu quando ouvi a notícia.

— Estou ao mesmo tempo contente e triste — consegui dizer. — Contente por Marco Antônio, porque a vida não teria podido lhe oferecer nada, exceto uma decadência melancólica, e contente também por Roma, uma vez que a morte dele acaba com esta estéril divisão do mundo… Eu não quis esta guerra; ele me forçou à luta e pagou por isso. Como foi que ele morreu?

— Com dignidade, com sua própria espada, morreu como um romano…

Concordei com a cabeça.

— Devia fazer mais barulho — eu disse. — A morte de um homem como ele devia sacudir tudo, de forma que leões aparecessem nas ruas de Alexandria e os cidadãos tivessem de se esconder em suas choupanas.

Não sei por que depois de uma pausa eu perguntei isto:

— O que foi que Cleópatra disse?

— Ela disse, senhor, que não havia mais nada digno de nota sob a lua.

— Você se lembra, Agripa, como ele falou de Bruto? “Este foi o mais nobre dos romanos!” Foram as suas palavras. Na ocasião, fiquei irritado, porque eu não concordava com ele a respeito de Bruto. Mas, e agora? Por que estou sentindo a mesma coisa que ele? Por que me sinto como se tivesse matado uma ave esplêndida, uma águia ou outro animal imponente? Eu não tinha escolha e, no entanto, o meu coração está partido. Ele era meu irmão e meu rival, eu o amava, apesar da nossa desunião, ele foi meu amigo e companheiro em combates incontáveis; e agora é um corpo que os corvos bicam. Foi o destino que nos separou tão violentamente? Seriam as nossas estrelas incompatíveis? Onde está a rainha do Egito?

— Ainda está refugiada no mausoléu, mas mandou perguntar quais são as suas ordens.

— Agripa — disse eu — vá buscá-la. Você pelo menos será imune aos encantos dela. Como ela viria?

— Como uma puta muito majestosa — disse Agripa. — Você nunca viu igual. Eu já frequentei os teatros de muitas cidades, mas nunca vi uma atriz como a rainha! É melhor você ficar na defensiva, senão ela seduz você também. Seria uma coleção notável, não seria? Primeiro Júlio César, depois Marco Antônio, e depois você, Otávio. E ela é capaz disto. Não pense que não é.

Ela estava vestida com simplicidade, toda de branco pelo luto, os cabelos soltos; não estava usando nenhuma joia. Parecia mais velha do que era, com rugas nos cantos dos olhos e da boca. Apenas os olhos desmentiam esta impressão. Cor de amêndoa e bem grandes, eles brilhavam com uma vivacidade inextinguível. Quando falou, achei sua voz mais grave e dura do que eu me lembrava. Demonstrava tranquilidade e autoconfiança.

Começou com elogios. Seu falecido senhor falava muito da minha nobreza de caráter. A guerra entre nós tinha sido uma infelicidade, resultado do encadeamento de circunstâncias e equívocos. Ela naturalmente compreendia que eu tivesse ficado encolerizado quando Marco Antônio abandonou minha irmã por ela. Mas os mortais eram indefesos diante do deus Eros. O Egito não tinha nada contra Roma, na verdade, o Egito sabia que a sua prosperidade dependia da força e do vigor de Roma. Ela tinha aprendido isto desde cedo com o meu próprio pai.

Até então ela havia falado como se quisesse me persuadir pela razão. Apesar de estar consciente, é claro, da sua grande hipocrisia, eu ainda assim sentia o encanto dos seus modos, da sua personalidade, e o poder do seu intelecto agindo sobre minha mente e minha imaginação. Foi então que, tendo introduzido Júlio César, ela fez uma pausa:

— Tudo o que sei aprendi com seu grande e nobre pai — disse. — Ele foi o meu professor e senhor, além de amante. Sua presença era intoxicante. Chegou como uma fresca manhã de primavera e eu desabrochei como uma flor de verão sob os raios do sol. Agora eu vejo que você, César, é o herdeiro mais digno dele, de seu gênio e de sua visão. Ele me dizia que considerava o Egito o jardim e o celeiro de Roma, e eu sua jardineira e fazendeira. Um papel nada romântico para uma jovenzinha, você deve estar pensando, mas ele me dizia isto rindo, e eu o achava tão convincente quanto irresistível. César, eu errei me virando contra você, e o meu erro se baseou no meu desejo de ser orientada pelo meu falecido senhor. Marco Antônio foi um grande homem, um homem nobre, e penso nele sem nenhuma vergonha, mas com pesar. Pesar porque o meu amor por ele me desviou dos preceitos de César e me fez segui-lo em sua louca ambição que levou à guerra contra o herdeiro de César. Somente agora, quando o esplendor de Marco Antônio não pode mais me deslumbrar, vejo os meus erros. Portanto, César, vim colocar o Egito a seus reais e vitoriosos pés, entregar-me à sua generosa misericórdia, lembrar ao filho de seu pai o que fui para o seu pai e rogar para que possamos juntos retomar o trabalho, o grande trabalho da harmonia entre Roma e o Egito que César e eu iniciamos. Porque, nobre general, eu lhe digo: Roma e o Egito estão unidos da mesma forma que o Egito é ligado ao Nilo e Roma ao Mar Médio; e eu sou o Egito, e você, poderoso general, é Roma — e, dizendo isto, jogou a cabeça para trás em orgulhosa autoafirmação e caiu de joelhos diante de mim.

Que atuação.

Senti o seu poder, seu extraordinário poder de sedução. Era como escutar a tentação mais profunda e desejável, que continha promessas de felicidade e glória. Compreendi por que Marco Antônio havia se deixado prender como um animal em uma rede. Desviei o olhar.

— Grande rainha — disse eu —, suas palavras me emocionam. Eu também amei Marco Antônio e lastimo nossas divergências. Eu também reverencio a memória do meu pai e reconheço que o Egito e Roma estão unidos. Mas esta grande guerra mudou muitas coisas, e não é o momento de tomar decisões apressadas a respeito da futura relação entre os nossos países. Vou pensar em tudo o que me disse. Pode ficar certa de que será tratada de um modo digno de seu grande nome e caráter, e que o seu futuro será merecido.

Ela ficou pálida. Estremeceu por um instante e, então, muito lentamente e já firme, levantou-se. A audiência terminara.

Dei ordens para que ela fosse acompanhada até o palácio real e mantida lá com todas as honras devidas, mas sob vigilância.

— Ela participará do meu Triunfo acorrentada — eu disse a Agripa —, e de forma que Roma fique livre de sua longa ansiedade. Depois veremos o que fazer...

Chegou uma carta de Lívia:

> Não se esqueça de que a rainha é uma mulher e você demonstra respeito por si mesmo tratando-a com honradez e moderação. Mas eu ficaria nervosa e infeliz, meu querido, se você se expusesse aos seus encantos. Tenho medo da reputação dela.

Otávia escreveu:

> Mulher nenhuma, e homem nenhum também, fez-me mais mal do que Cleópatra. No entanto, sinto pena dela... Ousar tanto e perder tão completamente — meu coração para. Alegro-me com a sua vitória, meu irmão, mas pranteio Marco Antônio, pai dos meus filhos. O que você pretende fazer com os filhos dele e da rainha? Tremo pensando na importância deles.

O destino de Cleópatra não era evidentemente minha única preocupação, nem mesmo a principal. A mais urgente era o que fazer com o Egito. Resolvi que era rico e importante demais para ser deixado no seu estado de semi-independência; nisto Júlio César tinha realmente errado. O Egito precisava se tornar uma província de Roma, pois o abastecimento de alimentos em Roma dependia das suas colheitas. Além do mais, achei melhor mantê-lo, pelo menos por enquanto, sob meu controle direto. Portanto, nomeei Cornélio Galo, um homem em quem eu confiava totalmente, seu governador.

Todas as legiões de Marco Antônio tinham baixado armas. Algumas incorporei ao meu próprio exército, mas era óbvio que, com o fim triunfal das guerras civis, seria possível e desejável reduzir o estabelecimento militar, então comecei a planejar a desmobilização e a instalação em colônias da maioria dos homens de Marco Antônio. Este trabalho de redução e recolonização tomou os três anos seguintes, e posso, com justiça e com modéstia, afirmar que nele tive um sucesso que nenhum dos grandes generais da República haviam igualado, nem mesmo Pompeu.

Entre os que tentaram resistir e foram capturados estavam Antilo, filho de Marco Antônio e Fúlvia, e o rapaz chamado Cesarião, que fora proclamado filho de Júlio César e Cleópatra. Antilo portou-se vergonhosamente, sendo preciso arrastá-lo de dentro do Templo do Divino Júlio César pedindo piedade aos gritos. Ele até procurou se agarrar a imagem do meu pai, e os soldados tiveram de arrancá-lo à força. Cesarião, capturado por uma patrulha da cavalaria, aceitou sua sorte com uma dignidade que fez justiça à sua suposta paternidade. Ordenei que ambos fossem executados; eram obviamente grandes focos de insurreição para permanecerem vivos.

Cleópatra burlou as minhas intenções. Temendo o escárnio das multidões romanas, compreendendo que o seu pedido para ser tratada como uma rainha reinante e confirmada em seu posto havia fracassado, conseguiu que uma pequena serpente, chamada víbora, fosse contrabandeada para dentro do seu quarto numa cesta de figos. Colocou-a no seio, dizem, amorosamente, sorrindo enquanto o veneno fazia efeito. Não pude ficar triste com isto, porque, embora certo de que ela seria um espetáculo maravilhoso em meu triunfo, eu sabia que não poderia condená-la à morte depois do desfile (segundo o costume), o que aliás Lívia não permitiria. Sua presença só poderia ser um problema. E, com este pensamento, fiquei satisfeito que ela tivesse se matado.

Dei ordens para que a sepultassem ao lado de Marco Antônio e que o mausoléu deles fosse terminado. Só espero ser tratado com semelhante honradez por aqueles a quem causei dano quando chegar a minha hora.

Estava impaciente para sair do Egito, pois os seus vícios e corrupção continuavam a me repugnar, e eu sentia que o próprio ar era malévolo. Só a delicadeza rosada das manhãs antes do calor extremo do dia, quando o Nilo cintilava na primeira luz, dava-me prazer. Mas há algo no Egito que tem o poder de aviltar um homem, e eu sentia medo e aversão da presença de seus deuses antigos e obscenos que pairavam sobre tudo.

Antes de partir, porém, realizei uma antiga ambição. Fiz com que removessem do seu mausoléu em Alexandria o sarcófago com o corpo mumificado de Alexandre, o Grande. Olhei maravilhado para o rosto do mais nobre e brilhante dos homens, cujas façanhas ninguém jamais igualou, cuja glória é difícil até imaginar. Os traços eram serenos e belos. Coroei sua cabeça com um diadema de ouro e espalhei sobre seu tronco rosas, violetas e cheirosas flores de limoeiro.

Perguntaram-me depois se eu gostaria de ver o mausoléu dos Ptolomeus, e perguntaram com aquela satisfação servil que a ideia da morte dá aos egípcios. Respondi:

— Vim ver um rei, não uma fila de cadáveres!

Mas é apropriado que a última palavra do Egito fique com a Morte.

LIVRO II

PREFÁCIO

O LEITOR ESTARÁ AGORA, ESPERO, CONCORDANDO PLENAMENTE COMIGO quando digo que o primeiro livro destas memórias, da justa e audaciosa crítica à obra de César, *Commentarii de bello Gallico*, até o doloroso final egípcio, foi escrito com um brio raro na literatura antiga, ou pelo menos latina. Ele terá também, espero, partilhado do meu prazer diante da satisfação evidente com que o imperador o escreveu, e a mim parece que só um espírito mesquinho poderia deixar de reagir com alegria, tentando a duras penas reprimir certa inveja dos jovens privilegiados que eram os príncipes para quem estas memórias foram documentadas.

Infelizmente, o segundo livro é diferente, mais sinistro. Tudo nele se encontra sob o peso de um sentimento triste de desperdício e de desolação... *Eheu, eheu, fugaces, Postume...* Alternativamente, podemos nos lembrar daquelas nobres palavras que Dryden escreveu para Aurungzebe:

— Sei bem que tudo na vida é sempre falsificado. E os homens esperançosos preferem ser enganados.

Este é um livro cinzento, porque o imperador sabia para onde estava indo. É um eco das *lacrimae rerum,* de Virgílio, ou, como bem disse Matthew Arnold, melancolicamente, "a sensação de lágrimas em coisas mortais".

Quem pode negar que Augusto tinha razão para se afligir? A esperança que ele havia depositado em seus netos foi esmagada pela morte prematura dos dois; o máximo que ele pôde fazer por eles foi depositar grinaldas de louvores cheios de amor nos seus tristes túmulos! Além disso, o livro se inicia com a notícia do maior desastre militar da sua vida, quando Quintílio Varo, não dando atenção às advertências de Augusto, insensatamente levou três legiões a uma destruição total nas florestas germânicas.

Assim começa o livro, e abrange um grande espaço de tempo, com o inquieto imperador indo para a frente e para trás em suas memórias, sempre tentando explicar para si mesmo a razão das calamidades que o afligiram em seus últimos anos, a razão do afastamento dos deuses que o levaram "sofrendo, com seus cabelos brancos, para o túmulo".

Não é preciso dizer que a leitura deste livro é mais árdua do que a do primeiro. Para começar, é menos compacta. Ignora a sequência dos acontecimentos. Seu estado de espírito é opressivo, apenas ocasionalmente iluminado por trechos ensolarados de felicidade doméstica ou realizações públicas. Há também partes de um anseio intenso, sem igual no livro anterior e até mesmo na literatura latina, excetuando-se na de Virgílio. Há menor quantidade de descrições vívidas de conflitos públicos, porque Augusto, a esta altura, tinha estabelecido sua superioridade, e há alguns trechos — é preciso que se diga — que os leitores modernos talvez achem triviais, nos quais ele descreve suas decisões constitucionais ou se refere à sua política externa. Todavia, sem estas partes o livro ficaria incompleto. É óbvio que Augusto pretendia deixar para a posteridade um quadro completo do seu trabalho e das suas realizações; não poderia fazer isto se fugisse dos campos áridos da política. Ainda assim, o leitor tem apenas de ler estas páginas e colocá-las ao lado daquelas em que ele fala sobre sua vida pessoal, e então compará-las com as memórias políticas modernas mais interessantes, para ver como ele evita a afetação e a verbosidade que geralmente são a marca registrada destas narrativas; assim, o leitor poderá apreciar sua indulgência e humanidade.

Não se pode negar que um tom de autojustificativa percorre estas memórias. Augusto cometeu grandes crimes e sabia disto. Era natural que ele procurasse explicar estes crimes para ele mesmo e para quem lesse o livro. O velho provérbio *qui s'excuse, s'accuse* é verdadeiro, porém, mais uma vez, basta ler as memórias de pecadores políticos modernos como o ex-presidente Nixon ou o ex-primeiro-ministro Wilson, cujas confissões nunca vão além de suas próprias justificativas, para admirar a dignidade inflexível com que Augusto se recusa a negar a verdade. Neste contexto é preciso acrescentar que este segundo livro é na verdade mais verdadeiro do que o primeiro. De um modo especial, ele nos dá uma visão do relacionamento entre o jovem Augusto e Marco Antônio que ele não foi capaz de revelar aos netos.

Parece que o segundo livro sofreu interrupções durante os cinco anos em que foi escrito, as últimas anotações tendo sido feitas na véspera da morte de Augusto. Há incongruências. Por exemplo, o capítulo I trata com admirável honestidade do *Res Gestae*, o relatório dos atos de Augusto, que ele fez publicar em todo o Império; então ele diz que estava com 76 anos. Porém, no começo do capítulo ele acabara de receber a notícia da derrota de Varo, o que leva a crer que uma versão prévia do *Res Gestae* foi de fato feita anteriormente, e que um editor contemporâneo do imperador corrigiu a declaração a respeito da sua idade para ficar de acordo com a versão publicada, ou a parte relacionada com o *Res Gestae* foi na verdade escrita mais tarde do que os capítulos seguintes e incluída no primeiro capítulo para efeito dramático pelo mesmo editor. Mas estas questões não devem preocupar o leitor comum.

É preciso dizer que este é o livro de um homem idoso. O estilo é às vezes solto, às vezes recai numa formalidade cansada; falta-lhe o colorido da experiência autobiográfica anterior. Pessoalmente, acho isto atraente. Alguns leitores não concordarão e lamentarão ainda mais as mortes de Caio e Lúcio pela perda literária que provocaram. Fica claro que nunca se fez uma revisão deste livro, e às vezes a memória do imperador falha. Assim, por exemplo, no capítulo IV, ele confunde a ordem das mulheres de Agripa. Não foi de Cecília Ática que Agripa se divorciou a fim de se casar com a filha de Augusto, Júlia; ele se divorciou de Marcela, sobrinha do próprio Augusto, filha de sua irmã Otávia e de Caio Cláudio Marcelo. O leitor se pergunta o que causou este lapso de memória. Seria talvez sua relutância em se lembrar de que Marcela, então, se casou com Júlio Antônio, que se tornou o amante mais conhecido de Júlia, causador da sua desonra e vítima da cólera de Augusto, executado por traição, como conta o capítulo XI? Não se sabe... Talvez não haja nenhuma razão tão profunda. Augusto estava evidentemente aflito quando escreveu o capítulo IV, porque se encontra inserida nele, quase por acaso, uma carta de Tibério, escrita no Reno, em que ele descreve a chegada ao acampamento dos infelizes sobreviventes das legiões de Varo — uma história realmente horrível e que causou intensa dor, tristeza e vergonha a Augusto. Talvez essas questões sejam mais para um psicólogo do que para um acadêmico. Basta dizer aqui que o leitor precisa estar sempre alerta para seguir as divagações da mente imperial através dos anos de que trata este segundo livro, e eu gostaria de instar com ele (ou ela) para que saiba perdoar os erros e enganos ocasionais. Que o autor laborou heroicamente para ser honesto, eu não tenho dúvida!

Não é dever do editor fazer papel de crítico, mas há dois elementos belíssimos no trabalho em questão para os quais eu gostaria de chamar a atenção. O primeiro é o modo como o imperador trata a sua relação com o poeta Virgílio. É comovente (ao menos para mim) ver a humildade com que o homem de ação vê o poeta e a reverência que lhe dedica. O segundo é o modo como ele conduz seu casamento. O eminente romancista britânico, Sr. Anthony Powell, observou que é difícil, talvez até impossível, apresentar um casamento, especialmente um casamento feliz, numa obra de ficção. Livre das exigências da ficção, o imperador se saiu bastante bem, eu acho! Pelo menos o retrato sóbrio e carinhoso que pinta de Lívia, sem, porém, esconder os seus defeitos e suas diferenças de opinião, deve resgatar esta grande dama romana das calúnias vis atribuídas a seu neto Cláudio pela fecunda imaginação do falecido escritor Robert Graves, ele mesmo influenciado pelos mais indecentes fofoqueiros da Roma antiga.

Como presidente do Comitê Editorial Internacional, posso dizer que Massie abordou com acerto a tarefa de traduzir este segundo livro, usando de mais moderação do que em sua versão do primeiro. Demonstra maior respeito pelo texto latino (às vezes, dizem os críticos, respeito excessivo) e se permite um menor número de expressões coloquiais do tipo de que se serviu no primeiro livro, em seu desejo equivocado de tornar o texto mais interessante — sem dúvida um dos inúmeros elementos que envenenam a vida moderna!

Para terminar, não posso deixar de exprimir minha gratidão por ter sido associado a este grande trabalho, mesmo deplorando a comercialização que macula esta edição e, num tom puramente pessoal, no qual até mesmo o leitor indulgente perceberá uma vaidade perdoável, dar expressão à alegria até agora secreta de o meu primeiro nome coincidir com o do herói que foi o Pai do povo romano, tema do épico de Virgílio, exemplo e, pode-se dizer, protótipo, do imperador: Eneias.

AENEAS FRASER-GRAHAM,

Ex-membro do Conselho do Trinity College, em Cambridge,
Diretor do Instituto de Estratégias Clássicas,
Presidente do Comitê Editorial Internacional,
estabelecido para supervisionar e dirigir o Projeto Augusto.

I

PASSEI AS TROPAS EM REVISTA ANTES QUE PARTISSEM DE ARLES PARA A fronteira. Eram legionários de primeira classe da região a nordeste de Mântua, de Abruzzi, da Calábria e Apúlia, e havia uma legião recrutada na própria Gália Transalpina. Mulheres e filhos dos legionários gauleses se amontoaram em Arles para chorar, ou dar adeus a filhos, amantes, maridos e pais. Eu olhava para todos com orgulho e com uma afeição que mesmo naquela época molhava meus olhos com as lágrimas ternas e fáceis da velhice. Avisei Varo dos perigos escondidos nos recessos escuros das florestas germânicas. Disse-lhe:

— Avance com cuidado, atrás da patrulha de reconhecimento; proteja seus flancos e a retaguarda; não esqueça por um instante que os membros mais valiosos e necessários do seu exército em uma campanha militar como esta são as patrulhas de reconhecimento; a segurança dos nossos soldados depende da qualidade do seu serviço de informações.

Repeti esta advertência muitas vezes, até que ele suspirou (tenho certeza), sentindo-se oprimido pelos temores de um velho medroso. É esta a desgraça da velhice: ver que a sua experiência não é levada mais em conta, que é considerada inútil. Consultei os deuses, que deram prognóstico favorável, e garanti às tropas que elas podiam contar com a minha afeição e confiança.

Hoje à noite na cidade temos toque de recolher. Dei ordens para que a guarda pretoriana patrulhe as ruas até a alvorada, que coloque homens junto à Casa do Senado para impedir a entrada e junto ao Templo de Júpiter Capitolino, e que o Campo de Marte seja ocupado por pelo menos uma coorte. Os portões da cidade estão com sua guarda dobrada.

Não consigo dormir. Durmo pouco atualmente, raramente mais do que duas horas ininterruptas, e estou acostumado a ter escravos por perto para ler para mim no silêncio escuro da noite. Mas agora não existe consolo em palavras, por mais bem escrito que seja o texto.

Será que eu deveria enviar uma ordem a Tibério para que volte para Roma? Ou para que vá diretamente para o Reno? Decisões que antigamente eram sugeridas pelo instinto, pela intuição, guiadas pelo conselho daqueles em que eu confiava, hoje em dia me afligem. Só me resta Lívia... e ela... chega disto.

Estou resfriado: tossi, espirrei, fiz barulho a noite inteira. Minhas pernas estão pesadas e meus ombros doem. As dores agudas da gota, que parecem punhaladas, atormentam-me, e estou com problemas de estômago. Quando fecho meus olhos, sou atacado por imagens de pesadelo representando massacres: ouço vozes romanas gritando de terror e desespero através das florestas infindas; sinto cheiro de suor, de medo, de carne de cavalo, de sangue, de vapores fétidos de mangues e do excremento do pânico. Sou um velho, perto do meu fim, preso em um canto entre as paredes do sucesso e da morte... e o que, pergunto, significa tudo isso? Em algumas cidades da Ásia, contrariando meu desejo expresso, adoram-me como um deus. Quem algum dia ouviu falar de um deus com gota e resfriado?

Este desastre, o maior da minha vida, faz-me indagar o que consegui realizar. Havia uma menininha de cabelos amarelos, de uns seis ou sete anos, que correu ao lado das legiões que passavam tentando pegar a mão do pai e chamando "Papai, papai"; ele, não se atrevendo a interromper a marcha, baixou os olhos para ela com uma expressão em que li amor, angústia e constrangimento. Mas se eu mandasse buscar esta menininha, o que poderia fazer por ela para curar a ferida aberta pelo meu governo e pelo descuido criminoso de Varo? Privado por um destino cruel dos meus próprios filhos, fico cada dia mais enternecido com os filhos dos outros; lágrimas de velho de novo.

Foi Lívia que me trouxe a notícia. Ninguém mais ousaria. Esta ideia também me aflige. Faz com que eu me sinta como um monarca, até mesmo um tirano; quando na verdade eu chamo os deuses, em quem deposito minha trêmula fé, como testemunhas de que eu nunca quis ser mais do que o Primeiro Cidadão de Roma, o Pai da minha nação — aquele título que o Senado me conferiu e que me deu tanta satisfação. Mas neste momento apenas Lívia teve coragem de se aproximar de mim com a notícia de que Varo levara as legiões para uma cilada e que elas tinham sido todas engolidas e massacradas. Haviam sido atraídas para dentro da floresta — seu caminho fora obstruído por árvores cortadas, pântanos e plantas rasteiras — e dizimadas em uma tempestade. Varo, dizia o comunicado, suicidou-se — aquela morte romana que não é mais do que uma renúncia à fé, o último recurso de um egoísta frio como Bruto (e não estou me esquecendo de que uma vez eu mesmo fui tentado por ela). Os legionários capturados foram crucificados, ou decapitados, e eviscerados como oferendas aos selvagens e desconhecidos deuses daquelas florestas nórdicas. Olhei para a paisagem familiar que era o rosto de Lívia e não consegui ler nada em seus traços, enquanto ela, sem me poupar, cuspia os fatos em frases curtas e brutais. Seu laconismo tornou impossível que eu me protegesse da verdade. Mas quando comecei a prantear minhas legiões, ela me fez parar:

— Haverá tempo para lágrimas mais tarde... Agora, precisamos estar vigilantes. Desastres militares podem ser focos de uma revolução. Você não deve esquecer, meu querido, que os que odeiam o seu regime estarão agora mesmo se rejubilando com o que aconteceu a Roma. Estarão dizendo que a hora deles chegou. Se você seguir o meu conselho, o que eu sei que você não gosta de fazer hoje em dia, desde que eu lhe dei um conselho que tinha gosto de remédio amargo, você arrebanhará imediatamente alguns homens, como Lúcio Arrúncio, Asínio Galo e Marco Lépido, e os colocará rapidamente em prisão domiciliar; no mínimo...

Fiz um gesto de assentimento com a cabeça, ignorando a ilegalidade da sugestão. Cedi às necessidades do momento. Além do quê, compreendia o medo dela; ela olhava para a minha velhice e fraqueza e tinha esperança de tornar o mundo seguro para Tibério.

Então, agora, escuto os passos pesados e firmes dos pretorianos, e o meu coração grita:

— Ah, Varo, devolva as minhas legiões!

A PRESTEZA DE LÍVIA IMPEDIU QUE HOUVESSE QUALQUER DEMONSTRAÇÃO de descontentamento. Foi possível soltarmos os detidos depois de uns dois meses. Apesar de aliviado por estar livre do temor de haver uma rebelião civil, também fiquei perplexo pela maneira com que a aristocracia romana aceitou este desastre. Aliás, fui o único homem na cidade que deixou crescer a barba e os cabelos como símbolo de luto pelas legiões perdidas. Quando viu que nada tinha mudado, a nobreza encolheu os ombros e voltou às suas caçadas e aos jogos de dados, a seus casos amorosos, negócios, teatros e jogos, "como um bando de capões", surpreendi-me resmungando. Será que os romanos não se importavam mais com as derrotas e desgraças de Roma? Seria a indiferença o meu legado?

Gostaria de consultar Tibério que, com todos os seus defeitos, é um homem à antiga, mas eu o tinha enviado diretamente ao Reno para impedir qualquer incursão germânica. Ninguém entende os germânicos, é claro, mas Tibério tem uma grande virtude, que o torna o comandante ideal contra os bárbaros: ele nunca se deixa impressionar por eles. Contudo, porque ele é o homem mais prudente e cauteloso do mundo, nunca relaxa sua vigilância e nunca cometeria o erro de desprezar seus inimigos. Acabei dependendo do Tibério, o que é irônico e representa o triunfo de Lívia.

Estive fazendo minhas contas. De acordo com as leis da natureza, não é provável que eu viva muito mais, e o meu corpo se tornou um depósito de doenças — faria a alegria dos médicos se eles fossem menos ignorantes. Deixei meu testamento com as vestais há alguns anos, e não tenho motivo para alterá-lo. Demonstrará o meu amor e o respeito que sinto por Lívia. É um tributo público ao meu casamento. Nosso casamento, eu deveria dizer, porque temos sido realmente parceiros. Meu mausoléu está sendo construído. De lá, vê-se o Altar da Paz, que será para sempre um monumento comemorando o que fiz por Roma. E, no entanto, sinto necessidade de algo mais explícito; não estas memórias, que são um depoimento pessoal, mas um depoimento público que enumere as minhas realizações. Estou, portanto, fazendo com que seja preparado um relatório de tudo o que fiz, que será gravado em duas colunas de bronze, colocadas diante do meu túmulo. Será uma afirmação que desafiará a corrupção de futuros historiadores, pois sei muito bem como eles conseguem distorcer a vida de um homem e roubar todo o seu verdadeiro sentido.

E, no entanto, quando penso no que estou escrevendo neste depoimento, sou obrigado a reconhecer que as suspeitas dos historiadores são justificadas. As palavras enganam tanto quanto informam; afinal de contas, eu conhecia Cícero muito bem. Que mestre da retórica ele era. Cada frase de suas cartas, ensaios e discursos tem de ser interpretada; era divinamente eloquente e torcia as coisas como um saca-rolha.

Artigo 1º: Com a idade de 19 anos, por minha própria iniciativa e à minha custa, formei um exército com o qual libertei a República da opressão de uma facção tirânica. Por esta razão, o Senado, com decretos honoríficos, tornou-me um membro de sua ordem quando eram cônsules Caio Pansa e Aulo Hírcio, dando-me posição consular por meio do voto e concedendo-me o poder. Ordenou-me um propretor, juntamente com os cônsules, para garantir a segurança do Estado. Além disso, naquele mesmo ano, quando os dois cônsules morreram na guerra, o povo me elegeu cônsul e triúnviro para o estabelecimento da República.

Tudo isto é verdade. Mas quem leu o primeiro livro destas memórias sabe que não é toda a verdade. Note que evito nomes, exceto pelos nomes dos cônsules que são usados para situar o ano em questão. Nomes, neste contexto, só trariam divergências. Minha vida tem sido dedicada a amainar as divergências, ao ato de reconciliação. Porém, aqui, na privacidade das minhas memórias secretas, posso fazer uma pausa. Ainda não consigo nem agora ser honesto a respeito de Marco Antônio, o tirano cuja facção oprimia a República naquele ano. Contei um pouco da verdade no primeiro volume das memórias, que são interrompidas abruptamente no ano do meu Triunfo. Agora, deixem que eu me detenha na palavra "facção", que lexicógrafos definem como "um grupo de pessoas associadas ou agindo em conjunto, geralmente tendo sentido pejorativo; grupo litigioso em um Estado ou sociedade". Certamente, no segundo sentido a palavra se aplicaria tanto a mim e a meus correligionários como a Marco Antônio e aos dele. Será que os historiadores verão em minha vitória simplesmente o sucesso da minha própria facção? Certamente, mais uma vez, quando me recordo do desembarque em Brundísio, três jovens — eu, Mecenas e Agripa — vindos para reivindicar a minha herança e prontos a dominar a República e pegá-la pelo pescoço, não posso negar que a palavra "facção" se aplica a nós também. Não éramos, na realidade, jovens e inescrupulosos malfeitores? "À minha custa" é falso. No fim das contas é verdade, é claro, mas quando penso como rastejei diante de Balbo e de Ático, implorando empréstimos que me foram concedidos somente com meu nome, meu ardor e minha determinação como garantia, bem... por outro lado eu não podia muito bem dizer "com o dinheiro de banqueiros", podia? Algumas pessoas também podem achar um pouco forte eu declarar que o povo me elegeu para triúnviro. Afinal, impusemos o triunvirato à força, com armas. Como malfeitores de novo. Todavia, a essência deste primeiro artigo do meu *Res Gestae* é justa: eu libertei realmente a República do poder das facções, no fim das contas; toda a autoridade que tenho usado provém da vontade popular.

Artigo 2º: Mandei para o exílio os que assassinaram o meu pai, vingando-me dos seus crimes por meios legais; e, mais tarde, quando declararam guerra ao Estado, derrotei-os duas vezes no campo de batalha.

Vejo Cícero no Senado, sacudindo as mãos como se fossem as grandes asas de um corvo, enquanto sua eloquência ia num crescendo, gritando naquela voz sedutora, da qual toda a perícia de professores de oratória nunca tinha removido completamente a pronúncia de Arpino, que:

— Apenas Marco Antônio e alguns como ele lamentaram a morte de César.

Mas eu a vinguei e destruí os que se proclamavam Libertadores. Todavia, se César tivesse continuado vivo, o que teria acontecido comigo? Teria continuado sendo seu herdeiro? Suponhamos que ele tivesse tido sua guerra da Pártia, e suponhamos que ele tivesse triunfado — o que poderia muito bem ter acontecido, porque somente César era um gênio militar capaz disto (uma opinião que lembro ter enfurecido Marco Antônio quando eu procurava dissuadi-lo da ideia desta guerra), suponhamos então que ele tivesse feito... teria passado o inverno em Alexandria, com Cleópatra. Ele já era ditador vitalício. A vitória sobre a Pártia completaria seu distanciamento da realidade que todos tinham notado em seus últimos meses. Teria então reconhecido Cesarião como seu filho? Temo que sim. Teria aceitado a coroa que tão relutantemente recusara nas Lupercais e instalado Cleópatra no trono como rainha. Além disso, César nunca se sentira à vontade comigo. Desconfiava que eu caçoava dele; uma vez ameaçou me privar de Mecenas: "Mandaria aquele almofadinha perfumado para as galés", ele vociferou.

Mas quem era César para falar de almofadinhas, ou de perfume, aliás? Quando ele morreu, fiquei horrorizado, gelado de medo, pela maneira como tinha morrido; mas quando compreendi plenamente que ele havia sido removido, meu coração se expandiu, senti júbilo e o mundo se abrir diante de mim. Sim, como Cícero, eu exultei, mas tive a prudência de exultar em segredo. César me ofuscava. Nunca gostei dele. Eu teria medo dele se não houvesse sempre algo um pouco absurdo, algo teatral em sua maneira de ser.

Meu gato preto, peludo, de olhos amarelos, o maior amigo da minha velhice, cujo amor por mim não é corrompido por nenhuma ideia de posse, que só reconhece obrigações de direito, acabou de pular no meu colo, enfiando suas garras levemente em meu ombro, empurrando seu rosto contra o meu, ronronando com o prazer profundo do contato íntimo. Meu gato, que é meu igual, como é igual aos deuses, que não me teme nem sente rancor por mim, não exige mais de mim do que o que eu fico feliz em lhe dar. Eu tinha um gato assim quando era criança. Depois, durante todos os meus anos de luta, violência e busca pelo poder, nenhum gato. Agora, velho, retomo o amor perfeito que se pode compartilhar com um animal. Que beleza delicada e requintada a dele, que espírito nobre e independente, que capacidade notável de combinar liberdade com dependência condicional. Meu companheiro perfeito tem quatro patas e uma língua que não censura nem reclama.

O *Artigo 3º* relata sobre as minhas guerras.

O *Artigo 4º* fala dos meus triunfos e aclamações, de como nove reis ou filhos de reis derrotados desfilaram na frente do meu carro. É ao mesmo tempo temerário e salutar humilhar os grandes desta maneira.

O *Artigo 5º* conta como recusei o título de ditador que o Senado e o povo me ofereceram. Foi no ano em que Lúcio Arrúncio e Marco Marcelo eram cônsules. Eu estava na Sicília, organizando colônias de soldados aposentados, quando chegou a notícia de distúrbios em Roma. O Tibre tinha inundado os quarteirões baixos do Campo de Marte, destruindo o abastecimento de milho. Os especuladores, uma raça que abomino, estavam segurando o pouco milho que havia para fazer os preços subirem. A multidão ameaçou queimar a Casa do Senado se eu não fosse feito ditador. Lúcio Arrúncio nunca gostou de mim; era um destes aristocratas que achavam que deviam dirigir o Senado e suspiravam pelos velhos tempos antes das guerras. Não ficou satisfeito sequer com o posto de cônsul que eu arrumara para ele. Ao contrário de alguns idiotas bem-nascidos, ele tinha bastante inteligência para saber que o posto havia se tornado principalmente honorífico. Mas quando ouviu a multidão berrando em volta da Cúria, começou a sentir suas pernas amolecerem, grasnou bem alto pela minha ajuda e endossou os gritos que exigiam que eu fosse feito ditador. Prometeu, com lábios trêmulos, que instaria comigo para que eu aceitasse, caiu num pranto degradante quando recusei. Mas comigo, não. Eu tinha visto o efeito da ditadura perpétua de Júlio César e não deixaria que isto acontecesse comigo. Disse, orgulhosamente, que não era preciso, que em vez disto eu me encarregaria da supervisão do abastecimento de cereais. Identifiquei os especuladores e dei-lhes uma escolha, que não lhes agradou: ou eles entregavam voluntariamente o milho que guardavam ou podiam se preparar para o confisco e uma longa estada em uma ilha deserta. Eles então cooperaram de modo exemplar e a crise terminou.

A nobreza várias vezes tentou me convencer com bajulação a aceitar poderes maiores e óbvios. Mas eu era muito precavido. Sabia que a aparência do poder é mais profundamente ofensiva do que a sua realidade.

Então o *Artigo 6º* informa o povo de que eu recusei três vezes o título de "único guardião das leis e da moral com autoridade suprema". É claro que eu não cairia naquela armadilha. Disse-lhes que não podia aceitar um cargo "contrário às tradições dos nossos ancestrais". O apelo a tradição é a maneira infalível de derrotar os conservadores.

O *Artigo 7º* contém uma lista das minhas honrarias e das ordens sagradas das quais sou membro. Permiti que Lépido fosse Pontífice Máximo até a sua morte, quando então assumi este cargo, que tem sua utilidade.

Os *Artigos 8º, 9º, 10º, 11º* e *12º* subsequentes tratam das honrarias que recebi do Senado e do povo romano, das minhas reformas do Senado e dos recenseamentos que instituí. Segundo o último recenseamento, o número de cidadãos romanos chega a quase cinco milhões. Ao contrário de Júlio César, achei prudente não depreciar tal privilégio, concedendo-o indiscriminadamente aos habitantes das províncias. De todas as honrarias, a que mais me dá orgulho é o decreto do Senado determinando a inauguração de um altar à Paz de Augusto.

Deixemos que o *Artigo 13º* fale por si mesmo: "O Templo de Jano Quirino, que os nossos ancestrais fechavam sempre que a paz com vitória era assegurada no mar e na terra em todo o Império Romano, e que antes do meu nascimento está registrado como tendo sido fechado apenas duas vezes desde a fundação da cidade, foi, durante o meu governo, fechado três vezes por ordem do Senado."

Não consigo escrever a respeito do *Artigo 14º*. Ele fala sobre os meus filhos Caio e Lúcio, para quem foi escrito o primeiro volume destas memórias.

O Artigo 15º registra as somas que doei à plebe romana. Ninguém jamais deu mais dinheiro a maior número de pessoas do que eu.

O *Artigo 16º* registra como indenizei as municipalidades por terras que designei para colônias de soldados. Ninguém antes de mim pensou em fazer isto, nem Sila, nem Pompeu, nem Júlio César. Surpreende-me o fato de que Pompeu não o tenha feito.

O*s Artigos 17º e 18º* narram como socorri, em várias ocasiões, o Tesouro com o meu dinheiro. Duvido que os historiadores possam contestar isto.

Os *Artigos 19º, 20º e 21º* subsequentes registram meus trabalhos de construção. Eu me gabo de ter encontrado uma Roma de tijolos e de ter deixado uma Roma de mármore.

Não me orgulho, porém, do que registro nos dois artigos seguintes: os espetáculos de gladiadores que apresentei. Eles se tornaram, ai de mim, um aspecto inescapável da vida romana! Os governantes que deixam de oferecê-los incentivam o descontentamento.

O *Artigo 24º* conta que depois da guerra com Marco Antônio eu restituí aos templos de todas as comunidades da Ásia os ornamentos de que o meu oponente na guerra tinha se apropriado para seu uso pessoal. Isto na verdade era típico de Marco Antônio; não podia ver nada bonito ou precioso sem querer pôr as mãos. Não tinha a menor noção de sua própria dignidade, e o que é pior, nenhuma noção do que devemos às províncias. Isto é muito fácil de explicar. Nós lhes devemos respeito. Devemos respeitar suas tradições e cultos como respeitamos os nossos. Este respeito, além de ser correto e apropriado, é também a única maneira de fazer com que eles se reconciliem com o nosso império. Por outro lado, havia na cidade oitenta estátuas de prata me representando em pé, a cavalo ou em uma biga; estas eu mesmo removi, e, com o dinheiro arrecadado, providenciei oferendas de ouro, que foram colocadas no Templo de Apolo em meu nome e em nome dos que tinham me honrado com as estátuas. Tal ação me pareceu uma exigência tão óbvia do bom senso, que realmente não há do que me orgulhar. Todavia, mais uma vez eu aprendera graças ao exemplo deplorável de Júlio César. Ele gostava de ser adorado como um deus pelos asiáticos.

Ora essa. Homens não são deuses; apesar de ser seriamente religioso, eu às vezes penso que os deuses talvez também não sejam deuses... Mas isto não é inteiramente verdadeiro. É uma questão que eu frequentemente discutia com Virgílio, o homem mais profundamente religioso que conheci... Ele me dizia, eu me lembro:

— Não se deixe perturbar por dúvidas e discrepâncias. Homem nenhum que tenha refletido judiciosamente sobre tais questões pode duvidar que o mundo seja formado, dirigido, governado de um modo misterioso por espíritos poderosos e imortais. Nós, em nossa ignorância humana, identificamos elementos particulares nestes espíritos e lhes damos nomes e até mesmo atributos humanos. Talvez não exista nenhum Apolo; existe uma força que dá vida, que enaltece a vida, a qual o nosso Apolo representa bem. Faz parte da nossa natureza dar personalidade de Apolo ou Diana a um espírito, inventar histórias sobre os deuses, que também inventamos parcialmente, e que talvez parcialmente, de maneira indistinta e vaga, sejam lembranças de aventuras passadas das nossas almas imortais. Quando em dúvida, meu amigo — e me detenho com carinho na lembrança do tom terno com que Virgílio dizia "meu amigo" —, volte-se para Platão. Leia o *Fédon* e reflita sobre a grande defesa da imortalidade apresentada por Sócrates. Leia *A República,* também, especialmente o Mito da Caverna. Nosso conhecimento do Divino só pode ser vago, uma lembrança imperfeita da sua realidade.

Como eu poderia, eu que ouvi e acreditei no que o meu poeta me disse, ter permitido que a minha própria estátua fosse adorada? Seria uma blasfêmia. Além do quê, era politicamente desaconselhável. Um homem-deus se expõe ao ridículo tanto diante do homem sensato quanto do irreverente.

Artigo 25º: Restituí a paz aos mares eliminando os piratas. Naquela guerra, devolvi a seus senhores, para serem punidos, trinta mil escravos, que tinham fugido e pegado em armas contra o Estado. A Itália inteira, voluntariamente, fez um voto de lealdade a mim e exigiu que eu comandasse a guerra que venci em Ácio. O mesmo juramento foi feito pelas províncias da Gália, da Espanha, da África, da Sicília e da Sardenha. Mais de setecentos senadores serviram naquela época sob o meu estandarte: deles, 83 se tornaram cônsules e aproximadamente 170 sacerdotes antes daquela data, ou posteriormente, até a data em que este documento está sendo escrito.

Nem mesmo os historiadores mais críticos poderiam impugnar o mérito da minha supressão da pirataria. Nada é mais importante para o bem-estar de Roma do que um Mediterrâneo tranquilo, em que os mercadores possam navegar com segurança. Alguns talvez duvidem da minha afirmação de que "a Itália inteira voluntariamente fez um voto de lealdade a mim"; talvez apontem os senadores que eu autorizei a se juntarem a Marco Antônio; talvez insinuem que algumas municipalidades foram pressionadas e talvez achem autoritários os termos dos editais que enviei com o meu selo. Admito que houve um pouco de pressão, mas fico admirado com a minha própria moderação naquele ano de crise. Não só dispensei os cidadãos da Bolonha do juramento por causa do longo relacionamento daquela cidade com a família de Marco Antônio, como puni poucas dentre as famílias partidárias dele. Além do mais, o fato é que a reação de grande parte da Itália e das províncias foi realmente espontânea. Depois de meio século de lutas civis, eles desejavam a paz e reconheciam que eu era o único capaz de obtê-la. E eu, ao contrário da maioria da aristocracia romana, compreendia que a Itália e Roma constituíam uma única nação; que a força do império tinha de, no futuro, apoiar-se na anuência plena e zelosa da Itália. Fui o primeiro político a ser tão italiano quanto romano. Nem Cícero, apesar de ser mais italiano do que romano, compreendia isto; ele se identificava completamente com a política puramente romana da cidade-Estado que tínhamos ultrapassado.

Os oito artigos seguintes enumeram as minhas vitórias, as colônias que criei, a reconquista de posições perdidas pelos meus predecessores, os reis que subjuguei, as embaixadas que recebi de terras distantes, como a Índia, os reis que dei à Pártia e à Média. Sempre fui um pacifista de coração. Nunca tive a pretensão de ser um gênio militar, mas um dos meus talentos tem sido saber escolher generais, dos quais os maiores foram Agripa e meu enteado (agora meu filho adotivo) Tibério. Os deuses prometeram a Eneias e à sua descendência um império sem limites. Acrescentei mais ao Império Romano do que todos os generais da República juntos; as conquistas de Júlio César perdem o brilho quando são comparadas às minhas, mas nunca usei daquela crueldade bestial que ele empregou na Gália, uma crueldade que, talvez o leitor se lembre, chocou até mesmo Cato, que insistiu junto ao Senado para que César fosse entregue aos gauleses como um criminoso de guerra. Quanto ao meu programa de ação, Virgílio uma vez me pediu para resumir o que no meu entender era a missão de Roma. Depois de pensar um pouco, respondi:

— Poupar o humilde e subjugar o orgulhoso.

Eu mesmo fiquei embevecido quando ele inseriu minha resposta na sua *Eneida*.

Citarei integralmente os dois últimos artigos sem comentários no momento.

Artigo 34º: Quando me tornei cônsul pelas sexta e sétima vezes, depois de ter dado fim às guerras civis, tendo obtido poder supremo por anuência universal, transferi o controle do Estado para o Senado e para o povo romano. Por ter assim servido ao Estado, recebi o título de Augusto por decreto do Senado e as portas da minha casa foram publicamente decoradas com coroas de louro, a coroa cívica foi colocada sobre a porta de entrada e um escudo dourado na Casa Juliana do Senado que, como diz a inscrição nele gravada, o Senado e o povo de Roma me ofereciam em reconhecimento pelo meu heroísmo, minha clemência, justiça e dedicação. Daí em diante superei a todos em autoridade, mas tinha tanto poder quanto os outros, meus colegas em cada magistratura.

Artigo 35º: Quando eu me tornei cônsul pela décima terceira vez, recebi do Senado, da ordem dos cavaleiros e de todo o povo romano o título de Pai da nação. Foi também decretado que se inscrevesse este título no vestíbulo da minha casa, na casa Juliana do Senado e, no Fórum Augusto, no pedestal da biga que fora erguida em minha honra por decreto do Senado.

Quando escrevi este documento, eu tinha 76 anos...

Ninguém foi mais afortunado do que eu. Penso nisto frequentemente. Porém, nunca me esqueci do provérbio:

"Não diga que um homem é afortunado até que ele esteja morto."

E nos anos que se seguiram ao meu dia de Triunfo, com que encerrei o primeiro volume destas memórias, tenho tido momentos amargos e cruéis decepções. Aprendi que o Destino jamais sorri com benevolência constante para homem nenhum. Temos de pagar pelos nossos êxitos e muitas vezes o preço é tamanho que as realizações deixam um gosto de cinzas e vinagre na boca.

A LEMBRANÇA MAIS FELIZ DO MEU TRIUNFO CONTINUA SENDO A DE Marcelo, meu sobrinho, que montou o cavalo de tração à direita da minha biga. Lívia ficou ofendida por seu filho Tibério ter ficado à esquerda. Mas havia duas razões para isto, ambas importantes:

Em primeiro lugar, Marcelo era mais velho e meu parente consanguíneo.

Em segundo lugar, a guerra da Ática e a conquista do Egito representavam para mim a vingança pelos insultos que a mãe de Marcelo, minha querida irmã Otávia, tinha recebido de Marco Antônio. Os filhos deste e de Cleópatra marcharam acorrentados no desfile, enquanto Marcelo, deserdado por Marco Antônio, cavalgava num corcel negro. Seria preciso ser cego para a justeza das coisas para não sentir prazer nisto.

Mas havia outra razão: no ano do meu Triunfo, cheguei à meia-idade. É verdade que eu só tinha 36 anos, porém suportara dezessete anos de guerra e uma crise perpétua desde o assassinato de Júlio César. Guerra e política haviam devorado a juventude que eu não tivera tempo de gozar. A mim, parecia, no exato momento em que a minha biga passava sobre as pedras do calçamento da Via Sagrada, em que as multidões maravilhadas aplaudiam e davam vivas, o sol do meio-dia brilhava sobre tudo, e os passos pesados das legiões levantavam nuvens de poeira que rodopiavam no ar, parecia-me, como se uma nuvem tivesse tapado o sol, que eu jogara fora a minha mocidade apenas por aquele vão espetáculo de poder. Foi um momento terrível; uma sensação de desperdício, de inutilidade, de uma vida árida e estéril como um deserto, invadiu-me. Aquele momento de glória com que os soldados sonham tinha gosto de pão dormido. Foi um momento de discernimento intuitivo sobre a grande e pomposa vaidade da guerra e da política. Então virei a cabeça e vi Marcelo, os olhos dançando, o sorriso largo, completamente feliz, aceitando e devolvendo os hurras da multidão; eu me senti renovado. Tibério, do outro lado, cavalgava cuidadosamente, com o rosto sério, já tão indiferente à multidão com a idade de — quantos anos? — 13, 14, eu realmente não me lembro, como sempre seria. Com o tempo aprendi a respeitar a indiferença irredutível de Tibério à popularidade, e até o seu desprezo pela plebe, que respeito e compreendo como expressões de sua índole, apesar de considerá-los perigosos, e eu mesmo nunca seria incapaz de sentir a superioridade que ele sente como um Cláudio; mas naquele dia fiquei irritado ao ver tanta frieza num menino, e me alegrei ainda mais com a alegria de Marcelo.

E eu amava Marcelo. Não havia nada de vergonhoso no meu amor, nada de perverso; mas fazia Lívia ficar com ciúme, e foi por causa dele que ela permaneceu arredia. É verdade que eu o amava pela sua beleza, pelas suas longas pernas (ele era uns três centímetros mais alto do que eu aos 15 anos, mas então parou de crescer), pela vida que dançava em seus olhos azul-escuros , pelas curvas dos seus lábios, pela maneira como os seus cabelos de um louro-escuro cobriam a nuca de cachos, pela sua expressão franca. Amava sua beleza, como é lícito amar toda beleza que nos é dada na terra, mas o meu amor era puro como o que eu sentiria mais tarde pela beleza dos meus netos, Caio e Lúcio, que foram meus filhos adotivos. Sua conversa, uma fonte perpétua de frases espirituosas e cheias de imaginação, também me encantava. Eu amava suas especulações, que iam além do alcance do seu intelecto. Eu o amava por sua falta de respeito carinhosa, pela maneira com que caçoava de mim e me chamava de "titico". E é verdade, eu o via no futuro da nossa dinastia. Mas Lívia, que tinha ciúme de Otávia, como sempre tivera, tinha ainda mais ciúme do meu amor por Marcelo. Para ela, ele parecia obscurecer os seus filhos. Ela acreditava no pior, e continuou acreditando, mesmo depois de eu ter demonstrado o tipo de amor que eu sentia pelo rapaz, fazendo-o se casar com minha filha, Júlia.

A minha vida inteira eu me surpreendi com a perversidade com que as outras pessoas veem o amor; como se só existisse uma espécie de amor. Na verdade, o amor sexual nunca foi muito importante para mim. Sei separar o corpo das emoções. Naturalmente, quando Lívia se afastou de mim, eu tive amantes; escravas, cortesãs profissionais, uma ou outra mulher casada (mas nunca virgens nascidas livres — isto é errado). Elas não foram importantes, exceto como meios de relaxamento físico. Nenhuma tocou o meu coração, que ainda pertencia a Lívia em primeiro lugar, e depois a outros membros da minha família. Todavia, aqueles anos que se seguiram à Alexandria foram difíceis para o meu casamento, como o foram em outros sentidos também.

A GRANDE QUESTÃO PODIA SER ENUNCIADA DE MANEIRA BEM SIMPLES: o que faríamos com a República agora que a tínhamos salvado? Havíamos eliminado as facções. Todos os nossos inimigos estavam mortos. Em um estado de espírito de tensão mitigada, meus ardores amainados, sentado perto de Lívia, que estava esticada na sombra de uma colunata, eu disse:

— Posso considerar meu trabalho terminado.

Ela se sentou abruptamente, mas continuei:

— Por que não imitar Sila, instituir algumas reformas constitucionais que possibilitem sem problemas a troca de poder dentro da República, e me aposentar em um de nossos latifúndios? Você não gostaria, Lívia, se pudéssemos viver tranquilamente juntos, como pessoas normais, sem este trabalho interminável, este entusiasmo por crises, estas exigências incessantes e horrorosas? Afinal de contas, já estou na política há bastante tempo para saber que não há solução, solução não existe, não há um termo político, o que existe é um maldito troço depois do outro. Perdi minha mocidade, percebi isto outro dia, e estou cansado. Muito cansado disto tudo.

— Você deve estar louco... — disse ela.

Peguei uma maçã de uma vasilha de frutas e cravei os dentes nela; senti um gosto forte e ácido. Lívia disse:

— Ou será que você está caçoando de mim? Para que lutar como você lutou e simplesmente jogar tudo fora quando o jogo está ganho? Você realmente acredita que Roma pode voltar a ser o que era? Será que você é tão ingênuo quanto aquele velho tonto do Cícero? Posso ter um corpo fraco de mulher, mas não me rebaixaria a ponto de fazer tal sugestão. E olhe que, em razão de ser uma Cláudia, eu sou naturalmente mais voltada para as coisas antigas do que alguém com uma origem como a sua. São tantos os cônsules entre os meus ancestrais que eu até perdi a conta. Minha família teve uma posição proeminente no Estado desde a expulsão dos reis, mas apesar disto sei que o passado morreu. Esta sua conversa é puro sentimentalismo. É indigna do meu marido...

Preciso levar em consideração que estas memórias podem ser lidas por futuras gerações ignorantes da constituição da República, ignorantes também das causas da crise que tomou conta de Roma por quase um século. E, na verdade, é simples. Nossas instituições foram criadas para uma cidade-Estado liderada por um grupo de famílias aristocráticas, cada uma delas alerta contra a possibilidade de qualquer família, qualquer pessoa, apossar-se do poder supremo. Para evitar isto, certificavam-se de que ninguém fosse dono do poder por muito tempo e de que ninguém fosse o único dono. Foi estabelecido um sistema de magistraturas anuais; os dois cônsules, que eram os dirigentes, em posição de igualdade. Numa situação de emergência, um ditador podia ser escolhido para exercer o poder supremo, mas, nos dias gloriosos da República, ocupava o posto por um breve período. Júlio César conseguiu que o fizessem ditador vitalício; nada do que ele fez causou tanta animosidade, pois um ditador perpétuo era, na realidade, um rei com outro nome, e nós, romanos, que amamos e damos valor à liberdade, sempre desprezamos e detestamos a ideia da monarquia. Somente um homem com a arrogância profunda e infinita de César poderia pensar em se tornar rei. Não obstante, com o império de Roma se expandindo, nossa antiga constituição começou a ranger e a abrir nas costuras como uma almofada velha. O primeiro choque veio quando, como proteção contra uma invasão dos bárbaros, Caio Mário (ele mesmo, bárbaro e inculto) foi eleito cônsul cinco vezes consecutivas. Foi então que o exército de cidadãos do começo da República se transformou em uma força profissional; e os novos soldados profissionais esperavam ser recompensados pelo seu general, não pela República. Eram tropas dele, não de Roma. Isto tinha me beneficiado, mas prejudicava a República. Além do mais, as exigências do império tornavam necessários comandos de longa duração: César foi procônsul na Gália primeiro por cinco anos, depois por mais cinco. Os magistrados anuais se tornaram meras cifras em comparação com as dinastias militares, os grandes procônsules, como César e Pompeu; e, devo acrescentar, Marco Antônio e eu mesmo. Apenas uma das magistraturas sobreviveu: o tribunato. Os tribunos, originalmente nomeados para velar pelos interesses dos plebeus, não tinham poder executivo, mas podiam criar e vetar leis e eram pessoas sacrossantas. Todas as dinastias achavam de bom alvitre contar com um ou mais de seus partidários entre os dez tribunos; era a única maneira de garantir que os seus interesses em Roma seriam defendidos. A pretensa razão pela qual César atravessou o Rubicão e invadiu a Itália foi que o tribunato havia sido violado pelos seus inimigos. Desde cedo vi a importância deste posto e, não sendo um plebeu e, portanto, não podendo ser eleito tribuno, providenciei para que me concedessem a autoridade, os poderes e o *status* de um tribuno. Foi minha decisão mais acertada. Deu-me segurança pessoal e permitiu-me estar em contato com o povo e defender seus interesses contra a aristocracia.

Os tradicionalistas lamentavam as mudanças. Eu compartilhava a sua nostalgia. Tenho certeza de que a República dos nossos ancestrais era admirável e honrada. Mas, ao contrário do míope Cato, ao contrário de Cícero, que era um sentimental, eu sabia que aquele tempo não voltaria. Tínhamos de caminhar para algo novo, o que quer que fosse; e depois de digerir as palavras de Lívia, e sabendo que o que ela dizia era verdade, compreendi que minha tarefa agora era a de estabelecer uma nova estrutura para a vida política de Roma. Era preciso que refletisse a realidade, coisa que o plano de Cícero para "um acordo entre as classes" nunca fez; mas, a fim de satisfazer as antigas classes políticas — e, sendo por natureza um conservador, eu queria satisfazê-las —, era preciso também que mantivesse ao máximo possível a forma e a aparência da antiga República.

Não peço desculpas pela aridez desta parte das minhas memórias. Quem quiser me compreender terá de compreender o trabalho que precisei fazer. Os que acham a política constitucional enfadonha têm a opção de pular este capítulo. Devem se lembrar, contudo, que sua apreciação da minha vida e do meu trabalho ficará prejudicada, uma vez que deixariam de examinar a essência das questões. Estarão na posição dos que julgam um melão pela casca e não provam sua polpa.

Convidei Mecenas e Agripa para jantar e explorar comigo os caminhos disponíveis. Comemos pouco, pois é impossível pensar profundamente com o estômago cheio, da mesma forma que é impossível pensar sensatamente com o estômago vazio.

Agripa era geralmente abstêmio, como eu sempre fui, mas, como muitos homens de ação, era dado a grandes bebedeiras eventuais. Nestas ocasiões eu o evitava, porque me afligia ver o meu amigo mais íntimo possuído por uma vulgaridade embrutecida que terminava num estupor tão absoluto que uma revolução podia estourar sem que ele percebesse. Quanto a Mecenas, ele estava bebendo cada vez mais. Bebia o dia inteiro, nunca ficava realmente bêbado, mas cada vez mais raramente ficava sóbrio. Aquela noite, porém, estava absolutamente lúcido.

Fiz um resumo da situação no meu entender e Agripa disse:

— Mataram Júlio César porque ele se recusava a restaurar a República. Foi morto em nome da liberdade. Nós lutamos contra os Libertadores porque nos interessava. Não seríamos nada se não tivéssemos lutado. E lutamos contra Marco Antônio em parte pela mesma razão, mas também porque, com todos os seus despropósitos orientais, ele estava seguindo o mesmo caminho maldito de César. Estava até com a mesma mulher, e sabe Júpiter que ideias de tirania oriental ela enfiou naquela pobre cabeça dele. Foi por isso que a Itália veio para o nosso lado, nos apoiou e, com um empurrãozinho nosso, fez um juramento de lealdade a você. Mas esta lealdade era... qual é a droga da palavra que eu quero? Condicional, é isto, temporária. As pessoas, não somente os nobres, mas todos os romanos de verdade, querem a República de volta. Respeitam você, são até gratos a todos nós, mas gostam mesmo é das antigas formas de governo e não ficarão felizes sem elas. Não adianta pensar em outra coisa, meu velho... Se você fizer o que Júlio César fez, acabará onde ele acabou, com o corpo cheio de buracos de punhal, caído aos pés da estátua de Pompeu. Não pense que não...

Mecenas disse:

— Bem, é claro, meus queridos, que eu não passo de um pobre etrusco, um estrangeiro. Mas isto me dá certa vantagem. Posso ver as coisas claramente. Tenho certeza de que Marco Agripa está certo, como geralmente está, quando ele diz que os romanos amam suas antigas instituições e não ficarão felizes sem elas. Mas as coisas mudam, este é o problema. O nosso papel não é tanto perguntar por quê, mas como, e depois procurar a solução. Sei que vocês não me deram vinho de propósito, mas deem-me uma taça para eu poder pensar direito. Obrigado, amorzinho. Ora, parece-me que, em poucas palavras, a causa dos nossos problemas, e nem Agripa pode negar que temos tido problemas, não é tanto a corrupção e a ambição de indivíduos, mas a complexidade da nossa situação. Pode-se dizer que reside no tamanho da nossa população e na magnitude dos negócios do Estado. As antigas fórmulas eram ótimas quando Roma era uma cidade de fazendeiros e de alguns mercadores, mas agora... pensem um pouco, a população do Império, e até a da cidade, é formada de todo tipo de homens no que concerne a raça e os talentos. Têm temperamentos e desejos de todo tipo imaginável, e os negócios de Estado tornaram-se tão vastos, tão complicados e trabalhosos que só podem ser administrados com grande dificuldade...

Fez uma pausa, e eu pedi que continuasse.

— Deixem-me fazer uma comparação — ele disse. — Nossa cidade é como um grande navio-mercante. É tripulado por homens de todas as raças e não tem piloto. Então, por muitas gerações, quatro, cinco, não sei, tem balançado e mergulhado, como um navio sem lastro nem timoneiro. Não admira que tenha batido contra rochedos... O milagre é que não tenha afundado. Chega a fazer a gente acreditar nos deuses e no sagrado destino de Roma o fato de não ter afundado. Mas não pode continuar por muito tempo sem a orientação de um espírito condutor. Restabeleça a República e tudo o que conseguimos nos últimos dezessete anos será engolido. Teremos desperdiçado um esforço imenso. Ah, sim, mais uma coisa, quando digo um espírito condutor, quero dizer o espírito condutor de um homem, que, nas atuais circunstâncias, tem de ser você. Nem pense em termos de um novo triunvirato. Isto é uma receita para a guerra civil. Já aconteceu duas vezes... Aconteceria novamente, mesmo se o triunvirato fosse formado por nós três aqui presentes, que somos bons amigos há muito tempo. A vida é assim. Estou lhe dizendo, benzinho, você tem uma escolha simples. Aceite suas responsabilidades e faça as guerras civis terem valido a pena; fuja das suas responsabilidades e faça da sua vida inteira um contrassenso.

QUANDO DESEMBARQUEI EM NÁPOLES, VOLTANDO DO EGITO, ENCONtrei-me com Virgílio. Ele estava morando a alguns quilômetros fora da cidade, na Península Sorrentina, onde, na Antiguidade, as Sereias tinham vivido. Convidou-me para jantar com ele e, quando cheguei na luz branda do entardecer, encontrei o poeta pálido, distraído e sem apetite. Era o primeiro sinal da doença que o consumiria durante a década seguinte e que seria a causa da sua morte prematura demais para mim, para Roma e para a poesia. Ele ficou brincando com a comida, mas não admitiu que eu tivesse razão para me preocupar e demonstrou cuidados com a minha saúde.

— Azeitonas, pães e um pouco de queijo de ovelha, mais o vinho branco destas colinas, é o quanto me basta. Não sou um homem de ação. Mas a dor e a desilusão o envelheceram, César — ele disse.

— A morte de Marco Antônio... — eu disse, e deixei que ele adivinhasse o resto. Não era preciso dizer muito a este mestre das palavras que compreendia o silêncio. — E o Egito é horrível — continuei. — Detestei. Moscas, corrupção e uma tagarelice incessante e cansativa. Peguei uma febre causada, tenho certeza, pela minha aversão à velha depravação, crueldade, superstição e ganância do Egito.

Ele tinha finalmente terminado as *Geórgicas* e eu pedi que ele lesse um trecho para mim.

Ele acedeu e, com aquela voz que apesar de suave e delicada tinha toda a força do saber, começou:

> — Felizes — felizes até demais, se tivessem consciência da própria felicidade — são os agricultores que recebem, longe dos clamores da guerra, uma subsistência fácil da terra justa e generosa. Se é verdade que não possuem mansões suntuosas de imponentes portões, com visitantes em profusão saindo de cada sala, nem olham extasiados para portas cujas soleiras brilham com verniz de casco de tartaruga, para tapeçarias enfeitadas com ouro e para ricos bronzes de Corinto, se é verdade também que não disfarçam com os abomináveis corantes assírios a lã branca nem desperdiçam o valor do óleo puro com incenso, ainda assim dormem sem preocupações e vivem sem falsidade, ricos de farturas várias, em paz nos grandes espaços abertos, em grutas, lagos de águas vivas, em profundos vales sombrios e frescos, com a música rústica do gado, doce sono ao meio-dia sob as árvores: eles têm as florestas, as tocas da caça; têm filhos robustos, trabalhadores, satisfeitos com pouca coisa, a santidade de algum deus e respeito pela velhice.
>
> A justiça, quando abandonou a terra, deixou suas últimas pegadas lá...

Ele me deu um daqueles seus sorrisos lentos.

— Você inveja os meus agricultores, César, que jamais invejariam você. Mas não somos todos chamados para o mesmo trabalho. Ouça mais uma vez a última frase deste trecho.

E ele a repetiu vagarosamente, parando depois de cada palavra como se refletisse:

— "A justiça, quando abandonou a terra, deixou suas últimas pegadas lá." Cabe a você, César, restaurar a sombra da justiça.

Depois ele leu para mim outro trecho, um grande hino de louvor à Itália, que não vou citar porque termina com um elogio a mim — elogio que tem mais valor para mim do que todas as honrarias de que tenho sido objeto...

Ficamos sentados em silêncio. O ar ainda estava morno, com cheiro de flores, e o brilho avermelhado do sol que se punha era como um tapete de rosas sobre as águas da baía. Só nos chegava um murmúrio da cidade lá embaixo. Um cachorro latiu a distância e, embora não pudéssemos ouvir, eu sentia o mastigar compassado do gado enfiado até o meio das patas na vegetação das campinas, uma imagem de paz e abundância sugerida pela poesia. De repente compreendi que o mundo era ao mesmo tempo benigno e estéril; que a vida tinha um propósito profundo que não se tornava insignificante (apesar de os atores serem, no fim das contas, insignificantes) simplesmente porque nunca seria plenamente realizado.

Virgílio, como se tivesse lido os meus pensamentos, disse:

— O poema feito nunca é tão bom quanto o que não foi escrito; e, no entanto, tem de ser posto no papel como se fosse. Cada começo contém a semente de um novo fracasso, mas isto não é desculpa para não começar.

— Estou entendendo o que você está dizendo... — disse eu.

Foi nesta noite que falamos pela primeira vez sobre a *Eneida*? A memória na velhice oscila como uma vela agonizante, e eu não tenho certeza; mas acho que foi. Talvez, na realidade, nós tenhamos feito um contrato, Virgílio e eu, se eu aceitasse o encargo do Império, ele escreveria o épico de Roma contando a todos como os deuses prometeram a Eneias um império ilimitado. Não era tão simples... Nunca é... De qualquer maneira, o contrato existia. Nós dois sabíamos disto. Ficou suspenso entre nós, no ar leve, e sabíamos que um destino reconhecido e aceito é irrefutável.

Certa vez, perguntei a ele:

— O que é o destino? Não somos homens livres?

Virgílio respondeu:

— Deixe esta pergunta para os filósofos. Aja de acordo com o que você sente e sabe. E o que nós sabemos é isso, César, para nós dois: só podemos ser livres quando realizamos o destino que percebemos que foi traçado para nós. Não sei como harmonizar tudo isto. Só sei que é assim.

A CÚRIA MURMURAVA COM OS RUMORES DE UMA GRANDE OCASIÃO. ATÉ mesmo os senadores mais preguiçosos e desatentos ocupavam os bancos. Meu padrasto estava sentado com uma rosa apertada contra o nariz para afastar o cheiro de corpos quentes. Os murmúrios pararam quando eu comecei a falar.

O terreno tinha sido bem preparado, naturalmente. Agripa, Mecenas e os meus outros amigos haviam feito sondagens. Tínhamos, por exemplo, discutido muito sobre a questão de nomes e títulos. Eu rejeitara a ditadura, assim como o título de *imperator*, que os soldados costumavam usar quando me aclamavam. Soava demais como um regime militar. Levamos muito tempo para decidir. Então alguém — talvez tenha sido eu, talvez tenha sido Mecenas — sugeriu *princeps*. Não simbolizava poder direto e sim um mero reconhecimento de autoridade; Cícero, eu me lembrei, usara o título para Péricles e Pompeu.

Agora, no Senado eu comecei relatando o que tinha feito por Roma.

— Pela primeira vez em uma geração — disse —, cessaram as discórdias civis. Estamos em paz.

Através da porta aberta via-se o sol lá fora. Felipe apertou a rosa contra o nariz. Agripa, tenso, parecia um touro bravo. Lembrei aos ouvintes que já tinha rescindido todos os atos do triunvirato: os romanos não estavam mais sujeitos às leis arbitrárias que a nossa hora de aflição tornara necessárias. O Estado livre renascera.

— Portanto — continuei —, apesar de falar como um dos cônsules deste ano, e investido com o poder tribunício que estimo como expressão do amor e da confiança do povo romano, que permite que eu cumpra o meu dever para com o povo, devo dizer-lhes, Pais Conscritos, que o tempo de poderes extraordinários passou. Não assumirei mais o comando... Recebam de volta sua liberdade e a República. Assumam responsabilidade pelo exército e pelas províncias, e governem a si mesmos da maneira consagrada pelo exemplo dos nossos pais. O navio da República, castigado pelas tempestades, quase submerso pelas rochas da ambição, navega livre e sereno mais uma vez em alto-mar.

Lívia ficou assustada quando soube o que eu tinha feito. Assustada e zangada.

— Desculpe por eu não ter consultado você... — eu disse —, mas como você não estava querendo ouvir o que eu tinha a dizer, ficou difícil para mim. Mas não se preocupe, não agi contra o que você quer que eu faça. Não estou desistindo do poder. Estou tornando-o legítimo.

— Se der certo... — ela disse. — Posso adivinhar o que você vai dizer. Acho que você se fez de espertinho demais.

— Não — retruquei —, você não diria isso se tivesse visto o espanto deles. O que fiz foi dar a eles uma visão do vácuo. Estão horrorizados. Sabe, minha querida, digam o que disserem, a verdade é que esqueceram o que é agir como homens livres capazes de pensar no bem comum. Até mesmo neste Senado expurgado a maioria é de animais ou poltrões. Confie em mim, Lívia, por favor.

Pus meu braço em sua volta, puxei-a para mim e a beijei. Segurei o seu queixo e virei o seu rosto de forma que os nossos lábios se encontrassem. Por um instante ela resistiu, depois beijou-me de volta, como não fazia havia quase cinco anos. Puxei-a para um divã e, indiferentes a qualquer possível interrupção, fizemos amor, como pessoas sedentas e famintas diante de pão e vinho. Com a intensidade inicial amainada, surgiu em seu lugar aquele abandono terno que vem da consciência de uma união perfeita que eu só tinha encontrado com Lívia e com nenhuma outra mulher.

— Você estava certo... — ela suspirou —, meu maldito orgulho de Cláudia nos separou; mas eu também estava certa quando me rebelei. Nada jamais fechará a ferida causada pelo seu sacrilégio. Podemos estar juntos novamente... ah, e estamos, meu amor, mas nunca mais será como antes... Você não pode mais ser o favorito de todos os deuses, e o nosso casamento foi amaldiçoado.

— Não diga isso, não diga isso — falei e tentei calá-la com meus beijos.

— Não — ela disse, depois de termos nos beijado muito e termos feito amor pela segunda vez ternamente. — Agora é diferente, porque aceito, como você aceitou, o que tive medo de que rejeitasse ou jogasse fora. Eu o amo, sempre o amei mesmo quando sentia ódio de você.

— Lívia, vou amar você, e nenhuma outra mulher como amo você, até morrer. Se tenho parecido insensível ou indiferente é porque tinha medo de ter matado o seu amor...

— O meu amor... — ela murmurou — não é um escravo para morrer por causa de uma palavra zangada.

— Vamos viver sempre atentos ao que significamos um para o outro. Sei como fico pequeno quando perco o seu amor...

E desta vez foram os lábios de Lívia que procuraram os meus.

Escrevendo o trecho acima, revivi o calor, a sensação de alívio e o bem-estar que nós dois sentimos. Sinto-me confortado sabendo que naquele momento nos aproximamos do pleno florescimento da felicidade humana, criando algo que os rigores, as decepções, as brigas e, sim, até mesmo as amarguras do futuro não conseguiram nunca destruir. Chegamos, enquanto o Senado em choque retomava seus debates, àquela comunhão de almas que Platão considera a expressão do perfeito amor inatingível nesta vida. Desde aquela ocasião, sei que pode ser alcançada e, apesar de ser impossível para seres humanos permanecer naquele estado, uma vez atingido ele nunca é totalmente perdido. Existe uma palavra de origem grega, *êxtase*, muitas vezes usada impropriamente, que descreve com exatidão o que eu senti deitado ali com Lívia em meus braços enquanto a tarde morria para dar lugar a uma noite de inverno, e eu aguardava a notícia que tinha certeza de que viria.

— Pareciam carneiros sem pastor, sem cães pastores e conscientes da presença de lobos no bosque. Nunca se viu nada tão engraçado, meu caro. — Mecenas bebeu vinho e se estendeu num divã. — Eles positivamente fizeram de tudo para exaltá-lo. Como estava combinado, deixamos que sentissem plenamente o efeito das suas palavras e, então, exatamente quando um ou dois dos espíritos mais arrojados, Arrúncio, por exemplo, pareciam a ponto de tomar coragem e aceitar sua doação, o velho Planco, aquele traidor em quem se pode confiar, levantou-se, rangendo de reumatismo, o rosto torcido por aquela expressão de desonestidade congênita e, no entanto, simplesmente, suponho que porque ele tem uma história tão longa de sobrevivência absolutamente egoísta, falou com um ar de autoridade.

Louvou a República, como tínhamos combinado, falou sobre como você sempre se dedicou à República e como seria inadmissível alguém sugerir que você tenha jamais se desviado dos seus ideais. Achei isto um pouco demais, mas foi muito aplaudido.

"Você devia ser homenageado", continuou. "Que a sua casa seja enfeitada com louros, e que a coroa cívica seja colocada na sua porta."

Ora, ninguém podia se opor a isso.

— E quanto ao nome; costuma-se recompensar os que se fazem merecedores com um novo nome — ele disse. — Pompeu tinha sido chamado de "o Grande". Ele propunha que você fosse chamado de "Augusto". Nenhum outro nome expressaria tão completamente o reconhecimento deles acerca da sua veneração religiosa pela República. Eu sei, meu caro, que você preferia "Rômulo", mas é nome de rei, e Planco concordou comigo que poderia talvez ser mal interpretado. Contente-se com Augusto, é um nome lindo, com todas as associações positivas. Parece, aliás, que, eu não sabia, liga você a Rômulo, porque ele era chamado de "o mais augusto dos augúrios". Bem, esta proposta também passou por aclamação. Depois disto ele tratou dos assuntos mais sérios e, diga você o que disser a respeito da falta de caráter dele, ele se saiu muito bem. O problema, segundo ele, era que o Senado não podia aceitar a sua renúncia...

— Ninguém gritou "por que não"?

— Apenas Caio Rufo, que é praticamente um retardado — aliás, não entendo como ele escapou do expurgo... Planco o calou com uma carranca. O que eles precisavam fazer, ele disse, era arquitetar um plano que preservasse o que você reconquistou para todos nós. Ele sabia que você estava ansioso para que o Senado reassumisse seus antigos poderes, e ele ficava satisfeito com isto. Contudo, todos sabiam como a República tinha sido ameaçada pelos dinastas. Propunha, portanto, que dessem a você poderes de procônsul em todas as províncias fronteiriças onde exista um estabelecimento militar e que o Senado exercesse sua antiga autoridade em todas as outras.

— Ele disse mesmo "estabelecimento militar"?

— Disse.

— E ninguém se opôs? Ninguém percebeu o que isto significa?

— Se alguém percebeu, não contou para ninguém. Não, rapaz, nós conseguimos. Não sei que nome você dará a esta nova República que estabelecemos; "diarquia" não soa mal, apesar de ser uma palavra de origem grega...

Então, desta maneira, estabeleci uma estrutura dentro da qual os negócios do governo podiam ser realizados. Seu sucesso é facilmente calculado. Basta comparar as quatro décadas precedentes com as quatro que se seguiram. Eu conseguira que a nobreza ficasse satisfeita com a demonstração de poder e a honra do cargo de cônsul, enquanto só os que me eram leais receberam comandos militares. Resolvi até, logo no começo, que era melhor, sempre que possível, confiá-los a membros da minha família. Foi por isso que resolvi que Agripa devia se divorciar de sua mulher, a filha de Ático (casamento que o tornara invejavelmente rico) e se casar com a minha sobrinha, Marcela. Agripa era ligado a mim por laços de amizade, mas achei que seria bom que ele se tornasse também cunhado de Marcelo.

Uma das características curiosas da natureza humana é que, logo que organizamos alguma coisa, a ansiedade nos assalta. O que aconteceria com o Estado, indagavam, se eu morresse? Eu me perguntava a mesma coisa, e me preocupava, mas antes que eu possa tratar desta questão é hora de falar de assuntos de família.

Eu havia me acostumado à dor de não ter filhos com Lívia. Júlia, por outro lado, que estava crescendo, encantava-me. Apesar de Lívia continuar se queixando do seu comportamento.

— Ela não deixa Tibério em paz — dizia — é indecente. Você estraga esta menina, é claro, e não vê que ela está se tornando a maior namoradeira.

Mas eu não era capaz de recusar nada à minha filha. Com 13 anos, quase uma mulher, ela ainda subia no meu colo e cobria meu rosto de beijos. Era difícil acreditar que esta molequinha deliciosa era filha da terrível Escribônia. Por falar nisto, Escribônia andava me bombardeando com cartas, nas quais pedia que Júlia tivesse permissão de visitá-la; o que naturalmente era impossível. Para começar, Escribônia estava agora vivendo abertamente com um espanhol de meia-idade que havia sido sucessivamente centurião, cobrador de impostos e (meus agentes me informaram) dono de um prostíbulo. Eu disse a Escribônia exatamente porque eu não podia permitir que Júlia fosse visitá-la e acrescentei que ela (Escribônia) tinha sorte de não ser processada por atentado ao pudor.

"Além do mais", escrevi, "lembro-me bem das suas conversas e nunca exporia intencionalmente moça nenhuma a elas, muito menos minha própria filha. Você é a única culpada, Escribônia, pela desordem sórdida da sua vida, mas certamente não permitirei que você macule a minha filha. A propósito, já que estou escrevendo para você, vou aproveitar a ocasião, que provavelmente não se repetirá, para salientar que os tempos e os costumes estão mudando. Aconselho-a a ser mais discreta em sua devassidão...".

— Que mulher horrorosa esta Escribônia — disse a Otávia quando contei a ela.

— É mesmo — ela disse. — Só espero que Júlia não tenha herdado as tendências da mãe...

— Júlia — respondi — pode ser travessa e leviana, mas tem bom coração.

Naquele outono eu visitei a Gália. Levei Marcelo e Tibério comigo para que aprendessem algo sobre negócios de Estado. Estou cansado demais agora para escrever detalhadamente sobre a minha administração e sobre a minha eterna tarefa de manter a ordem em todo o vasto império... Como todo trabalho político, não termina nunca.

— O trabalho do governo — eu dizia aos rapazes —, é servir à nação. Prestem atenção aos detalhes. Esqueçam-se de si mesmos. A única satisfação é o próprio trabalho. A única recompensa verdadeira é a possibilidade de continuar trabalhando. É nosso dever levar lei e civilização aos bárbaros. Os verdadeiros heróis do nosso Império são os incontáveis administradores sempre ignorados pela História. Lembrem-se de que a sua eficiência depende da eficiência dos seus subordinados, porque muita coisa tem de ser necessariamente delegada a eles. Portanto, escolham seus auxiliares com cuidado.

Quando falávamos destes assuntos, Tibério ficava calado. No começo eu achava que a razão era tédio ou indiferença. Marcelo, por outro lado, tinha muitas perguntas e sugestões.

Numa noite, na Gália, ele perguntou:

— César invadiu a ilha britânica, não foi?

— Você sabe que sim. Você leu suas memórias, não leu?

— Não muita coisa, para dizer a verdade, titico, ele é uma praga de um escritor chatíssimo.

Tibério, que estava mordiscando um rabanete, disse:

— É muito lúcido — disse —, e as descrições de batalhas parecem bem realistas. Exceto por uma coisa: ele sempre tem de ser o herói. Ele o era assim mesmo, senhor?

— É, mas...

Marcelo interrompeu antes que eu pudesse responder:

— Eu gosto da ideia desta ilha britânica. Tem pérolas, dizem, e os guerreiros se pintam de azul. Por que nós não continuamos o trabalho de César e conquistamos esta ilha?

— O que você acha, Tibério?

Tibério enrubesceu e começou a gaguejar:

— Não sei, senhor... às vezes acho que o nosso Império talvez já seja bastante grande... Não seria melhor consolidá-lo antes de pegar mais?

— Você parece mesmo uma velha... — disse Marcelo.

Acatei a prudência de Tibério e concordei com ele. Mas o meu coração estava com Marcelo. Os jovens devem ser ardentes como ele. Tibério, talvez porque eu não conseguisse disfarçar o meu favoritismo, ficou cada vez mais introvertido. Todavia eu também disse:

— César era um aventureiro. A conquista da ilha britânica seria inútil; vive coberta de neblina e tenho minhas dúvidas quanto ao valor das suas pérolas...

— Mas seria uma grande aventura, titico...

Carta da minha irmã Otávia:

É curioso, meu irmão, que agora pareça mais fácil para nós nos comunicarmos por escrito, quando estamos longe um do outro, do que quando nos encontramos. Acho que sei por quê. A sombra de Marco Antônio nos separa. Você não pode me ver sem se lembrar dele e do mal que me fez me obrigando a me casar com ele. Na verdade, não lamento inteiramente este casamento. Afinal de contas, é algo ter sido casada com um homem como Marco Antônio, apesar do lado depravado e patético que ele tinha, apesar de sua degradação. Além disso, tenho minhas filhas, as duas Antônias, que são o encanto e o consolo da minha vida agora que os filhos do meu primeiro casamento não moram mais comigo.

Chego assim ao assunto da sua carta, em que você sugere que Marcelo se case com sua filha Júlia. Minha primeira reação, devo dizer, foi: "Isto não dará certo..." Confesso que naturalmente a causa desta minha reação foi Lívia. Pensei: "Lívia ficará furiosa!". Não tenho a pretensão de, sendo uma simples mulher, entender exatamente que tipo de constituição você estabeleceu ou como espera que ela se desenvolva, é claro, mas é evidente até para mim que, casando-se com Júlia, Marcelo se tornará de certa forma seu herdeiro, o que Lívia com certeza gostaria que acontecesse com Tibério ou com seu filho caçula, Druso. Não quero que Marcelo seja a causa de um desentendimento entre você e a sua mulher. Está me entendendo?

E há outra questão. Para começar, Marcelo é jovem demais. Não quero dizer apenas cronologicamente, em atitudes também. Sinto dizer que culpo você em parte por isso, meu irmão, pois não há dúvida de que você o mimou, estragou-o. Ele nunca precisou lutar por nada. Você deu tudo para ele de mão beijada. Infelizmente, na realidade, isto não é bom para o caráter. Sei que você o fez com a melhor das intenções, porque você o ama e talvez também porque você sinta que, até certo ponto, moldando a minha vida, você o privou de um pai. E, é claro, você não tem um filho homem, apesar de que acho que você devia aceitar o fato e considerar Tibério e Druso seus filhos. Mas o que me preocupa é que a ideia de se casar com Júlia suba à linda, porém tonta, cabeça de Marcelo.

E, depois, como fica o meu genro, Agripa? (Ah, é ridículo ter um genro mais velho do que eu!) O que ele achará deste casamento? Não verá nisto uma possível ameaça à sua posição de braço direito de Augusto? Sei que eu me perco nestes assuntos, mas não consigo deixar de pensar assim.

Não estará você talvez se habituando a achar que pode manipular a vida das pessoas? Simplesmente para atingir seus próprios objetivos?

Espero que esteja tomando cuidado com a sua saúde... Você sabe como é frágil. Estou passando bem, apesar de algumas dores. Dê minhas lembranças carinhosas aos rapazes. Não deixe Marcelo caçoar de Tibério, como ele gosta de fazer. Você, com certeza, toma sempre o partido de Marcelo, porque você o ama e não ama Tibério. Mais uma razão para ficar ao lado de Tibério e procurar, procurar mesmo, não estragar Marcelo. Providencie para que ele às vezes tenha de fazer o que não quer. É bom para ele.

"Então, nem Otávia me compreende", pensei na época.

Carta de Lívia:

Acho que não aguento mais... Sugiro que você se divorcie de mim. Se as mulheres pudessem iniciar o processo de divórcio, eu o faria. Você gostaria disto? Nem um pouco, aposto. Mas somente uma ação como esta poderia atingir a sua arrogância.

Sempre que ficamos de bem você imagina que daquele momento em diante tudo está perdoado, e você pode recomeçar a fazer exatamente o que quer. Bem, desta vez você foi longe demais. Só porque deixei você fazer amor comigo de novo não quer dizer que mudei de opinião. Nem um pouco. Compreenda isto.

O que você propõe é ridículo e ofensivo. E você não me consultou. Você não está nem pensando no bem de Júlia, senão veria que Marcelo é o pior marido do mundo para ela. São duas crianças bobinhas, bonitinhas e irresponsáveis, devoradas — se você quiser a minha opinião, o que provavelmente não quer, mas vai ter — pelo egocentrismo. Que tipo de casamento seria este? Um desastre.

Mas não é só isto. Eles não são — nenhum de nós é — pessoas privadas. Seria de esperar que você, na sua posição, percebesse isto. Mas parece que não percebe... Eu sempre soube desde que nasci, é claro, naturalmente você não, mas assim mesmo acho que você devia ter aprendido. Mas a verdade é que para mim você frequentemente parece ser duas pessoas. De um lado, temos o político e, devo admitir, você atua bem neste papel, especialmente quando se dispõe a ouvir bons conselhos. Ainda me orgulho do que você fez por Roma. Mas agora você está pronto a destruir tudo simplesmente para agradar um rapazinho cabeça de vento (digo isto porque nunca vi nenhum sinal da inteligência que você afirma que ele tem — um humor sagaz e uma imaginação agradável, apesar de bem tola, sim, mas nenhuma profundidade de discernimento ou intelecto) e uma mocinha atrevida e mimada. Você não compreende que qualquer casamento na nossa família tem implicações políticas inescapáveis? Suponho que não... Não é possível que você esteja fascinado a ponto de ver Marcelo como um princeps. Além disso, o que você acha que Agripa diria? Sem falar nos meus primos Cláudios e todos os ex-cônsules que só estão esperando que você dê um passo em falso para proclamar sua grande causa de "liberdade" novamente. Você sabe o que eu penso de Agripa, ele é um emergente feio e mal-educado, mas ao menos é competente. É um soldado e um homem, não um rapazinho bobo...

Você realmente me deixa doente. Como já disse, divorcie-se de mim se quiser. Prefiro ser divorciada a engolir isto.

Você não quer o bem de Júlia, apesar de estar sempre a adulando e babando por ela. Se quisesse veria que ela precisa de um marido forte que possa controlá-la e fazê-la se comportar, não daquele rapazinho empavonado. Tibério seria capaz de lidar com ela, mas eu não desejo alguém como Júlia para nenhum dos meus filhos.

Suponho que você já tenha escrito para Otávia, e suponho que ela esteja fora de si de felicidade. Bem, ela verá. Não aceitarei isto. Juro.

É uma pena que a minha primeira carta e as minhas respostas tenham desaparecido. (Foram destruídas num incêndio em minha tenda, que eu me lembre...) Eu me pergunto se foi a proposta em si ou a minha maneira de apresentá-la que provocou tamanha cólera... E o que eu poderia ter dito em minha resposta a Lívia para motivar a carta seguinte?

Então você se recusa a se divorciar de mim. Típico.

Você ignora os meus conselhos. Não se dá nem ao trabalho de me consultar antes, simplesmente escreve dizendo quais são as suas intenções.

Realmente a sua noção de casamento é muito estranha... Deixe-me dizer-lhe, com paciência e calma, o que é o casamento para mim... Visto que você resolveu ignorar o meu desejo de me divorciar, você faria bem de ouvir. Caso contrário, eu darei um jeito de me separar de você e dar um fim a esta comédia.

Somos romanos, não orientais escorregadios e revoltantes. Uma esposa e mãe sempre teve uma influência importante, respeitada e reconhecida na família. Legalmente o marido é soberano, e, portanto, eu não posso obrigá-lo a seguir o meu conselho. Contudo, segundo a nossa tradição, a esposa tem muita influência nos negócios familiares. O casamento é uma parceria de iguais e, apesar de ser, é claro, mais bem-nascida do que você, eu nunca tive a pretensão de ser mais do que sua igual. Compreenda isto.

Não quero nada de extraordinário, apenas o que me é devido: que você peça meu conselho, reflita sobre ele e, quando for um bom conselho (como ouso dizer que geralmente será, você vai ver), que você não deixe de segui-lo por orgulho. É assim que eu me comporto com você.

Eu nunca decidiria algo importante sem tê-lo consultado primeiro. Nunca menti para você nem procurei enganá-lo. E devia ser assim entre marido e mulher. Mas cheguei à triste conclusão de que não é assim com você. Você prefere ser fechado e ter segredos guardados dentro do peito à espera de que os seus planos amadureçam, e então fazê-los pularem de repente diante de mim como se tivessem ultrapassado a fase de discussões e argumentos. Você pede sempre que eu aceite as suas propostas como se já fossem fatos consumados. Bem, sua mania de segredos e de falsidade me dá asco. E me magoa também. É como um espinheiro crescendo em volta do meu coração ou como a hera venenosa que se agarra à alvenaria e a destrói traiçoeiramente. Não posso viver sem sinceridade e franqueza, e você não sabe ser sincero nem franco. Você diz que me ama, ah, e com tanta facilidade, mas como não confia em mim, não posso dar valor ao amor que você declara. Na verdade, quanto mais sua conduta contradiz suas palavras, menos eu gosto de você e mais o desprezo.

Pronto. Você está me entendendo? Eu lhe digo, você zomba do casamento. Agora vou voltar especificamente a este absurdo e perigoso casamento que você propõe. Eu já lhe disse, você fica apatetado diante de Marcelo e lhe dá mais valor do que ele merece. Você verá que todos concordam comigo. Sei que você pensa que tenho ciúme dele, mas trata-se de sua própria culpa tentando se desculpar. Eu o julgo imparcialmente, e a maioria dos que o conhecem o julgam como eu. Você está fascinado por ele, e o seu discernimento, que é sólido e agudo quando as suas emoções não estão em jogo, não consegue enxergar o caráter leviano e caprichoso do rapaz. Além do mais, você o elogia o tempo todo e dessa forma o prejudica. Vou mais longe: porque você o ama como um jovem, você torna ainda mais difícil para ele se tornar um homem.

Pronto. Entendeu?

Em segundo lugar, este seu fascínio está fazendo você de bobo. Há muitas fofocas indecentes sobre sua relação com Marcelo, como havia sobre você e Júlio César. Desta vez, é claro, o seu papel é o oposto do que era, mas ser o sedutor (como você é considerado) não é melhor do que ser o seduzido. Poucas pessoas, nesta época degenerada, pensam mal de um homem que tenha uma moral grega e goste de rapazes, mas ninguém pensa bem dele. Você protesta, dizendo que o seu amor por Marcelo é puro. Eu não sei; não tenho razão para acreditar em você, mas pode até ser que seja. Acontece que ele não parece puro, e muito poucas pessoas, se é que elas existem, acreditam que seja. Fiquei sabendo que histórias a respeito da sua paixão são piadas apreciadas em festas e jantares. Você não vê que está se tornando ridículo? Você não vê que, seja qual for a verdadeira natureza da relação, ela tem sido íntima demais, exclusiva demais para fazer bem a você, a Marcelo, ou à sua reputação? Não adianta dizer que o fato de você providenciar o casamento do rapaz com a sua filha acabará com as calúnias. Na verdade, você estará estimulando calúnias ainda mais vis!

Pronto. Entendeu?

Em terceiro lugar, o seu favoritismo por Marcelo, para não dizer pior, faz você ser injusto com Tibério e com Druso também, por extensão.

Quando você se casou comigo, responsabilizou-se pelos meus filhos, mas nunca os adotou como poderia ter feito. E você não é injusto com Tibério apenas nesta preferência óbvia que tem pelo seu sobrinho; você é injusto com o seu enteado de um modo geral, subestimando-o sempre. Admito que Marcelo tem um encanto que falta a Tibério. Porém, um homem com a sua experiência não deveria sucumbir assim aos encantos de alguém. Se você prestar atenção a Marcelo e a Tibério, verá que o meu filho tem todas as qualidades importantes para este mundo e que o seu sobrinho bonitinho não tem. Estas qualidades são: inteligência, coragem, diligência, honestidade, comportamento ordeiro, equilíbrio e perspicácia. Marcelo exagera, Tibério não. Marcelo desiste quando as coisas ficam difíceis, Tibério persevera; Marcelo é precipitado, Tibério é cauteloso; Marcelo é egocêntrico, Tibério tem um senso do dever que o incita a esquecer de si mesmo. Como posso deixar de acreditar que você está cego de amor quando o vejo ignorar o verdadeiro caráter dos dois rapazes e dar valor ao que é fútil em lugar do que é sólido?

Tenho uma confissão a fazer: fui injusta com Otávia. Pensei que ela tivesse sido conivente com a sua proposta e estava certa de que a aprovaria. Mas ela não aprova. Quando veio me ver ontem, eu estava zangada e preparada para usar argumentos contra o casamento. Imagine a minha surpresa quando ela disse claramente que esperava que eu pudesse parar com isto. Disse que tinha escrito para você dizendo a mesma coisa, e eu a admirei por isso. As razões dela são naturalmente um pouco diferentes das minhas, ou melhor, são classificadas de maneira diferente, pois descobrimos conversando que em geral estamos plenamente de acordo. É claro que ela fala como mãe; e faz muito bem de ter como prioridade o seu dever de mãe; e ela tem certeza de que, como me disse, Marcelo e Júlia são incompatíveis, exatamente porque se parecem demais um com o outro. O casamento seria nocivo para ambos porque incentivaria todas as suas fraquezas.

Sei que você acha que eu sou injusta com Júlia, e talvez sua atitude com Tibério seja uma consequência disto. Mas não sou injusta. Julgo-a imparcialmente. É verdade que os nossos temperamentos não se afinam, mas eu sempre procurei cumprir o meu dever para com ela. Reconheço e estou pronta a admirar sua beleza, seu encanto e seu humor, mas deploro e tenho tentado corrigir seu egoísmo e seu caráter leviano. Você tem atrapalhado e solapado os meus esforços, não querendo nunca reconhecer que o que eu faço é para o bem dela.

Você sempre acha que sabe mais, claro, porém mesmo você certamente precisa parar para repensar as coisas quando percebe que sua irmã e sua mulher estão unidas na oposição.

Espero que você não tenha falado com Marcelo sobre o casamento e peço que não escreva para Júlia. Mas eles provavelmente não sabem de nada. Seria bem do seu estilo dar-lhes de presente um casamento como se fosse um passe de mágica. Aliás, não sei se a sua preciosa Júlia ficaria deliciada com o seu plano... Ela não gostaria de ter, imagino, um marido como Marcelo, capaz de chamar mais atenção do que ela.

Mas, se você for sensato, não vamos pôr isto à prova.

Você diz que nunca poderia pensar em se divorciar de mim. Muito bem, então eu tenho de me conformar. Mas estou lhe avisando, se você quiser que eu continue me portando como sua mulher quando você voltar para Roma, terá de me tratar como sua mulher, a parceira que você declara amar, e não como um político rival de quem você esconde tudo até a hora final, na esperança de se mostrar mais esperto do que ele. Caso contrário, eu não vou para a cama com você de novo, e você sabe muito bem que eu cumpro o que prometo. Uma coisa eu tenho de dizer a seu favor: você não é o tipo de homem que força uma mulher a fazer amor contra a sua vontade...

Mas era exatamente o que Agripa recomendara que eu fizesse. Planco também tinha tido o descaramento de me dizer depois do jantar numa noite quando ele já estava bem bêbado e, portanto, incapaz de avaliar o seu próprio descaramento:

— Ouvi dizer, César, que Lívia anda se dando ares, como as mulheres às vezes fazem... Ora, se quiser ajuda, você sabe que estou disposto a fornecer-lhe as mulheres mais desejáveis; eu ainda tenho contatos com os frígios, e você deve saber como as moças frígias são lindas e lascivas, mas se você quiser o conselho de um velho guerreiro, um guerreiro que triunfou nas arenas de Vênus, você não deve tolerar esse absurdo. As mulheres nos devem seus corpos como pagamento pela proteção e conforto que lhes proporcionamos. Todo mundo sabe disso e os nossos ancestrais agiam de acordo.

Deixei passar, claro; os insultos dos bêbados não merecem atenção.

Minha querida Lívia tinha ataques de raiva por qualquer coisa. Minha primeira reação foi escrever-lhe e dizer-lhe para deixar de ser histérica. Mas pensei melhor e, que eu me lembre, respondi num tom pacificador. Não mudei de ideia: Marcelo se casaria com Júlia.

Como, o leitor deve estar se perguntando, consegui isso? É difícil dar uma resposta exata e satisfatória. Não mencionei a questão durante alguns meses, sem chegar a dizer a Lívia ou à minha irmã que tinha desistido. Então, da Espanha, para onde tínhamos ido para reprimir uma revolta trabalhosa das tribos das montanhas, escrevi para Lívia elogiando a evolução de Tibério.

"Tenho certeza", lembro-me de ter mencionado, "de que ele prestará grandes serviços a Roma. Demonstra uma vontade de dominar a fundo todos os detalhes, o que é muito louvável, e fico feliz de lhe dizer que o exemplo admirável que ele dá tem feito Marcelo, envergonhado, dar mais atenção a coisas que são importantes mas não eram atraentes para ele".

Depois, algumas semanas mais tarde, elogiei Tibério novamente e, na mesma carta, introduzi uma referência casual à possibilidade de Marcelo se casar com Júlia.

"Naturalmente", acrescentei, "diante de sua opinião a respeito, eu nem pensaria em dar andamento à questão antes de termos discutido tudo calmamente. Espero que você possa aceitar esta aliança por minha causa, mas não estou disposto a ferir a harmonia familiar levando adiante quaisquer medidas contra os seus desejos".

Isto me bastava. Tinha plantado a semente. Era obstinada como eu e cresceria. Entrementes, o que eu dissera era verdade. Marcelo estava realmente amadurecendo. O jovem que voltaria para Roma não era mais aquele rapazinho às vezes tonto e descuidado. Por uma questão de tato, atribuí a mudança à influência de Tibério, mas era um absurdo, claro. Fui eu mesmo que moldei Marcelo e lhe ensinei que nada que valha a pena neste mundo pode ser obtido sem dedicação.

Aquele ano na Espanha teve seus momentos amargos. A integridade do Império dependia da sua estabilidade financeira (isto é o tipo de fato objetivo que os antigos republicanos, que exploravam as províncias, não se dignavam a reconhecer). Passei grande parte do meu tempo na Gália aperfeiçoando o sistema de coleta de impostos; na Espanha eu estava ocupado, defendendo as minas de prata. Minha expedição contra os salassos alpinos teve como objetivo controlar a produção de ouro das suas montanhas. Mas a chave para a saúde financeira do império estava no Egito, terra de recursos ilimitados. Consciente da sua importância, eu tinha colocado o Egito sob a minha jurisdição e nomeado um velho amigo, Cornélio Galo, como governador. Tinha todas as razões do mundo para confiar nele, um homem de rara inteligência, que lutara a meu lado durante muitos anos e que eu sempre considerara habilidoso e digno de confiança. Também era amigo de Virgílio, e para mim não havia melhor recomendação.

Todavia, não se pode nunca ter certeza de como os homens reagirão diante de novas situações. Perto de mim, a prudência de Galo controlava a sua fértil imaginação. Com um comando que lhe pareceu oferecer mais independência do que era o caso, houve uma inversão, e a sua imaginação passou a dominar. Talvez esta interpretação não seja correta. Pode ser que a natureza tenha se afirmado, e que o verdadeiro Galo tenha surgido, libertado, na sua opinião com certeza, da prisão da dependência. Começou a se portar como um procônsul da antiga República, iniciando uma guerra contra os sabinos. Escreveu-me uma carta entusiasmada (depois de ter iniciado a sua campanha), dizendo que voltaria com um grande tesouro em pedras preciosas, ouro e especiarias do remoto coração da Arábia. Seus homens sofreram a agonia da sede em uma longa marcha pelo deserto, e ele teve sorte de poder tirá-los de lá sem que acontecesse uma desgraça; sem tesouros também. Escrevi para ele insistindo para que fosse mais prudente. Não deu atenção à minha carta, pois, sem mesmo tê-la respondido, foi para o Sul em direção à Etiópia, anunciando que exploraria as nascentes do Nilo. Agripa escreveu afirmando que Galo tinha ficado louco, e um senador — não me lembro quem — apresentou uma acusação formal contra ele. Fiquei alarmado e o demiti, proibindo-o, porém, para sua própria segurança — que eu não podia garantir contra a ira do Senado —, de voltar à Itália... O Senado, na minha ausência, proclamou seu desterro e confiscou seus bens. Galo, sabendo disto e sem esperar pela minha reação, suicidou-se. Eu não desejava que ele tivesse tal fim. Como poderia desejar? Apesar de tudo o que fez, ele não perdera o meu afeto. Chorei quando recebi a notícia; seria eu o único homem cuja desaprovação causava morte? O que não era capaz de impor um limite às consequências de sua decepção com os amigos?

Galo havia erguido estátuas em sua própria honra e providenciado para que inscrições pretensiosas fossem gravadas nas pirâmides do Egito. Numa coluna muito alta, registrara que tinha ido com o seu exército além das cataratas do Nilo, aonde nenhum romano e nenhum rei do Egito jamais fora. Não mencionara a inutilidade e os custos desta expedição. A maldita corrupção do Egito, que distorcia a realidade, talvez tivesse roubado sua sanidade. A partir de então resolvi que aquele país horroroso, mas necessário, deveria ficar subordinado diretamente a mim.

Talvez tenha sido a minha dor evidente por causa de Galo que comoveu o coração de Lívia. Seja como for, de repente, para a minha alegria, ela deixou de se opor ao casamento de Marcelo e Júlia. Foi o que me pareceu na época. Havia, ai de mim, razões mais sinistras.

Como é repleta de ilusões a nossa jornada sobre a terra. É como se caminhássemos por uma trilha cortada no meio de uma floresta sombria. Porque permanecemos na trilha e conseguimos avançar, temos a impressão de que controlamos o nosso destino. Mas a floresta em volta de nós continua sendo desconhecida e hostil, e ignoramos os perigos que espreitam a pouca distância da trilha.

FIQUEI DOENTE, NA ESPANHA, NA PRIMAVERA DE 24 COM UMA FEBRE QUE não passava. Tive de transmitir o comando a meus tenentes Caio Antístio Veto e Públio Carísio, homens competentes que, seguindo o meu plano de campanha, subjugaram as tribos rebeldes. Portanto, ordenei que as portas do Templo de Jano fossem fechadas para mostrar à cidade o que eu tinha conseguido para Roma e para persuadir os meus inimigos de que as bênçãos da paz são sem igual. Enquanto isto, tratei-me com as águas dos Pireneus e comecei a escrever um fragmento de autobiografia dedicado a Agripa e a Mecenas. Não foi muito longe, mas eu me servi dele mais tarde quando escrevi aquele livro para informação e, assim esperava, prazer dos meus filhos, Caio e Lúcio.

Até escrever os nomes deles me dói. Como conseguirei lidar sem a vida deles? Talvez seja melhor abandonar estes derradeiros murmúrios deste lado do túmulo. Contudo, meu dever para com os deuses, Lívia, a sombra de Virgílio e finalmente minha própria reputação, obrigam-me a perseverar.

Acabou de chegar uma carta de Tibério garantindo que está tudo calmo no Reno. A velhice seria insuportável sem ele. Se ele morresse, em quem eu poderia confiar?

Confiar... esta palavra me oprime. Ouço gritos de corujas caçando no Aventino; o mal cheiro do rio chega até as minhas narinas. Os escravos, vendo como estou cinzento e azedo, andam nas pontas dos pés pelo palácio, com seus rostos pálidos de medo — como se eu fosse capaz de fazê-los pagar pela minha infelicidade e pelo meu desgosto. Viver para isto! Ah, pode ser que tudo esteja calmo no Reno, tenho certeza de que está, Tibério não mentiria para me consolar, apesar de eu saber perfeitamente como é difícil para mim hoje em dia encontrar consolo em qualquer coisa... Ah, Varo, devolva as minhas legiões! Mandei procurar a menininha gaulesa que correu ao lado do pai. Vou confiá-la, e também sua mãe, se estiver viva, à Lívia.

O fato de que os deuses me abandonaram será uma espécie de julgamento na velhice? Vivi sessenta anos como o favorito do Destino, para ter um destino cruel em meus últimos anos.

Confiança... a vida é vazia sem ela; confiança na família, confiança nos amigos, confiança na própria integridade e na integridade dos outros... confiança no reconhecimento da própria benevolência. Tal confiança é uma piada; zomba de quem confia e daquilo em que confia. Nega o apetite voraz dos homens.

Voltei para Roma, cansado e ainda febril — uma viagem horrível —, no outono daquele ano. Escolhi Terêncio Varrão Murena para ser cônsul comigo. Sua irmã, Terência, era mulher de Mecenas, e ele mesmo tinha se saído bem como comandante das legiões que eu mandara contra os salassos. Mas será que eu o teria tornado cônsul se Terência não tivesse me pedido para fazê-lo? Ela tinha olhos castanhos úmidos e cabelos da cor do fruto da faia, e quando fui visitar Mecenas, ela estava desesperada. Apesar de mal nos conhecermos, contou-me como estava infeliz. Não conhecia os gostos do marido quando o casamento fora combinado; durante o primeiro ano se recusara a acreditar que fosse realmente indiferente às mulheres. Contou-me isto com os olhos marejados de lágrimas. Encostou-se num divã e olhou para mim, o peito arfando. Sua túnica tinha um corte do lado direito, e ela deixou que se abrisse e revelasse as linhas arredondadas de uma coxa deliciosa. Tudo nas suas atitudes gritava para mim:

— Venha me violentar, você não está vendo que morrerei de frustração se você não vier?

Dei-lhe um sorriso, e ela atravessou o cômodo, sentou-se no meu colo e enfiou sua língua na minha boca. Era morena, quente, ávida e sem complicações. Senti como é cruel o que exigimos das mulheres e fui delicado com ela. Quando tudo terminou — e, como ela estava faminta, nosso primeiro contato sexual foi breve, porém intenso —, ela soluçou de alívio.

— Não adianta — eu disse — esperar que Mecenas... Você tem de aceitar o fato de que ele é Mecenas.

— Esses sórdidos gaulesinhos louros… — ela disse.

Beijei o beicinho que ela estava fazendo e lambi as lágrimas do seu rosto. Aquele dia me senti bem como em nenhum outro dia daquele ano, e apesar de termos feito amor outras vezes, nunca foi a mesma coisa. Nosso caso durou pouco. Não me senti culpado em relação a Mecenas. Mais tarde a pobre moça "se perdeu", como se diz. Ela e Mecenas ficaram amigos depois que eu a deixei, ele a apresentou a seus outros amigos no teatro, e ela se ligou a um dançarino grego chamado Nikolides, cujo comportamento imoral era notório. Sinto dizer que, com os anos, o seu comportamento lhe deu a mesma notoriedade. Lívia e o seu círculo de amigos falavam dela com repugnância; diziam que tinha praticamente se tornado uma prostituta. Ela começou a beber muito e morreu uns dois anos antes de Mecenas. A esta altura tinha perdido sua beleza, coitadinha. Eu recebia todo tipo de informações horrorosas sobre ela dos meus agentes, e ela sem dúvida poderia ter sido processada por imoralidade. Eu me recusei a fazer isto, e nem Lívia ousou insistir comigo para que o fizesse, porque ela temia que eu considerasse uma sugestão destas um ataque a Mecenas. A minha razão não era esta, claro; não tinha nada a ver com Mecenas. Eu tinha pena da pobre moça, porque eu sabia que ser casada com Mecenas teria transtornado qualquer mulher. Apenas uma vez eu cheguei a censurá-la. Foi quando me informaram de que ela havia se gabado de ter tido um caso comigo. Eu não podia permitir isso. Ela chorou de novo e respondeu que não estava se vingando, estava vingando o irmão. Isto era ridículo, como eu lhe disse asperamente. Nunca mais ficamos juntos a sós. Uma história triste… Nunca esqueci seu riso moreno.

Uma vez perguntei a Horácio por que ele escrevia poesia.

— As razões são tantas — ele disse. — A mais simples é que tenho de escrever poesias. Mas há uma razão que me atrai. Escrevo poesias para preservar o que de outra forma se perderia ou cairia em decadência.

Quando penso na morena Terência compreendo o que ele quis dizer…

O IRMÃO DELA ME TRAIU.

A crise surgiu do nada. O procônsul da Macedônia, Marco Primo, sofria, como o meu pobre Galo, da ilusão que às vezes aflige os que não estão acostumados a ter autoridade quando esta lhes é imprudentemente outorgada. (Mas é impossível saber se um homem tem condições para exercer autoridade antes de deixar que a exerça.) Ele não compreendeu que os dias da República anárquica — quando os governadores das províncias eram sujeitos a um controle tão insignificante que frequentemente começavam guerras sem a aprovação do Senado — tinham acabado. Lançou um ataque contra o Reino da Trácia, o que me aborreceu por dois motivos: porque ele tinha agido sem me consultar e também porque eu não desejava envolver a República numa guerra naquela fronteira; aliás, sua iniciativa perturbara delicadas discussões diplomáticas em curso. E naturalmente praticara uma afronta contra o Senado. Primo foi acusado de traição. Teve o descaramento de alegar que estava agindo de acordo com as minhas instruções. Fui testemunha em seu julgamento para negar isso e o tolo presunçoso foi condenado à morte.

Neste momento, meu colega e cônsul, irmão de Terência, protestou. Ele me disse que Primo era amigo dele e que estava muito ofendido por eu ter permitido o julgamento. Além disso, Primo não cometera nenhum crime. Estava empenhado em conquistar mais glória para o povo romano.

— Nós não podemos permitir — eu disse — essas iniciativas privadas. Foi isto que, na geração passada, causou a decadência da República.

Ele enrubesceu, como se tivesse bebido muito vinho, e deu um murro na mesa.

— Você fala em restaurar a República, César, mas é só conversa-fiada. Estou vendo isto. Você me investiu deste posto consular vão, como se representasse a autoridade da República, mas apesar de os dois cônsules serem iguais em *status* segundo todas as tradições de Roma, estou vendo que sou apenas um número, inútil! Um general romano procura glória e conquistas, e você o declara um traidor…

— O Senado o declarou um traidor…

— Mais conversa-fiada. O Senado não ousaria acusar um rato de roubo sem a sua aprovação…

— Escute… — eu disse, mas ele estava surdo para qualquer argumento.

— O que você chama de autoridade, eu chamo de tirania! — gritou, e virando as costas saiu do cômodo. Saiu com a cabeça rígida e levantada demais, como um ator querendo transmitir dignidade ofendida. Eu naturalmente fiquei preocupado. Perguntei a Mecenas o que ele sabia a respeito do seu cunhado.

— Menos, meu amigo, do que você sabe sobre a minha mulher... — disse.

— Ele pode vir a ser perigoso?

Mecenas sorriu:

— Eu pensava, meu querido, que você não fosse capaz de tamanha ingenuidade. Digna do comediante que você chama de pai. Pense no pessoal que o assassinou, benzinho. Aposto que ele nem se deu ao trabalho de fazer esta pergunta a respeito deles, pois ele desprezava homens como Casca e Décimo Bruto. E, no entanto, eles juntos eram perigosos o bastante para furá-lo. Todos os homens são perigosos, e os fracos e estúpidos são os mais perigosos de todos. O meu cunhado é um homem de opinião...

— De opinião?

— Gosta de substantivos abstratos.

— Como liberdade.

— A favorita dele. Você diz "liberdade" e o boboca tem um orgasmo na hora...

Chamei Timóteo, o rapaz grego que tinha sido útil no caso do testamento de Marco Antônio guardado no Templo de Vesta. Agora ele já era um homem, é claro, mas continuava o mesmo hermafrodita cacheado e perfumado, com os mesmos trejeitos sedutores e pestanas palpitantes. No entanto, eu tinha aprendido a respeitá-lo, porque ele me fora extremamente útil várias vezes. Aliás, ele havia chegado a uma posição de confiança entre os meus funcionários. Não me orgulho do uso que eu estava acostumado a fazer de homens como Timóteo (tinha uns vinte a meu serviço), mas também não me envergonho... Naturalmente, nos velhos tempos da República, não havia espiões nem agentes secretos, e quando havia eram empregados apenas para colher informações sobre os inimigos estrangeiros de Roma. Mas há mais de cem anos que homens poderosos consideram necessário manter um serviço de inteligência; e na minha posição como *princeps* eu não podia deixar de ter um. Eu sabia muito bem que muitos que pareciam satisfeitos com a República que eu tinha restaurado nutriam descontentamentos. Alguns por razões de família; outros porque ambicionavam o poder; outros porque tinham inveja do que eu realizara. Eu estaria faltando ao meu dever para com a República se não fizesse questão de vigiar os elementos subversivos no Estado. Portanto, disse a Timóteo que queria um relatório completo sobre o meu colega cônsul, junto com uma lista das suas relações e informações relativas a elas, o mais depressa possível.

— Isto será fácil, César... — ele disse. — Assim que foi anunciado que ele seria seu colega, introduzi um dos meus contatos na casa dele. Sinceramente, meu senhor...

— Eu já lhe disse, Timóteo, não quero que você me chame assim...

— Mas, César, eu não passo de um pobre ex-escravo grego... — ele disse com trejeitos. — Vejo-o como o meu senhor, pois devo minha alforria à nobre generosidade do seu caráter.

— Não faça isto, fico ofendido.

— Então peço-lhe desculpas. Como eu estava dizendo, introduzi um dos meus contatos na casa dele. Espero que não se importe por eu tomar a iniciativa nestas questões. Vou mandar dizer a ele que quero um relatório imediatamente...

— Cuidado, Timóteo. Eu não posso de maneira alguma ser associado a esta investigação.

— Confie em mim quanto a isso. Serei tão silencioso e cauteloso quanto um camundongo.

Eu estava preocupado. Minha saúde continuava ruim e tiveram de me fazer várias sangrias naquele outono. Em meu estado inquieto, eu ficava à mercê do pânico. Parecia que a estabilidade que eu quisera para Roma ainda não fora alcançada. Lívia me disse:

— Tenha cuidado. Estão sussurrando por aí, meu marido, e, quando sussurram, os punhais brilham à luz das lamparinas.

Este comentário me deixou atônito; Lívia nunca usava linguagem melodramática.

Eu meditava na morte enquanto aguardava o relatório que Timóteo estava preparando. Júlia veio se queixar do seu marido.

— Ele é tão convencido e mostra claramente que não tem tempo para mim.

Implorei-lhe que fosse paciente e que cumprisse com o seu dever. Eu havia criado uma lei que permitiria que Marcelo fosse eleito edil naquele ano e que se candidatasse a cônsul (e seria, é claro, eleito) dez anos antes da idade legal. Para apaziguar Lívia, providenciei para que Tibério e Druso também fossem elegíveis cinco anos antes da idade certa. Lívia não ficou muito satisfeita, mas como Marcelo era meu herdeiro, eu não podia permitir que eles se sentissem equiparados a ele. Isto certamente provocaria discórdias.

Mecenas me contou que Agripa estava irritado com a promoção de Marcelo.

— Ele acha que o rapaz usurpará sua posição no Estado — avisou.

Falei com Agripa a respeito, afirmando que ele era e seria sempre o meu companheiro mais íntimo.

— Mas Marcelo é marido da minha filha — eu disse. — Você tem de convir que é natural eu querer promovê-lo. Além disso, ele também é seu cunhado.

— É — ele disse — e o seu colega cônsul tem o mesmo parentesco com Mecenas...

As relações entre Agripa e Mecenas tinham deteriorado. Nós três havíamos vivido juntos a grande aventura da nossa mocidade, mas a recordação não era bastante forte para torná-los capazes de superar sua crescente desconfiança mútua. O caráter de cada um deles enrijecera com o tempo, e cada um achava o outro antipático. Não era a menor das aflições daquele ano difícil.

RELATÓRIO DE TIMÓTEO, AGENTE DO ESCRITÓRIO PRIVADO: PARA CÉSAR Augusto, confidencial.

O cônsul Terêncio Varrão Murena: o cônsul é meticuloso no exercício das suas funções oficiais. Nunca se ouviu uma palavra sua em público que demonstrasse deslealdade. Ele tem pouco contato com sua irmã, Terência, e, que se saiba, nunca jantou na casa do seu cunhado Mecenas. O fato de que ele passou uma semana em agosto do ano passado na casa de Mecenas, perto de Cerveteri, pode ser significativo. Mas Mecenas não estava lá naquela ocasião, apesar de ter oferecido, na semana anterior à visita de Terêncio, e na subsequente, sacrifícios nos túmulos ancestrais da família, que se encontram nas vizinhanças.

De acordo com as instruções que recebi, infiltrei um agente na casa de Murena depois da minha conversa com o Princeps. Naturalmente, eu já havia feito a mesma coisa assim que Murena fora nomeado cônsul.

Infelizmente o meu primeiro agente teve um desentendimento com o mordomo do cônsul e foi demitido sob alegação de bebedeira e insubordinação. (Providenciei para que este primeiro agente fosse transferido para as galés, onde não há perigo de que ele revele as instruções que recebeu de mim.) Seu substituto foi um rapazinho grego, uma vez que fomos informados das preferências de Terêncio. É sabido que existe algum risco em se empregar este tipo de agente, se mais não for porque, conforme as circunstâncias, ele pode começar a sentir atração por seu sujeito/senhor nominal e ser tentado à traição ele mesmo. Neste caso, no entanto, foi decidido que o perigo era mínimo. A decisão foi baseada no caráter do agente. A infiltração foi bem-sucedida. O agente logo chamou a atenção do seu senhor, que o promoveu a copeiro dos banquetes privados. Apesar disto, tais banquetes parecem ter sido respeitáveis.

Não há razão para duvidar da informação do agente. Ele próprio se queixou, com visível ressentimento, da tepidez do interesse do sujeito que se limitava a acariciá-lo negligentemente...

— Que fossa de iniquidade... — disse Agripa. — Como é que você pode empregar este tipo de gente?

— Ora — respondi —, foi você mesmo que me apresentou Timóteo.

— Nem por isso ele é menos nojento...

— Deixe isto pra lá. Continue a ler. Você achará o que se segue mais interessante, mais do seu estilo e mais relevante.

— Malditos pervertidos. Eu mandaria todos para a fronteira do Reno.

— Duvido que isto nos protegesse contra os germânicos. Vamos, continue a ler e pare de resmungar.

O agente informa que estes festins eram exclusivamente masculinos e muito sérios. No começo ficou espantado com o teor das conversas. Infelizmente ele não foi competente o bastante para obter uma lista completa dos nomes dos que compareceram aos banquetes, dos quais ele participou de seis em apenas duas semanas. Ele e os outros serviçais eram sempre excluídos quando a parte principal da refeição terminava.

Três vezes ele esperou do outro lado da porta durante mais de três horas, do momento em que foi mandado embora da sala até a saída dos convidados.

Três homens, além do cônsul, estavam sempre presentes, de acordo com o relatório. Foram identificados como Fânio Cipião, Lúcio Primo e Quinto Emílio Escauro.

Comentários sobre os acima citados: Fânio Cipião é sobrinho de Cneu Fânio, que serviu com Sexto Pompeu na Sicília e o acompanhou à Ásia depois de sua derrota. Não existe nenhuma informação sobre como ele morreu e não se sabe nada sobre ele a partir da morte de Pompeu. Fânio Cipião foi criado pela mãe, cujo pai foi morto lutando ao lado de Cneu Cássio na batalha de Filipos. Há, portanto, dos dois lados da família, uma história de oposição. O jovem Fânio Cipião, que tem vinte e poucos anos, vem expressando desprezo pelos que aceitam cargos públicos "nesta República de agora". Não está dessa forma se portando como um traidor, ou pelo menos insultando o Senado e os magistrados?

Lúcio Primo é meio-irmão de Marco Primo, o procônsul da Macedônia recentemente condenado. Apesar de ser tido como um homem tímido, e até covarde, ele guarda rancor pela condenação do seu meio-irmão. Comenta o fato, dizendo que é prova de que Roma está sob um despotismo oriental.

Quinto Emílio Escauro é sobrinho do irmão de criação de Sexto Pompeu, Mamerco Emílio Escauro, que, apesar de ter sido prisioneiro na Batalha de Ácio, teve a vida poupada e os bens restituídos. Sabe-se que Quinto Emílio Escauro, também relacionado com o desonrado ex-triúnviro Marco Emílio Lépido, é muito endividado. Afirma que "somente com um posto de governador de província no velho estilo" poderia reaver a sua fortuna...

Agripa se levantou, parou de ler, e olhou para mim:

— Que bando de babacas — disse.

— São obviamente traidores. Serão perigosos? Esta é a questão.

Conclusão: está claro que os quatro em questão têm sondado seus muitos parentes, associados, conhecidos. Apesar de não haver ainda nenhuma evidência prima facie de conspiração, há motivos fortes para suspeita, o que justifica uma intervenção. Como medida alternativa, recomenda-se que alguns daqueles que só participaram de um banquete na casa do cônsul, e que possivelmente rejeitaram as propostas feitas a eles, sejam interrogados. Segue lista no Anexo 1.

— Uma turma que dá pena... — disse Agripa, olhando a lista. — Difícil achar um homem de peso entre eles. Nenhum Marco Bruto, sem dúvida.

O respeito de Agripa por Bruto sempre me irritava, mas deixei passar.

— O Anexo 2 está marcado "ultraconfidencial" — disse Agripa.

— Pode ler, se quiser — respondi. — Duvido que tenhamos de usá-lo. Contém sugestões para a fabricação de evidências. Como todos os agentes, Timóteo adora provocar o que lhe parece apenas dormente. Você não gosta dele; acontece que ele não apenas sente prazer com este jogo, como demonstra uma habilidade excepcional. Mas, como eu disse, acho que não será necessário... Um destes da lista dará com a língua nos dentes. É apenas uma questão de quem ele tentará incriminar.

— Então você não tem dúvida de que há uma conspiração?

— Ah, nenhuma dúvida. Não se pode ter, não é?

— Podia ser apenas uma conversa inconsequente de bêbado... Apenas isto. Detesto agir baseado em informações de dedos-duros como Timóteo.

— Infelizmente os dedos-duros são os que dão as informações mais importantes.

Agripa mordeu o lábio.

— Olhe — eu disse —, é coincidência demais. Porém, devemos agir com cautela. Foi por isso que pedi a Cneu Calpúrnio Pisão que viesse aqui. Ele deve estar chegando...

— Pisão? Por que ele?

— Vou precisar de um novo colega cônsul, não vou?

— Mas aquele animal?

A surpresa de Agripa não era de estranhar. Pisão era um velho inimigo. Um homem pesadão, moreno, de sobrancelhas espessas. Ele se aliara a Bruto e a Cássio antes de Filipos, onde lutara com bravura. Mais tarde também tinha se juntado a Sexto Pompeu, mas, com a derrota deste na Sicília, resignou-se pelo fato de que a causa que abraçara estava perdida, e se aposentou em suas terras no Lácio. Eu o tinha excluído do meu expurgo do Senado, porque admirava o seu caráter, mas ele recusara minhas propostas e se negara a voltar à vida pública. Sua autoestima era grande; a consciência da sua própria virtude era enorme. Em outras palavras, era um presunçoso e o homem de quem eu precisava.

Quando ele entrou, providenciei para que lhe servissem vinho. (Todos os Pisão bebiam muito, e a maioria era incapaz de falar racionalmente sem a "ajuda" de Baco.) Esvaziou sua taça imediatamente.

— De Falerno... — disse. — Meio ralo. O meu vinho é melhor.

Olhou para Agripa.

— O que ele está fazendo aqui? Pensei que fôssemos ter uma conversa particular...

— Vipsânio Agripa é o meu adjutório mais próximo — respondi, escolhendo uma palavra antiquada, pedante até, para descrevê-lo. — Não tenho segredos para ele, e ele faz parte da minha vida particular.

— Hum... — disse Pisão — Bem, ninguém pode dizer que conhecia o seu pai.

Este tipo de comentário ainda fazia Agripa reagir instintivamente. Coloquei minha mão na manga da sua túnica.

— Seus feitos pessoais dão-lhe a glória que nos outros é um mero reflexo dos seus ancestrais — eu disse.

— Hum... — Pisão disse novamente. — Gosto de conhecer os ancestrais dos homens com quem lido... Ora, César, você me arrastou até aqui justo quando o vinho novo está pronto para consumo? Espero que tenha tido um bom motivo. Qual é?

Fiz um sinal para Agripa, para que ele se sentasse. Sentei-me também.

— Não estou gostando disto... — Pisão resmungou. — Estou sentindo um cheiro de triunvirato no ar...

— Esse tempo passou... — eu disse. — Se ele voltasse, eu ficaria muito infeliz.

Pisão então bebeu. Era quase meio-dia, o sol estava quente para aquela época do ano e o silêncio nos envolvia. Eu disse:

— Você alguma vez se perguntou por que escapou do expurgo do Senado?

— Hum... — ele disse. — E se eu respondesse "claro que não"?

— Eu chegaria à conclusão de que fazia uma ideia errada da sua inteligência.

— Ah! — ele disse. Estes grunhidos e exclamações já estavam me irritando, mas naturalmente não deixei que percebesse. Esperei que ele continuasse, mas ficou calado, com o olhar fixo no vinho. Eu disse:

— Não foi nunca o meu desejo excluir homens honestos, como os que agem de acordo com seus princípios.

— Isto é bajulação, César. O que você quer de mim?

— Marco Primo... — eu disse.

— O que tem ele?

— Você acompanhou o caso, imagino... O que você achou?

— Que ele é um homem cujo discernimento é... falho. O tipo de homem que não sabe se adaptar às circunstâncias.

— Ótimo — eu disse. — Pelo jeito que você fala, parece que você se adaptaria como um homem de bom senso.

— Bajulação de novo.

— Pisão — disse eu —, somos velhos antagonistas, mas eu o respeito. Não lhe peço que diga aqui e agora o que acha de mim, porque não seria justo. Contudo, vou lhe fazer uma pergunta que não exige uma resposta imediata... Peço que você reflita sobre o estado de Roma, sobre a situação da República. Não são melhores agora do que quando éramos jovens, até mesmo do que quando os nossos pais eram jovens? Temos paz, justiça e o máximo de liberdade possível sem pôr em risco a estabilidade do Estado. Peço apenas que reflita sobre isto.

Pisão não disse nada. Era como se eu não tivesse falado. Ficou ali sentado, como se fosse surdo. Era possível, é claro, que ele estivesse ponderando tudo enquanto girava o vinho com o dedo dentro da taça.

Agripa se mexeu no seu assento.

— Aqui vai uma pergunta simples... — eu disse. — Se alguns dos seus antigos... aliados... sondassem você a respeito de um plano para derrubar a ordem atual, mesmo com a possibilidade de uma guerra civil, o que você diria?

Pisão se serviu de mais vinho.

— Hum... — disse —, que pergunta para se fazer aqui.

— Pois então... — disse Agripa —, você foi sondado?

— Não — eu disse —, não, Agripa, esta pergunta, não. Se ele tivesse sido sondado, nós não poderíamos esperar que o nosso convidado, como um homem honrado que é, respondesse à sua pergunta, porque de um lado ele tem uma reputação de honestidade merecida, e de outro um cavalheiro não trairia a confiança de um antigo conhecido.

Agripa se levantou e disse:

— Pisão pôs em dúvida a minha ascendência. Muito bem, ele não achará estranho que eu diga que esta conversa está indo de um jeito cavalheiresco demais para o meu gosto... Sabemos que existe uma conspiração... — Pisão se serviu de mais vinho; sua mão estava firme como uma legião em formação. — Você, Augusto, tem uma proposta para fazer a ele. Antes que a faça, acho que temos o direito de lhe pedir que responda à minha pergunta. Em outras palavras, para que você considere a pergunta mais aceitável, Pisão, qual é sua posição política?

Pisão fez cara feia. Depois, num tom de resmungo brutal, que não fazia justiça ao nobre ritmo dos versos, disse:

> — Felizes — felizes até demais, se tivessem consciência da própria
> felicidade — são os agricultores que recebem, longe dos clamores
> da guerra, uma subsistência fácil da terra justa e generosa. (...)

— Quando Sexto Pompeu se tornou um lobo voraz, senti verdadeira aversão por ele. Quando fugiu para a Ásia, eu me recusei a segui-lo. Resolvi então voltar às minhas terras ancestrais, e lá tenho vivido tranquilamente desde então. Evitei a vida pública porque, César, em relação ao que você realizou, sou por demais preso às tradições dos meus pais para encontrar um lugar em sua nova ordem. Na minha opinião, o homem que faz crescer dois grãos de trigo onde antes só crescia um, que cuida dos seus olivais e melhora sua colheita, que produz um vinho de melhor qualidade, e este seu vinho de Falerno é mesmo uma peste de ralo, merece mais respeito dos seres humanos do que advogados, políticos, oradores e toda a turma de intrigantes e declamadores de chavões que existem até mesmo em seu

Senado expurgado. Cultivo meus campos, cuido das minhas plantações e trato das minhas vinhas e dos meus olivais. Esta resposta lhe é satisfatória? E não sei por que me dou ao trabalho de respondê-la. Hum...

— Ela me satisfaz — eu disse. — Você fala como o homem que eu achava que era. Você me perguntou o que quero de você... Quero que você seja meu colega cônsul...

— Isto é um absurdo — ele disse. — Para começar, eu lhe disse qual é a minha posição. Sou um simples fazendeiro hoje em dia, nada mais. Se você quer ouvir outras verdades, ando desprezando todo o jogo político que considero uma baderna egoísta. Depois, você já tem um cônsul, e provavelmente uma fila de outros candidatos para os próximos anos, do jeito que as coisas são feitas hoje em dia, pelo que vejo...

— Eu disse a você — interferiu Agripa — que estamos perdendo tempo...

— Espere! — disse eu. — Você está certo, é claro. Tenho um colega. Infelizmente ele me decepcionou... Na verdade, ele está planejando um golpe de Estado. Por isso apelei a você.

— Isto é verdade? E mesmo que seja, por que eu?

— É verdade — disse Agripa. — Se Terêncio conseguir o que pretende, Roma voltará a ficar mergulhada na velha desordem de assassinatos, proscrições e guerras civis.

— Proscrição não é uma palavra que fique bem nos seus lábios, Vipsânio... — disse Pisão.

Chamei-o para perto de mim e fui com ele até o terraço, de onde podíamos ver a cidade.

— Veja — eu disse — como a vida de Roma é bem organizada, atarefada e pacífica. Ouça — disse, e comecei uma longa explicação.

Disse-lhe o que era importante para mim: paz, ordem, uma vida decente. Fiz com que ele se lembrasse de como eu restaurara a República. Ele franziu a testa e eu disse:

— É, Pisão, realmente restaurei a República. Pode não ser exatamente a República dos nossos pais, admito. Há menos liberdade, não nego... Nenhum Estado poderoso pode permitir total liberdade, porque ela, na realidade, ameaça destruir a verdadeira liberdade. Dá origem ao medo, à discórdia, à ambição descontrolada. Há vinte anos a República estava doente, com uma febre que muitos julgavam mortal. Com o auxílio dos deuses, recobrou sua saúde.

Ele continuou olhando a cidade lá embaixo com seu semblante carregado. Segurei-o pelo cotovelo.

— Ouça novamente... — disse eu — Estou apelando para o seu patriotismo. Sei que você não é ambicioso. Como Agripa disse, uma conspiração está sendo planejada. Para demonstrar minha confiança em você, direi que os chefes são homens há muito tempo associados a você ou relacionados com você. O próprio Terêncio, Escauro, Lúcio Primo e Fânio Cipião. Eles ou suas famílias aderiram a Sexto Pompeu, como você mesmo fez. Eu o procurei porque você me oferece a possibilidade de calar antigas animosidades. Existem muitos homens a quem eu poderia oferecer o posto de cônsul e que seriam igualmente dignos do cargo. Acontece que muitos deles são partidários de César... Meu objetivo tem sempre sido promover a reconciliação. Esses conspiradores são levianos e rancorosos. São homens sem critério. Todavia, em qualquer Estado existem descontentes... Eu nunca esmagaria uma oposição que se mantivesse dentro da legalidade. No Senado eu estimulo a livre expressão de opiniões, e se você fosse ao Senado, que você honraria com sua presença, e cujos debates se beneficiariam com as suas ideias, veria que lá a liberdade continua bem viva. Na semana passada mesmo, quando eu estava fazendo um discurso, alguém gritou: "Você fez bem em dizer este trecho depressa, senão até os que têm problemas de audição e os que têm problemas mentais veriam que isto não passa de um contrassenso". É assim que as pessoas falam com um tirano? Eu não nego o direito de todos a dizerem o que pensam. Mas, Pisão, não se pode tolerar que tramem assassinatos e insurreição.

— Hum... — ele respondeu.

— Fico satisfeito que você concorde. Portanto, simplesmente porque estes conspiradores são antigos correligionários de Pompeu, a melhor medida para a segurança de Roma é ter um nobre e respeitado correligionário de Pompeu como meu parceiro. Então Roma verá que Terêncio e os seus amigos não representam uma causa digna e que são apenas uma facção rancorosa. Você tem em seu poder, Pisão, a possibilidade de proteger Roma contra o recomeço da guerra civil que quase destruiu a República. Pois reflita bem sobre isto. Quando a espada de Marte sai da bainha, ninguém sabe qual será o desfecho.

Fiz uma pausa.

— O que você me diz?

— Hum... Eu precisaria de provas desta conspiração...

— Posso fornecê-las, é claro, mas primeiro eu poderia lhe fazer uma pergunta? Que motivo eu teria para fazer tal oferta a alguém que por tanto tempo considerei um inimigo honrado, se Roma e a República não o exigissem?

Ele fez "hum" e "ha!", hesitou, procrastinou, resmungou a respeito de antigas obrigações, concordou com um movimento de cabeça quando observei que a obrigação para com a República cancelava todas as outras, e naturalmente consentiu. Eu tinha certeza de que ele consentiria. O orgulho de Pisão era uma rocha. Homem nenhum com uma autoestima destas teria resistido.

Lívia aplaudiu minha escolha; ela sempre fica contente quando me associo a alguém da antiga aristocracia em meu trabalho. Apesar de tudo que tem visto, ela ainda acredita que o governo do Império deveria permanecer nas mãos de umas poucas famílias, mesmo sabendo muito bem como são degenerados muitos dos descendentes delas.

Acontece que desta vez ela tinha razão, e por mais que eu procure refrear minha autoadmiração, não poderia deixar de me alegrar com a minha perspicácia. O que Pisão resolveu chamar de minha nova ordem — uma expressão que se tornou popular — fortaleceu-se muito com a sua adesão. De importância mais imediata foi o fato de que a conspiração, quando revelada, foi vista exatamente como eu a descrevera a Pisão: o trabalho de uns poucos descontentes. Eles foram presos, interrogados e executados. A execução de um cônsul me causou tremores internos, mas quase não houve reação.

Paradoxalmente, isto me afligiu. A febre voltou. Na noite em que voltou, eu e Lívia jantamos sozinhos (eu mal conseguia comer). Lembro-me de que falei febrilmente. Disse-lhe que temia que os meus inimigos tivessem razão, que talvez eu houvesse realmente instaurado um despotismo sob o qual os homens receavam dizer o que pensavam a respeito de assuntos importantes.

— Deve ser isso — eu disse —, senão a execução de Terêncio Murena teria causado protestos!

— Você está dizendo bobagens — disse ela. — As pessoas sabiam o que tinha de ser feito.

— Catilina não era cônsul. O seu crime foi ainda mais descarado, porque sua conspiração avançou mais. E, no entanto, veja como Cícero sofreu por tê-lo eliminado...

— Cícero sofreu porque ele foi contra a lei. Ele executou cidadãos romanos sem julgamento e sem autorização do Senado. Você teve o cuidado de obter esta autorização. Os dois casos são completamente diferentes.

— Ah, Lívia — disse eu —, como estou cansado disso tudo... — atravessei o cômodo e me ajoelhei ao seu lado, deitando minha cabeça em seu colo.

Quase não me lembro das semanas que se seguiram. Minha febre aumentou loucamente. Meu corpo alternava entre arrepios e suores abundantes. Eu achava a comida repugnante e só aceitava um pouco de vinho, esfriado na neve, que eu tomava de uma esponja espremida entre meus lábios rachados. Mas pior do que as dores e o desconforto físico era a confusão mental. Eu vivia entre adormecido e acordado, e minha imaginação, tão febril quanto o meu corpo, provocava imagens horrendas, distorcidas e apavorantes. Não conseguia distinguir entre recordação e fantasia. Coisas que eu havia empurrado para as profundezas do meu espírito, expulsado da minha consciência, apareceram mais lúgubres do que as ações que imitavam, para me oprimir. Vi novamente Marco Antônio, como eu o conhecera na Espanha, entrar cambaleando em minha tenda, enlouquecido pelo vinho, enquanto eu lia algo deitado. Senti novamente o seu corpo fedido jogar-se contra o meu, senti seus dentes no meu pescoço, ouvi seus risos e seu grito de cólera porque eu o repelia, senti novamente, com um terror penetrante que havia ficado espreitando dentro de mim desde aquele dia e que o tempo jamais apagará, a degradação máxima, quando, usando de toda a sua força, ele me jogou contra uma mesa, onde fiquei curvado, e o suportei, imobilizado por ele (depois de ter batido violentamente a minha cabeça na madeira), enquanto ele me usava como bem queria. Talvez eu tenha desmaiado de dor e de humilhação. Não sei... Acordei quando ainda estava escuro e ouvi os gritos dos centuriões na troca da guarda, mas não podia me mexer, pois ainda estava preso em seu abraço bêbado. Então ele também acordou, deu um suspiro profundo, como o de alguém plenamente satisfeito, e encostou seu rosto no meu. Senti o cheiro do seu hálito de carne de porco e vinho azedo, ouvi suas palavras de carinho sussurradas em meu ouvido e senti seus dedos se movendo, e eu... mas até mesmo agora, sessenta anos depois, não tenho coragem de me lembrar do resto. Afligiu-me tanto tal recordação febril, que acordei gritando, mas nunca falei disto e ainda me pergunto como consegui escrever sobre o assunto... Porém a realidade daquela noite de horror e degradação nunca me abandonou. Nunca me senti limpo depois deste aviltamento. Não se repetiu, porque cuidei de me manter fora do seu alcance durante o resto do tempo em que passei na Espanha; e ele jamais mencionou o que acontecera, embora eu soubesse o que ele estava pensando, e o que poderia dizer, quando fazia aquelas piadas dizendo que eu fora o "garoto de César" (coisa que nunca fui). Por que ele se calava? Jamais entendi, pois me parecia que ele era um homem desprovido de vergonha.

Esta pergunta me ocorreu quando olhei para o seu cadáver na penumbra enfeitada do Egito.

Como, com esta recordação, pude fazer com que Otávia se casasse com Marco Antônio? O estranho é que isto não me perturbou na época do casamento deles. Seria minha ternura por Marcelo um ato de reparação? Acho que não...

Durante esta doença também fui assaltado por imagens dos horrores da guerra. Lembrei-me de uma batalha na Sicília, quando algumas das nossas tropas auxiliares foram rechaçadas e entraram em pânico. Tentaram fugir através das linhas das legiões, cujo comandante, consciente da facilidade com que o pânico poderia se espalhar e levar à debandada, ordenou aos legionários que não deixassem ninguém passar. Os infelizes — em sua maioria fundeeiros das Ilhas Baleares — se encontraram então presos entre dois inimigos resolutos. De repente, um deles começou a gritar num tom agudo e sinistro. Os outros, contagiados, imitaram-no; e o ar ficou cheio do barulho das espadas que se chocavam e desta gritaria sobrenatural. Nenhum dos auxiliares sobreviveu, apenas seus gritos ecoaram através dos anos.

Agora, em minha memória, eles se misturam com os gritos das legiões de Varo presas no miasma pútrido da floresta germânica, a floresta de Teutoburgo.

Numa tarde a febre baixou durante algumas horas. Apesar de as minhas mãos ainda tremerem, de o meu corpo tiritar de frio e eu ainda ver formas estranhas aparecerem e reaparecerem diante dos meus olhos, eu estava lúcido e sabia o que era fruto da minha imaginação. Contudo, minha lucidez era a lucidez do desespero. Eu tinha uma sensação de estar além de todas as coisas, que reconheci como uma premonição da morte... Bebi um pouco de vinho sabino e mandei chamar Lívia. Ela não foi encontrada... Disseram-me que ela estava no Templo de Vesta, oferecendo orações e sacrifícios pela minha vida. Mandei escravos buscarem-na e também mandei buscar meu parceiro, o cônsul Pisão, e Agripa. Os dois chegaram primeiro, e fiquei nervoso com a ausência de Lívia.

Levantei-me sobre um cotovelo, mas não consegui manter a posição, sentindo-me tão fraco quanto um gatinho recém-nascido.

— Pisão — disse, e ouvi minha voz fina, que parecia vir de muito longe. — Você está me vendo no fim, acho... Preparei, com a ajuda de Agripa, uma declaração detalhada da situação militar e financeira da República... Eu a confio a você como meu colega e peço que a entregue ao Senado. Este é o último dever que posso cumprir por Roma.

Ele não respondeu, esticou a mão para o documento que o meu secretário estava segurando e, sentando-se num banco numa alcova, começou a examiná-lo. Moscas zumbiam no silêncio da tarde; talvez eu tenha cochilado.

— Muito abrangente — disse por fim. — Bem, César, farei o que você me pede, mas vejo que você não fez nenhuma recomendação ao Senado sobre o futuro governo do império.

Eu mal conseguia fitá-lo; ele parecia flutuar diante de mim, no lusco-fusco.

— Como eu poderia fazer isto? — respondi. — O que adiantaria? Não sou nenhum rei para ter um sucessor.

— Muito bem — ele disse —, nisto você merece a gratidão de Roma. Adeus, César, temo que a acolhida lhe seja fria no reino das Sombras...

Quando tive certeza de que ele se fora, chamei Agripa para perto de mim e estendi minha mão esquerda para ele.

— Pegue o meu anel — disse, e senti quando ele o tirou do meu dedo. — Com este anel... — suspirei.

— Eu sei — ele disse —, não precisa falar. Posso comandar as legiões e os governadores das províncias. Carta-patente debaixo do sinete.

Segurou a minha mão...

— Você não vai morrer. — ele disse — Seu trabalho não está terminado. No entanto...

Lívia entrou. Mesmo com a minha visão nublada, vi que ela imediatamente percebeu o que se passava. Sabia que ela estava olhando fixamente para o meu anel. Ouvi quando inspirou fundo.

— Tome conta do anel, Agripa... — ela disse. — Meu marido se desespera com muita facilidade. Ele não vai morrer... Encontrei um novo médico...

Estava, contudo, aliviada de encontrar Agripa, e não Marcelo, ali, pois apesar de nunca ter dado o devido valor a Agripa, o que o seu preconceito de classe e de maneira de ser não permitia, ela confiava nele. "Um cão fiel", era a sua descrição dele, e dizendo isto achava que tinha classificado Agripa satisfatoriamente. Tal confiança em seu próprio julgamento era ao mesmo tempo a força e a fraqueza de Lívia. De um lado significava que decisão e ação eram tomadas com facilidade; nunca tendo dúvidas, ela era raramente vítima daquela indecisão que aflige os que compreendem as sutilezas e a dualidade do mundo. Por outro lado, a rapidez de julgamento e absoluta autoconfiança tornavam impossível para ela ter mais do que uma percepção superficial do caráter das pessoas. Não era uma política, pois via tudo (e todos) em branco e preto. Então, por exemplo, ela achava que porque Agripa sempre parecera feliz de me servir, ele havia alcançado o topo da sua ambição. Ela não percebia a certeza que Agripa tinha do seu próprio valor que, desde Ácio, mantinha o fogo da inveja queimando secretamente. Eu sabia disto antes mesmo que ele, sem um instante de hesitação ou uma palavra de objeção, tirasse o anel do meu dedo e o colocasse no seu, enquanto me dizia que eu não iria morrer.

O novo médico era um grego liberto chamado Antônio Musa, e foi Timóteo que o procurou e o recomendou a Lívia. Sempre me perguntei se Timóteo tinha afeição por mim ou se estava apenas defendendo o seu trabalho. Provavelmente a segunda hipótese, pois um homem como Timóteo tem inimigos poderosos, que podem tornar a transferência de um patrão morto para um vivo bem difícil.

— Deram um tratamento errado para a sua febre... — disse o médico. — Enrolaram-no em cobertores e fizeram sangrias. Estas duas coisas enfraquecem o organismo em vez de fortificá-lo.

Receitou banhos frios (quatro por dia), uma dieta de carne vermelha e azeitonas. Carne nunca foi uma das minhas comidas prediletas, mas logo eu estava comendo dois bifes de bom tamanho por dia.

— O sangue precisa se fortalecer — ele disse, e me fez beber vinho tinto em vez do branco que eu sempre preferi.

— Não tomou nenhum cuidado com a sua dieta e digestão todos estes anos, Augusto. Não admira que quando pegue uma infecção tenha mais dificuldade em se livrar dela do que os outros homens... Não só trabalha demais, como come de menos. Não entendo como a sua mulher o deixou chegar a este estado. Dieta regular e banhos frios formam a base da saúde.

— Sempre detestei e sofri com o frio — protestei.

— Exatamente. É por isso que um banho frio lhe faz tanto bem. Faz o sangue circular. Deve comer peixe também.

— Ótimo — eu disse. — Ao menos gosto de peixe.

O tratamento pode ter sido excêntrico, mas funcionou. Minha saúde, fraca desde quando eu era moço, melhorou muitíssimo. Tenho sido fiel ao regime de banhos frios, começando sempre o dia com um, mas acho mais difícil seguir a dieta. Meu trabalho simplesmente não me permite — como eu muitas vezes expliquei a Musa — fazer refeições regulares. Muitos dias eu me contento em beliscar.

— Se não pode comer uma refeição propriamente dita, pelo menos coma alguma coisa — dizia Musa.

— Pão, queijo, figos secos ou tâmaras e uma maçã ácida me bastam.

— Tudo bem — ele dizia, acenando com a cabeça. — A maioria dos aristocratas romanos come demais. Toda esta gulodice é tão ruim para a saúde quanto os longos períodos de inanição a que você se submetia. O segredo é a regularidade, César. Você evacua todas as manhãs? Devia, sabe; não só faz bem à saúde como aperfeiçoa o discernimento.

Devo muito — longa vida e saúde! — a Antônio Musa, e o recompensei com uma pequena propriedade nas colinas sabinas. Quando Timóteo pediu permissão para se aposentar, porque estava com a visão fraca, foi viver com ele. O comportamento deles provocou um certo escândalo, uma vez que os outros habitantes das colinas sabinas são em sua maioria conservadores e respeitáveis, não conhecem dançarinos sírios nem querem conhecê-los. Mas, como já disse, eu devia muito a ambos, Antônio e Timóteo, e, portanto, ignorei todos os protestos. Seus divertimentos não faziam mal a ninguém, pois seus rapazinhos já chegavam a eles tão corrompidos que não tinham mais salvação.

Quando fiquei curado, não só recuperei meu anel (que Agripa naturalmente devolveu sem esperar que eu pedisse) como resolvi fazer algumas mudanças em meu desempenho constitucional. Não seria mais um dos cônsules. Havia três razões para esta decisão. Primeiro, a experiência de compartilhar o cargo de cônsul com Terêncio Murena tinha me convencido de como o cargo era potencialmente constrangedor. Ambos os cônsules eram nominalmente iguais, e se Murena tivesse sido mais inteligente e prudente em sua oposição poderia muito bem ter encontrado justificativas constitucionalmente plausíveis para a sua obstinação. Eu não via nenhuma vantagem em me colocar em uma posição em que podia parecer estar às turras com alguém que era nominalmente meu igual, e na verdade não era bom para ninguém ficar nesta posição. Segundo, os deveres oficiais e de cerimonial que acompanhavam o cargo eram para mim irritantes e tomavam muito tempo. Terceiro, vendo quantos membros da aristocracia davam valor à honra do cargo, apesar de já não significar poder, compreendi que havia muitas vantagens em ter mais postos de cônsul para oferecer. Além disso, era conveniente aumentar o número de homens em posição consular. Consequentemente, desde então eu apenas sou cônsul quando desejo oferecer tal honraria a um membro da minha família com quem tenho o prazer de me associar no cargo.

Desistindo de ser cônsul, privei-me de autoridade legal em Roma e nas províncias cujo governo eu confiara ao Senado. Isto era inaceitável. Porém, o cérebro fértil de Planco sugeriu uma solução, e ele propôs no Senado que me fosse oferecido um *maius imperium*, quer dizer, um poder legalmente constituído e que sobrepujasse todos os outros poderes da República. Dessa forma, passei a exercer poder superior a todos os outros. Eu era o comandante supremo, recrutando tropas, comissionando oficiais, controlando promoções; todos os soldados faziam um juramento de lealdade a mim. Eu era o único responsável pela distribuição de terras estatais e pela instalação de veteranos em colônias. A responsabilidade de declarar guerra e estabelecer acordos de paz e tratados era minha também. Além disso eu podia intervir até mesmo nas províncias sob jurisdição do Senado em qualquer caso de mau governo ou incompetência, e o Senado cortesmente me devolveu aqueles privilégios dos cônsules aos quais eu abdicara quando renunciei ao cargo: eu tinha permissão para introduzir assuntos no Senado, reunir aquela augusta instituição, organizar a agenda para cada sessão e emitir decretos senatoriais.

Ao mesmo tempo o povo resolveu me oferecer o poder tribunício vitalício, mas requisitei uma renovação formal a cada ano. Já falei da importância que eu dava a este cargo. Como tribuno, eu falava diretamente ao povo e pelo povo. E a minha pessoa era sacrossanta.

Estas reformas funcionaram admiravelmente e, desde então, não achei necessário aumentar os meus poderes ou de qualquer modo reformar a estrutura da República. É preciso notar, porém, que todos os meus poderes estavam firmemente assentados sobre leis passadas no Senado. Não ofendiam de maneira alguma os princípios da República e, como observei anteriormente, em várias ocasiões subsequentes eu recusei a ditadura.

IV

NÃO DIGA QUE UM HOMEM É FELIZ ANTES QUE ELE ESTEJA MORTO. E, no entanto, naquele ano, quando com o último sol de setembro tivemos férias em família numa velha casa que eu comprara na Baía de Nápoles, parecia que a luta de vinte anos havia finalmente cessado. Eu estava feliz com as reformas que realizara. Minha saúde, recuperada, parecia ter dissipado as dúvidas e depressões que tinham me afligido desde Ácio e que agora desapareciam como a neblina marinha que o sol espalhava na baía. Lívia e eu estávamos reconciliados. Fazíamos amor com calor e avidez graças à minha nova energia; o coração de um homem descansa mais verdadeiramente em seu leito conjugal. Nenhum outro caso de amor pôde igualar esta felicidade, e a beleza de Lívia, nos seus 38 anos, estava em pleno florescimento de verão. A sua reticência em público nunca deixara de me inflamar. O conhecimento que eu obtivera através dos anos com relação à sua vulnerabilidade, à insegurança que ela escondia atrás de um modo que parecia aos outros brusco e decidido, dava ao meu amor uma ternura que antes faltara. Eu a via exatamente como uma rosa, uma rosa que jamais deixaria de florescer; mas a flor de cada verão era facilmente machucada pelo vento frio ou estragada pela chuva excessiva. Entretanto, naquele ano, não sei se porque minha doença a tinha assustado, ou porque minha saúde, fazendo-me mais franco e aberto na minha felicidade, removia qualquer constrangimento entre nós, particularmente aquele ressentimento que ela havia às vezes expressado, nossa comunhão parecia perfeita e absoluta. Lembro-me de longas tardes de amor enquanto o mundo dormia entorpecido no mais generoso dos setembros; e vendo em minha imaginação a sua nudez se aproximar do nosso divã, as pernas altas, os seios pequenos (que eu sempre preferi) e as coxas fortes, musculosas, mas bem torneadas, eu a desejo até mesmo agora, e meu coração dói diante do naufrágio que é a velhice. De todos os poetas, somente o meu querido Virgílio chegou a aludir às alegrias do amor conjugal, que ele nunca vivenciou pessoalmente, mas que conseguia assim mesmo discernir. É o fato de que eu conheço a realidade do amor conjugal que me faz desprezar tanto os mexeriqueiros perniciosos que o tornam trivial, como Ovídio. O seu livro *A arte de amar* é repulsivo, meretrício e vulgar. Reduz o amor apenas ao artifício, ao subterfúgio e à manipulação; uma questão de conquista e uma procura degradante de experiências novas. Naturalmente, todos temos estes desejos de vez em quando, e a maioria sucumbe a eles, mas sucumbindo não causamos dano ao nosso caráter se compreendemos como estes amores são pouco importantes, se não confundimos a excitação física, e até a exaltação emocional, com a realidade do amor. O amor que importa, que enriquece e conforta o coração, é diferente. Depende sempre de tempo e de experiências compartilhadas. O tempo modifica suas manifestações; vamos até além da perfeição do amor quando atingimos o auge da sua alegria. Mas mesmo em seu declínio, que chega com as enfermidades da velhice e com o entorpecimento do coração, um amor antigo adquire uma ternura, um medo de ferir, que possui uma beleza especial. O amor conjugal, pensem o que pensarem os tolos fúteis como Ovídio, está sempre mudando. Tem o seu próprio mistério; subsiste como uma paisagem que nos acompanha sempre, sempre conhecida, sempre a mesma e, no entanto, sempre diferente. É ao mesmo tempo novidade e conhecimento profundo.

Os filhos de Lívia estavam conosco naquele mês de setembro. Como eram diferentes um do outro: Tibério, frio, orgulhoso, porém tímido, introvertido, participando pouco dos nossos jogos e piqueniques, enterrado em seus livros e em seus estudos de matemática, antissocial a ponto de ser quase grosseiro, o que não é graças à sua dignidade natural; Druso, caloroso, amigável, belo, com o brilho de uma juventude risonha, bondoso e generoso, nunca egoísta. Para mim, naquele tempo, era tão fácil ser suscetível ao encanto de Druso, de cuja afeição eu nunca duvidei, como era difícil ser justo com Tibério. Seria por isso que Lívia preferia o filho mais velho?

Ou seria por causa deste instinto maternal que faz as mães amarem sempre mais o filho que terá uma vida mais penosa? Ou seria simplesmente porque ele, sendo o mais velho, servia como a boa lembrança do seu primeiro casamento infeliz, enquanto a alegria que sentira com o nascimento de Druso, alegria muito real como eu bem me lembro, havia sido abafada pelo encantamento e pelo entusiasmo de nosso primeiro ano juntos?

Apesar de todas as minhas restrições a Tibério naquela época, e a preferência por Druso que eu mal conseguia disfarçar, eu reconhecia as qualidades do mais velho. Lembro-me de ter dito a Lívia que ela estava criando dois rapazes que seriam heróis da República; e me lembro tão bem do seu sorriso sério e orgulhoso e de como ela bateu na madeira quando ouviu as minhas palavras.

Júlia e Marcelo se juntaram a nós perto do fim do mês, vindos de Capri, onde eu lhes tinha dado uma propriedade como presente de casamento. Fiquei um pouco nervoso com a perspectiva da vinda deles, não somente no caso de continuarem tendo problemas no seu relacionamento, mas também porque eu sabia como faziam Lívia ficar inquieta, e temia que a perfeita felicidade daqueles dias fosse perturbada. Mas Lívia, sentindo-se segura no meu amor e nos elogios que eu fizera a seus filhos, sorriu quando os viu. O jovem casal irradiava saúde, orgulho e felicidade, e os dois pareciam muito unidos; na segunda manhã, Júlia tornou a minha felicidade completa, dizendo-me que estava grávida. Fiquei apreensivo também, é claro, como se fica neste caso. Mas Júlia, cuja pele brilhava de saúde, garantiu que não tinha tido nenhum sintoma desagradável nas primeiras semanas de gravidez.

— Você se lembra — ela continuou — como eu lhe disse que nós não estávamos nos entendendo? Que tola que eu fui. Marcelo é um amor, não pode ser mais bonzinho. Verdade, papai, estou feliz como… ah, nem sei dizer, não consigo imaginar alguém tão feliz quanto eu. Estou feliz como as flores seriam se soubessem o que é felicidade. Pobres flores que não sabem…

Flores… Eu mal notava a existência delas quando era moço, e naquele dia julguei as palavras de Júlia meramente convencionais. Afinal de contas, a brevidade da vida de uma flor há muito tempo é um chavão dos poetas, sendo que poucos expressaram esta ideia tão bem quanto Horácio. Mas eu era incapaz de compreender o entusiasmo de Lívia pela jardinagem e pelas flores, era incapaz de ver que um jardim deve ser apreciado porque ao mesmo tempo nega tudo que é discordante na vida e afirma a mortalidade. Agora relembro as palavras de Júlia com uma ironia melancólica.

O mês de outubro trouxe vento e chuva, uma repentina queda de temperatura, e ressacas que jogavam espuma nas rochas abaixo da casa. Marcelo pegou um resfriado. Encontrei-o tiritando num jogo de dados e, irritado com o seu descuido, mandei-o para a cama rispidamente. Ele piorou durante a noite. Júlia mandou me acordar e eu a encontrei acocorada ao lado da cama dele, o rosto inchado de tanto chorar de medo. Mandei buscar Antônio Musa com urgência, mas mesmo enquanto esperava por ele me senti apunhalado pelo desespero. Marcelo estava ficando sufocado e lutava para respirar, suava, agitava-se na cama e balbuciava. Ordenei que levassem Júlia embora, pois a sua aflição só aumentava o sofrimento do marido. Eu sabia que ele ia morrer e, no entanto, não podia acreditar nisto. Os olhos dele se abriram num momento de lucidez, e eu li terror no seu olhar. Apertei sua mão, mas não sei se ele me reconheceu ou se o meu gesto lhe fez algum bem. Uma hora antes do anoitecer, vi que ele estava mais fraco, e no começo da noite ele atravessou o Estige...

Mais tarde ouvi Júlia urrando, cercada pelas suas criadas. Implorei a Lívia que a consolasse, mas ela não conseguiu...

Entre o despertar e o adormecer, o nosso mundo foi estraçalhado.

No dia seguinte, Júlia abortou.

Muitos dizem que eu superestimei Marcelo. Tibério tem certeza de que ele me decepcionaria, eu sei. Talvez seja verdade. Talvez o seu encanto tivesse desaparecido junto com o ardor da juventude, e ele tivesse parecido menos extraordinário. Talvez Lívia tenha razão e ele nunca tenha sido extraordinário. Não posso saber, e faz tanto tempo. Mas eu não estava sozinho na minha apreciação. No sexto livro da *Eneida*, Virgílio honrou o meu sobrinho fazendo Eneias se encontrar com ele nas Sombras: ainda não posso relembrar as palavras sem lágrimas e dor no coração.

AQUELES A QUEM OS DEUSES AMAM MORREM JOVENS, E EU ESTOU VELHO... Felicidade e infelicidade chocaram-se uma contra a outra a minha vida inteira, como dados numa caixa, e caíam na mesa da mesma forma caprichosa. Marcelo morreu, mas o trabalho pela República era incessante. Eu mandara Agripa para o Oriente e agora corriam boatos de que ele tinha ido amuado por causa de Marcelo. Que absurdo! Eu precisava que ele fizesse um relatório da administração e do moral das províncias orientais, especialmente da Síria e da Judeia. Ambas criavam problemas por razões diferentes, a Síria porque era mal administrada, a Judeia porque era impossível de ser administrada. Seus habitantes, os judeus, são monoteístas intolerantes e intratáveis, que relutam tanto em pagar taxas romanas quanto em adorar os deuses romanos. Estavam precisando que Agripa lhes desse umas bastonadas. É difícil saber como governar os judeus. Tentei governá-los diretamente e tentei governá-los por intermédio de um rei nosso protegido, Herodes. Não gostaram nem de um nem do outro. A rebelião está sempre fervilhando sob a superfície, pois são fanáticos religiosos que absurdamente acreditam ser o povo escolhido de um único deus. Digo absurdamente por duas razões: a primeira é que não temos motivo para acreditar que exista apenas um deus, e na verdade todas as investigações e observações racionais na história da humanidade indicam que é um contrassenso acreditar nisto. Por que seriam os judeus os únicos a estar certos? A segunda é que, se fossem realmente um "povo escolhido", era de esperar que tivessem conseguido mais do favoritismo desse deus. O que acontece é que eles vivem brigando entre si numa algazarra de macacos, apertados entre o mar e o deserto. A conclusão inescapável é que a suposição de que contam com a predileção de seu deus é a prova mais ridícula da infinita vaidade humana e da sua capacidade de se iludir.

O que fazer com Júlia? Não fiquei surpreso ao ver que a sua tristeza pela morte de Marcelo durou menos do que a minha. Ela era jovem, ainda numa idade em que seis meses podem parecer uma eternidade. Mas não gostei quando Timóteo, tremendo, avisou-me que ela estava frequentando festas de má fama a altas horas da noite nas casas de jovens aristocratas dissolutos. Esta conduta era ao mesmo tempo inadequada e perigosa. Ralhei com ela:

— Então você está me espionando... — ela disse. — Ora, que ótimo!

— Não preciso espioná-la, aparentemente o que você anda fazendo é de conhecimento geral, e eu sou um dos últimos a saber.

— Então é Lívia.

O sangue inundou o seu rosto e seus olhos faiscaram. Ficou mais bonita do que nunca.

— Francamente, papai, sua mulher é uma velha intrigante — ela disse, e deu uma risadinha.

Um dos seus traços mais encantadores era a incapacidade de ficar zangada ou de mau humor.

— Lívia não sabe de nada...

— Não seja ingênuo, papai. Sua mulher sabe tudo o que acontece no palácio, especialmente o que me diz respeito. Ela nunca gostou de mim e está sempre procurando me pegar em falta.

— Você não deve falar assim... — eu disse, apesar de saber que não podia fazê-la parar. — Marcelo morreu há menos de seis meses. Você nunca pensa nisto?

— Ah, papai, só porque eu vou a festas não quer dizer que não sinto falta de Marcelo. Mas eu sentiria ainda mais se ficasse em casa sem fazer nada... Você não entende?

— Mas é uma questão de comportamento decente.

— Ah, é, comportamento decente. Todos os meus amigos acham este luto antiquado muito chato. Não se faz mais isto hoje em dia. Aposto que se fosse eu que tivesse morrido Marcelo não ficaria em casa com cara de enterro...E eu aposto que você não daria broncas por ele sair para se divertir... Então...

EU TINHA DE ARRANJAR UM NOVO MARIDO PARA ELA. ERA, COMO COMENTEI com Lívia (que torceu o nariz quando eu disse isto), antinatural esperar que uma jovem mulher tão cheia de vida quanto Júlia se sacrificasse; além do mais, precisávamos levar em conta os efeitos do seu aborto; e, finalmente, se ela não se casasse logo, eu temia que se metesse em apuros. Um escândalo era a última coisa que desejávamos.

— Bem — disse Lívia —, pelo menos nesse ponto você tem razão. Está pensando em alguém?

— Não pode ser nenhum dos rapazes que ela tem frequentado ultimamente. Nenhum deles é politicamente seguro... Eu tinha pensado, talvez...

Fiz uma pausa. Lívia estava costurando. A agulha ia para frente e para trás, rápida, certeira, precisa. Ela não olhou para mim interrogando o meu silêncio, ficou esperando que eu continuasse. Estava fazendo frio e os escravos tinham deixado apagar as fornalhas que serviam ao nosso sistema de aquecimento. Estremeci, apesar da túnica grossa por baixo de outra mais leve — sempre detestei extremos de temperatura, e o vento do Norte, soprando forte nas montanhas, estava trazendo neve até os limites da cidade. Aquela tarde eu notara que os Montes Albanos estavam branquinhos.

— Tibério... — eu disse.

Lívia não respondeu.

— Você várias vezes comentou — acrescentei — que Júlia gostava dele, e você também disse que a estabilidade dele é do que ela precisa.

— Você está dizendo o que eu não disse — Lívia levantou os olhos da costura. — Eu nunca disse que ela gostava dele... Disse que ela corria atrás dele. Não é exatamente a mesma coisa. Não daria certo...

Ela deve ter se sentido tentada. Sempre tive certeza disto. Afinal, o que eu estava lhe oferecendo? Minha única filha e, portanto, para Tibério, a posição na República que ela sabia que eu estivera reservando para Marcelo; ela deve ter se sentido tentada, sem dúvida. Todavia, não apenas naquela ocasião, mas alguns dias mais tarde também, depois de "várias horas de reflexão", ela recusou minha proposta sem mais delongas.

— Não daria certo.

Foi tudo o que ela condescendeu em me dizer, sem explicação. Eu não entendi. Tinha pensado que ela ficaria contente. Só depois de anos, de muita dor e perplexidade, consegui compreender. Ela sabia, naturalmente, a oferta que estava recusando e como ela era valiosa. Uma vez, alguns anos depois, ela me deu a entender que não tinha querido expor Tibério à inveja dos seus contemporâneos, mas não era essa a verdadeira razão. Era mais uma questão de falta de confiança na minha filha, de certeza de que ela faria Tibério infeliz, quebraria aquele seu orgulho de Cláudio e seria um empecilho ao desenvolvimento do seu caráter. Temia que ele se recolhesse para dentro do seu mundo secreto e sorumbático, franzindo as sobrancelhas, a boca larga imóvel numa linha mal-humorada e recalcitrante. Se isto acontecesse, prejudicaria a sua carreira. Lívia não tinha a menor vontade de ver Tibério transformado num recluso. Ela ambicionava grandes coisas para seus filhos. Eu contara com a sua ambição para garantir o seu consentimento, mas eu subestimara sua inteligência. Eu não tinha percebido como ela conhecia Tibério profundamente e como se preocupava com o temperamento dele. Eu não podia me culpar, pois não o conhecia suficientemente bem; então culpei a mãe dele. Ela me faltara quando eu precisara dela para resolver o meu problema. Mais exasperador ainda era o fato de que eu pensara estar lhe agradando com a minha sugestão. Fiquei ressentido, porque ela se recusara a se deixar agradar.

Foi Mecenas que sugeriu uma solução para Júlia. Nos últimos dois anos nós nos víramos menos, em parte porque a conspiração de Murena e a execução do seu cunhado haviam causado um esfriamento, e mais, porém, porque Mecenas só achava a política interessante em momentos de crise. Não se interessava por administração e ingressara num outro mundo. O seu prazer agora era ser patrono das artes e não da política; estava tendo um caso extremamente escandaloso com Bátilo, um ator. Eu não concordava com suas exibições públicas de afeto e lhe disse isto. Suponho que ele tenha se ressentido das minhas críticas. Porque, na verdade, Mecenas se apaixonara, tão totalmente como só um homem de meia-idade que passou a vida inteira flertando com as próprias emoções pode se apaixonar. Se eu lhe tivesse dado a escolha (como me passou pela cabeça) entre viver em Roma sem seu amante ou no exílio na sua companhia, ele escolheria a segunda hipótese. Havia consequentemente um certo constrangimento entre nós. Acredito também que ele sentia ciúme da consideração que Virgílio tinha por mim, pois considerava o poeta seu protegido.

Contudo, restava bastante da antiga afeição para permitir que ele falasse francamente, e para que eu provavelmente jamais lhe apresentasse aquela escolha que me privaria do homem que nunca me dera um mau conselho e que, apesar de ser frequentemente enfadonho, ainda conseguia me fazer rir. O único homem também que continuava falando comigo como o amigo da minha mocidade...

— É difícil — disse ele — controlar a vida das pessoas, não é?

— Os pais têm o dever de cuidar de suas filhas...

— Não seja tão pomposo, querido. Aqui entre nós, que ninguém nos ouça, devemos poder falar sinceramente... Sei exatamente qual é o seu problema, e você está certíssimo. É que, meu querido, eu conheço esses... tipos... que Júlia está, digamos assim, frequentando... São uma corja, uma corja da velha República, vomitam retórica e têm a moral de um gato de telhado. E eu digo isto com conhecimento de causa.

— Certamente não posso deixar que Júlia se case com um deles. As consequências...

— Você não pode sequer deixar que ela vá para a cama com um deles... — Mecenas agitou sua mão carregada de anéis diante de mim e brincou com as joias. — Só há um homem certo... — disse. — Agripa.

— Agripa? Eu não tinha pensado nele... Nunca me ocorreu...

— Claro que não. Você ainda pensa em Agripa como sendo seu amigo do peito, o tenente absolutamente digno de confiança. É muito estranho, meu querido, como você mantém sua inocência e ainda não consegue compreender o poder. Você acredita mesmo em afeição, não é? Ah, tenho certeza de que Agripa gosta de você, mas você nunca se perguntou o que realmente passa naquele pedaço de pau que ele chama de cabeça? Já se perguntou qual é a sensação de saber que você é o maior soldado do mundo e o maior administrador, amado e temido pelas legiões que confiam em você, mas, ainda assim, sempre e eternamente obrigado a manter-se meio passo atrás de seu amigo mais antigo, cujas fraquezas você conhece, e a quem você se considera superior em muitos aspectos importantes...

— Você sempre disse a verdade para mim, Mecenas... por que está me dizendo isto agora?

Ele sorriu e não respondeu.

— É claro que você odeia Agripa... — eu disse.

— É claro que odeio. Ele nunca me perdoou por eu ser mais inteligente do que ele. Agripa é um leão. Você pode fazer de um leão um bichinho de estimação? Você pode realmente confiar em um leão? Meu querido, o poder tem suas próprias leis e você dispõe de uma escolha... Pode matá-lo, e desta forma controlar o poder dele, ou pode ligá-lo ainda mais intimamente a você. Deixe que ele se case com a sua filha. Cubra-o de honrarias, confiança e glória, e talvez o leão consinta em ronronar, dócil como um gato doméstico...

JÚLIA FICOU CONSTERNADA. FEZ BEICINHO E SEUS OLHOS SE ENCHERAM de lágrimas, se contraindo ao mesmo tempo. Pude ver como ela seria na meia-idade: sua beleza perdida, o rosto parecendo um focinho de porco... Fiquei enternecido, mas naturalmente não podia voltar atrás, então procurei persuadi-la. Chamei sua atenção para o fato de que eu não viveria eternamente, aliás tinha quase morrido no ano anterior, e que, quando eu morresse, Agripa seria o homem mais poderoso do mundo.

— E o que me importa isto? — ela disse. — Quero me divertir e não ser poderosa...

Desejo inadequado. Pobre Júlia, entendia tão pouco a vida. Tentei explicar, mas em vão... Lívia, no entanto, prometeu que a faria ter juízo. De qualquer maneira, não haveria problemas. Eu tivera dúvidas quanto à reação de Lívia ao casamento que eu propunha. Fiquei um pouco surpreso quando ela aprovou a escolha. Perguntei-me se ela sentia que Agripa jamais seria aceito pela aristocracia romana, e que, portanto, este casamento deixaria o caminho livre para Tibério. E então ela me surpreendeu mais ainda, sugerindo que Tibério se casasse com a filha de Agripa, Vipsânia. Eu não tinha objeção, mas ela percebeu o meu espanto.

— É claro que não é um casamento brilhante para Tibério em termos de origem da moça, mas um Cláudio engrandece qualquer relacionamento — disse. — Além disso, ela é boazinha e bem-comportada. Muito afetuosa e sensata. Passei a gostar dela.

Quando refleti sobre isto, compreendi que ela achava que o casamento asseguraria a posição de Tibério se Agripa sobrevivesse a mim. Ele se sentiria obrigado a promover o marido da sua filha. Naquela época, Lívia acreditava que Júlia não poderia ter filhos.

UMA LONGA CARTA DE TIBÉRIO CHEGOU HOJE PARA MIM, DAS MARGENS do Reno:

Tudo calmo, pai. Os germânicos tentaram nos atacar na semana passada. Nós lhes demos um olho roxo e os fizemos recuar na maior confusão. Alguns dos nossos jovens oficiais estavam ansiosos para persegui-los, e dois deles foram insubordinados quando proibi que fizessem isto. Tenho certeza de que pensam mal de mim e provavelmente acham que eu me porto como uma "mulherzinha" (poucos deles sabem como as "mulherzinhas" podem ser duronas.). Contudo, dei ordens absolutamente inequívocas. Não permitirei que avancem mais de cinquenta quilômetros além das nossas linhas.

Tenho pensado seriamente nas conversas que tivemos da última vez que estive em Roma. Fico satisfeito por estarmos completamente de acordo: o Império é bastante grande e entramos em um período de consolidação, que pode muito bem durar várias décadas. Não ganharíamos nada anexando as sombrias e improdutivas florestas da Germânia, e devo lhe dizer que as observações que reuni depois de muitos anos em campanhas nas nossas fronteiras me convenceram de que os germânicos, ao contrário dos habitantes da Ilíria ou da Trácia, são fundamentalmente incompatíveis com uma vida civilizada. Não se ganharia nada, portanto, tentando incorporá-los ao Império. São selvagens por natureza. Adoram os deuses mais vis que se possa imaginar e não têm aptidão para a vida urbana nem se interessam por ela. A propósito, mal cultivam a terra. Se fosse praticável, eu devastaria uma larga faixa ao sul da Germânia, queimando florestas até cem quilômetros além da fronteira e criando dessa forma uma zona despovoada que agiria como um cordão sanitário entre o Império e a barbárie...

Repetindo: a minha opinião refletida é que nada seria ganho com façanhas aventureiras na fronteira do Norte. Os que defendem uma política expansionista são atiçados pelo ardor da mocidade ignorante e sem discernimento...

Ele quer dizer seu sobrinho, Germânico, é claro! O rapaz é encantador e eu gosto muito dele, mas desta vez estou ao lado de Tibério. Mesmo se eu estivesse em dúvida, seu último parágrafo me convenceria...

Ontem aconteceu uma coisa extraordinária: anunciaram aos gritos que um grupo de homens tinha sido descoberto emergindo da floresta. Naturalmente foi dado o alarme, mas ficou logo evidente que era apenas um bando pequeno. Imaginamos que fossem vagabundos, ou talvez o resto de uma tribo derrotada em uma destas guerrinhas que estão sempre irrompendo entre as várias tribos germânicas, aproximando-se de nossas fortificações à procura de asilo. Imediatamente resolvi que não deviam ser admitidos, uma vez que experiências passadas têm demonstrado que eles invariavelmente se entediam com a vida civilizada num curto espaço de tempo e se tornam um transtorno. Enviei, portanto, uma coorte, com instruções para rechaçá-los de volta à floresta. Imagine a minha surpresa quando eu soube que estavam, na verdade, trazendo-os para o acampamento. Fui repreender os responsáveis pela desobediência e deparei-me com uma cena que despertou piedade e horror, pois aqueles refugiados não eram germânicos e sim uns poucos sobreviventes das legiões de Varo. Eram prisioneiros que haviam fugido. Nunca se viu gente tão desgraçada ou se ouviram tantos horrores. Seus relatos sobre como tinham sido tratados eram de gelar o sangue. Eu disse "tratados", mas "maltratados" seria a palavra correta. As línguas de meia-dúzia deles tinham sido arrancadas, por mera diversão, disseram os outros, apesar de que um legionário, um italiano da Calábria, contou uma história horrível de como seus captores bárbaros haviam anunciado que queriam aprender a falar latim e acreditavam que podiam aprender cortando e comendo as línguas dos nossos soldados. Já se ouviu algo tão revoltante? E eles faziam isto mesmo. E, no entanto, algumas pessoas dizem que os germânicos podem ser civilizados. Por favor!

O senhor ficará satisfeito em saber que estes pobres homens foram tratados dignamente por nós, que os cercamos de todo o conforto. Dei ordem, todavia, para que sejam escoltados para longe assim que estejam em condições de viajar. Não seria de bom alvitre mantê-los perto da fronteira, porque, se é verdade que, por um lado, queremos que os nossos homens tenham raiva dos germânicos e até se sintam um pouco apreensivos em relação a eles, mas só o bastante para desencorajar os mais aventureiros, por outro lado não desejamos que venham a ter um medo doentio do inimigo. Ocorre-me, porém, que o senhor talvez queira recebê-los em Roma para homenageá-los pelos sofrimentos que suportaram pela República. Ficaria grato se me informasse das suas intenções logo que possível.

Espero, senhor, que esteja gozando de boa saúde. Por favor, transmita à minha mãe os meus respeitos.

Tibério.

Sua sugestão não me agradou. Sempre detestei anões e criaturas monstruosas, e só a ideia de me encontrar com estes pobres homens mutilados fez com que eu me sentisse mal. Escrevi imediatamente, dizendo a Tibério que eles deviam ser assentados em uma colônia perto de Mântua e garantindo a ele que forneceria fundos do meu patrimônio pessoal para cobrir todas as despesas e instalá-los numa nova vida com uma boa aposentadoria. Terminei minha carta com estas palavras:

(...)

Sua campanha militar do verão passado, querido Tibério, merece todos os elogios de que sou capaz. Nenhum homem vivo poderia tê-las conduzido tão habilmente, diante de tantas dificuldades e da exaustão e do moral baixo das tropas sob seu comando. Todos elogiam você, e o que Ênio disse de Quinto Fábio Cunctátor, que salvou Roma de Aníbal, aplica-se a você: "Sozinho ele nos salvou com os seus olhos vigilantes...". Não se descuide da sua saúde, meu filho. Se você ficar doente, não me responsabilizarei pelo efeito desta notícia em sua mãe e em mim, e, o que é de suprema importância pública, toda a pátria ficaria ameaçada pela incerteza a respeito da sua liderança. Você gentilmente pergunta pela minha saúde... Ela agora importa pouco comparada com a sua. Rezo diariamente para que os deuses velem por você, se eles não adquiriram uma aversão total por Roma...

O que mais eu poderia escrever para convencê-lo de que preciso dele, de que Roma precisa dele? E, contudo, quando no passado eu pensaria em escrever assim para o filho de Lívia?

Mas esta notícia sobre os sobreviventes me enervou... Mandei perguntar, então, se havia alguma informação a respeito daquela menininha que dançara ao lado da coluna em marcha. Será que eles pensam que o meu pedido para que a encontrem é um capricho senil? Não tenho conseguido me concentrar no trabalho desde que ditei minha carta para Tibério e rabisquei as últimas palavras eu mesmo.

Agripa ainda estava no Oriente quando decidi que ele devia se casar com Júlia. Escrevi-lhe falando da minha intenção. Seria preciso, naturalmente, que ele se divorciasse de Ática, mas o pai dela morrera há muito tempo e Agripa tinha ficado com os seus milhões. Ele, portanto, tinha recursos para pagar-lhe uma pensão substancial e podia bem ser que Ática, como muitas senhoras de meia-idade, ficasse feliz de se libertar dos laços conjugais. Tenho observado frequentemente como elas se adaptam com facilidade à vida de solteira, contanto que os arranjos financeiros sejam satisfatórios... E por que não? Quem não preferiria só ter a si mesmo para agradar? Além disso eu tinha certeza de que Ática ficaria apaziguada com a honra proposta à sua filha, Vipsânia. Afinal, para a neta de um simples banqueiro (mesmo que ele seja muitas vezes milionário), casar-se com um Cláudio ainda significa alguma coisa. Existem obscurantistas que desprezam estas ascensões sociais; nada é mais necessário, pois deve haver uma certa fluidez na organização social.

Disseram-me que Agripa, pasmo com o meu convite, chegou a perguntar a seus oficiais se eles pensavam que aquilo era algum tipo de trama. Fez até seus secretários examinarem minha carta, para ter certeza de que não era forjada, apesar de que eu mesmo a escrevera, e ele conhecia minha caligrafia havia anos. Está claro que, quando ele se convenceu finalmente da autenticidade da oferta, ficou encantado. Júlia era, afinal de contas, extremamente desejável, além de ser a minha filha.

Ela também era bastante inteligente para compreender que não adiantava ser contra o casamento, e então o aceitou graciosamente. E a verdade é que Agripa podia não ser o tipo de rapaz de que ela gostava, mas era um herói. Era imponente, corajoso, digno. Eu e Lívia concordamos que seria bom para Júlia ficar longe dos hermafroditas que se amontoavam nos seus aposentos; e, sem dúvida, durante algum tempo, eles se mantiveram afastados por medo de Agripa.

Quanto a mim, eu me regozijava com o casamento. Devia muito a Agripa e estava feliz de poder retribuir desta maneira. Saber que ele fazia parte da minha família fazia com que eu me sentisse mais seguro e gostei de ver como a sua influência trouxe estabilidade ao caráter e à conduta de minha amada filha. E o melhor de tudo foi que ela logo demonstrou que o medo de que não pudesse mais ter filhos era infundado. Quatro nasceram durante os anos em que estiveram casados, e o quinto, o infeliz Agripa Póstumo, nasceu seis meses depois da morte do pai. Os mais velhos, Caio e Lúcio, viriam a ser a alegria da minha vida.

Era um prazer ver como Vipsânia tornara Tibério mais extrovertido, menos formal e retraído.

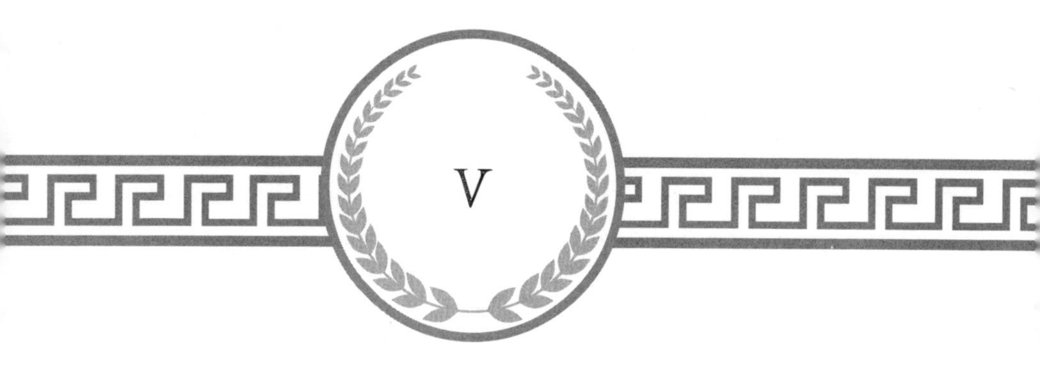

A SEGURANÇA DO IMPÉRIO DEPENDE DE DUAS COISAS: DA LIBERDADE ordeira dentro de casa e da inviolabilidade das fronteiras. Dediquei a minha vida a estabelecer ambas e a mantê-las. Apenas duas fronteiras são na verdade inseguras: a do Norte e a do Leste, que bordeja o império da Pártia. Na Europa Central os meus generais, especialmente Tibério, fizeram do Danúbio uma linha de defesa segura. Tivemos menos sucesso na Germânia, e, como demonstra a troca de cartas com Tibério, que eu citei no último capítulo, cheguei à conclusão de que seria inútil avançar até o Rio Elba, como era minha intenção. Confesso que foi um erro de julgamento e, embora não compartilhando inteiramente do desprezo sombrio de Tibério pelos germânicos (sendo da opinião de que mesmo estas tribos ferozes são de algum modo suscetíveis aos encantos ordeiros da vida civilizada), deixo este conselho para os futuros governantes da República: Roma é um poder mediterrâneo, e uma expansão maior para o Norte é perigosa, desvantajosa e irrelevante para os nossos verdadeiros interesses.

O Oriente, no entanto, é outra história. Lá nos confrontamos não com bandos de bárbaros, mal organizados em confederações tribais que são inconstantes como a água, mas com um grande império. Segundo os historiadores, os vales do Tigre e do Eufrates são as próprias sementeiras da vida civilizada, mais antigas do que o próprio Egito, onde já havia cidades antes de Troia ser fundada. Até os judeus traçam sua descendência de um certo Abraão, que veio, dizem, de Ur dos Caldeus. Uma sucessão de impérios tem dominado estes vales fluviais, ricos em colheitas. Qualquer menino que frequente a escola sabe que o império dos persas tentou conquistar a Grécia e que só foi subjugado pelo gênio de Alexandre.

Este império foi substituído pela Pártia, e a sua política é um negócio complicado. A melhor coisa que eu tenho a fazer a esta altura é reproduzir, com lágrimas nos olhos, um memorando que escrevi para o meu amado Caio, quando o nomeei comandante no Oriente:

Meu filho querido, dei-lhe uma tarefa complexa, pois pedi que você lidasse com povos cujos hábitos são muito diferentes dos seus, tais como você nunca viu na vida. Por isso vou dar a você o máximo de informação possível. Lembre-se sempre: saber é poder. É preciso examinar detalhadamente aquilo ou aquele com que ou com quem se vai lidar.

Você já leu, naturalmente, a respeito do antigo império persa. Os partos, que conquistaram este império, eram originalmente nômades selvagens que invadiram a galope as cidades ricas vindos das planícies mais distantes da Ásia. Encontraram uma grande burocracia, que mal compreenderam, mas que tiveram o bom senso de não destruir. Embora permaneçam semelhantes a seus antepassados em sua maneira de guerrear, acrescentaram um refinamento oriental ao seu esplendor bárbaro; e a combinação é tremenda. Assimilaram até um pouco da civilização grega — aquela poção poderosa que corrompe e envenena enquanto instrui e revigora. Portanto, não os subestime.

Seu império jamais se aproximou do que nós, romanos, entendemos por um Estado Civil, uma vez que lá não há liberdade. A vontade do governante é todo-poderosa, só limitada pela necessidade de agradar a aristocracia, que, se estiver bastante descontente, recorrerá ao assassinato ou à rebelião. Trata-se, portanto, de uma tirania, pois um modo de identificar uma tirania é perguntar se o seu governante é controlado pelas leis ou pelas tradições, ou se existe alguma autoridade legal independente dele. Nós, naturalmente, temos este governo em Roma, uma vez que ele depende da vontade do Senado e do povo romano. Como você sabe, o meu poder vem daí. Quando restaurei a República, ela foi confiada a mim pelos meus colegas senadores para que cuidasse dela e a administrasse. No império parto eles não têm uma autoridade independente assim, e, portanto, estamos certos em considerá-lo simplesmente uma tirania. Lembre-se desta diferença e reflita sobre as suas implicações, meu querido filho.

Não se esqueça, todavia, de que este é um império impressionante, de grande poder militar. Felizmente, uma parte considerável da sua fronteira é separada de nós pelas extensões tórridas de um grande deserto. Aquele mesmo deserto que o presunçoso milionário Marco Crasso, tão ansioso por imitar seus colegas triúnviros, Pompeu e César, fez suas legiões atravessarem com pés de chumbo e desmaiando de sede, até o massacre de Carras. Crasso devia ser uma advertência a todos os generais romanos. "Que idiota!", você dirá com razão... Será que ele pensava que o seu destino era uma prova de que os deuses o amavam? Portanto, todas as lendas e histórias nos ensinam que os deuses são ciumentos. Húbris e Nêmesis — todos os homens poderosos deveriam meditar sobre estas palavras —, mas o desgraçado Crasso estava muito ocupado com as suas contas para ler os poetas.

A existência do deserto significa que os partos (mais sensatos do que Crasso) não são uma ameaça nas divisas ao sul do nosso Império; o deserto está ali entre nós, horrendo, em oposição à vida, areias sem rastros, desolação sem deuses — estremeço só de pensar. Ao Norte a coisa é diferente. A Armênia avança para dentro do império da Pártia, como uma península, e convida ao ataque. Uma invasão por lá, se vitoriosa, abriria caminho para o coração da Ásia, tão vital para nós: Capadócia, Bitínia, Lícia ficariam todas expostas, e os partos se instalariam às margens do Mar Negro, ameaçando até o Mediterrâneo.

Roma precisa, portanto, controlar a Armênia. Esta é a primeira regra da nossa política do Oriente. Mas é fácil de dizer. Os armênios são difíceis, indisciplinados, traiçoeiros e xenófobos. São na maior parte montanheses acostumados a brigas entre si, que só param momentaneamente diante de uma invasão estrangeira. O terreno é montanhoso, de um frio cruel no inverno (não deixe de usar seu manto de pele de carneiro), varrido por nevascas; desagradável e difícil no clima seco do verão também. Poucos romanos se sentem bem lá, tão absolutamente estranho é para nós. Contudo, não existe lugar mais importante estrategicamente, além de ser atravessado por grandes rotas comerciais.

Achei melhor deixá-la mais ou menos independente, garantindo relações amigáveis com seu rei. Marco Antônio a escolheu como base de operações na sua guerra contra a Pártia e, embora ele tenha dessa forma evitado o desastre que se abateu sobre Crasso, sua retirada foi bastante vergonhosa. Seus homens sofreram terrivelmente cruzando as montanhas. Os armênios se divertiram atacando seus flancos e sua retaguarda, havia batalhas diárias, horrendos incidentes desordenados, e os soldados que se desgarravam eram capturados, mortos ou mutilados. Como você sabe, ele teve o desplante de comemorar (ilegalmente) em Alexandria um Triunfo pela sua campanha na Armênia, mas a verdade é que a sua guerra não conseguiu nada de bom e fez um grande mal ao nosso prestígio. Desde o começo eu estava convencido de que seria loucura imitar Crasso ou Marco Antônio; porém, eu sabia que tínhamos de restabelecer a nossa antiga influência na Armênia e apagar a humilhação das nossas forças armadas que estes dois idiotas imprudentes haviam ocasionado. A questão era como fazer isto. Como você pode imaginar, procurei uma resposta durante algum tempo. Resolvi ser paciente. E, então, vi uma oportunidade. Artáxias, rei da Armênia, era uma raposa, uma raposa acrobática, devo dizer, pois sua política se resumia a jogar com os dois impérios que ameaçavam dominá-lo. Recebi a informação de que o seu poder era precário e, percebendo isto, ele procurou apoio em uma aliança formal com os partos. O que fortalece a nossa posição é simplesmente o seguinte: muitos armênios temem e odeiam a Pártia mais do que Roma. A razão é que a Pártia é próxima e conhecida, enquanto Roma é distante e estranha.

Eu estava passando o inverno em Samos — você já esteve lá e conhece as delícias da ilha — quando soube dos planos de Artáxias. Imediatamente mandei agentes à Armênia para fazer uma avaliação dos adversários do rei e oferecer-lhes nossa ajuda.

As coisas começaram a acontecer rapidamente. Artáxias pediu o auxílio dos partos. Eles mandaram um exército comandado pelo filho do Imperador Fraates (que também se chamava Fraates), e uma tribo de rebeldes armênios fez o jovem Fraates prisioneiro. Seu primeiro impulso foi o de cegar e mutilar o rapaz, de acordo com seus costumes encantadores, mas felizmente um dos meus agentes, um grego chamado Felipe, soube da captura e tomou a iniciativa de oferecer-lhes uma grande soma em ouro pelo príncipe. Fazendo isto ele evidentemente abusou da sua autoridade, porém eu insistiria com você na importância de se usar agentes capazes de ter iniciativa. Naturalmente os captores quiseram ver o ouro antes de qualquer coisa, mas quando o receberam ficaram muito satisfeitos com a troca. (Felipe me contou que um deles pediu que lhe fosse permitido "mutilá-lo um pouquinho só... uma orelha pelo menos".) O pobre rapaz, corajoso no campo de batalha, estava terrivelmente abalado pela experiência fora do comum que tivera e ficou aliviado ao cair nos nossos braços.

Enquanto estas coisas estavam acontecendo, outro príncipe parto chegou a Samos. Era Tirídates, meio-irmão do imperador, com, segundo ele, uma justa pretensão ao trono. Jamais compreendi as leis partas de sucessão e sei que nenhum romano compreenderia. Tirídates era mais moço do que Fraates (o imperador), mas baseava sua reivindicação no fato de que ele tinha nascido quando o seu pai era o monarca reinante, ao contrário de Fraates. "Nasci filho de rei, entende, filho de rei", ele repetiu várias vezes numa voz lamurienta e falsa que eu achava extremamente irritante. Todavia, aparentemente a sua reivindicação tinha alguma relevância para os partos, e talvez este tipo de contrassenso seja parte integrante de monarquias hereditárias que dão mais valor ao sangue do que à capacidade. A nós, romanos, parece-nos uma extraordinária insensatez.

E eu não gostava de Tirídates, um sujeito magro e de olhar oblíquo, dado a conversas indecentes em péssimo grego. Mas ele obviamente poderia ser útil — não se deve deixar animosidades pessoais prejudicarem o discernimento —, e dei ordem para que ele fosse tratado com todas as honras devidas à realeza. Por outro lado, eu simpatizava com o jovem Fraates. Uma vez curado da crise de nervos causada pela sua captura, mostrou ser um jovem agradável, com alguma coisa, me parece, do encanto do querido Lúcio, sem o seu bom senso, porém. Eu não conseguia imaginar Fraates ou Tirídates no papel de governante, mas isto não era da minha conta, exceto na medida em que pretendia impor minha vontade à política externa da Pártia.

Enquanto isso, eu estava esperando notícias de Felipe. Apesar de você ter sido educado livre de muitos preconceitos da nossa classe, talvez fique surpreso ao saber que eu usei um ex-escravo para uma questão diplomática tão delicada, mas sempre achei os gregos adeptos de qualquer assunto clandestino ou furtivo, e outro agente em quem eu confiava o recomendara. Tive, contudo, outra razão para escolhê-lo. A situação na Armênia estava tão indefinida e tão fértil em oportunidades negativas que havia poucos nobres romanos em quem eu pudesse confiar. Eles poderiam aproveitar a ocasião para proclamar ideias republicanas inconvenientes

— de uma posição de força. Como eu disse a você várias vezes, sempre me coloquei na defensiva contra o sedutor grito da liberdade — que geralmente significa um pedido de licença para defender os interesses de quem deu o grito. Um ex-escravo que me deve tudo, que não é nada sem o meu apoio, era um intermediário mais adequado. Recomendo-lhe esta política. Além do mais, um grego é capaz de praticar ações que um aristocrata romano menosprezaria. Não planejei o subsequente assassinato de Artáxias. Não era da minha conta o que os armênios faziam com o seu rei. Aliás, em certo sentido, teria sido bom para mim recebê-lo como exilado — é muito vantajoso, quando se lida com protetorados, ter um rei de reserva... Todavia, Felipe fez-me ver que Artáxias estava profundamente ligado à Pártia e havia até feito planos para se aposentar lá (como todos os tiranos prudentes, ele tomara providências no caso de a sorte mudar). Disse-me também que muitos estavam contra o seu rei. Seu governo fora sangrento, traiçoeiro, e por toda parte encontravam-se homens que tinham jurado vingar o assassinato de amigos ou parentes. Era melhor então deixá-lo à mercê dos seus compatriotas. Os armênios não se caracterizam pela ternura humana, e a agonia de Artáxias foi longa e dolorosa. Foi também muito popular; quando o corpo do rei foi exposto, o povo de Erzero se lançou alegremente sobre ele e o dilacerou.

Alguns clãs permaneceram leais à memória do rei morto e proclamaram seu filho como sucessor. Nossos aliados pediram que mandássemos tropas para manter a ordem. Achei melhor confiar o comando ao seu padrasto, Tibério, que na época era jovem (se é que você pode acreditar), porque eu ainda estava cauteloso, temendo que o vinho forte da Armênia subisse à cabeça de um general; mas fiz questão de lhe dar assessores experientes, como agora dei a você. Dominamos a situação e instalamos no trono Tigranes, irmão do rei morto. Ele tinha residido muito tempo em Roma e parecia ser um homem decentemente medíocre, embora, como você sabe, tenha nos dado trabalho desde então. A monarquia sobe realmente à cabeça.

Você me perguntou por que eu não tornei a Armênia uma província romana... Pensei em fazê-lo, mas desisti por dois motivos. Primeiro: eu não desejava inquietar os outros reis protegidos nossos no Oriente (embora eu achasse que todos poderiam se beneficiar com a contemplação do destino da Artáxia). Segundo: eu observara o caráter da Armênia e não acreditava que os armênios se submetessem tranquilamente a nosso governo direto. Ficariam cegos para os benefícios e alerta à perda de liberdade. São orgulhosos, rancorosos, indignos de confiança e inteligentes. Seriam súditos problemáticos. Era melhor, pensei, deixá-los em um estado de autogoverno grato e condicional. Deveriam ser livres para ter o governo de um rei nativo, contanto que não abusassem daquela liberdade e permanecessem leais a Roma. O fim de Artáxias seria uma advertência aos reis seguintes. Ainda é esta a minha opinião.

Tendo instalado um governo amigo na Armênia, pude voltar minha atenção para a Pártia. Garanti a Fraates que apenas desejava ter boas relações com o seu grande império. Disse-lhe que ficara honrado com a presença do seu filho em minha casa e que esperava que o rapaz tivesse um futuro glorioso. Acrescentei que o seu meio-irmão Tirídates estava recomendando com insistência um procedimento que não parecia trazer vantagens para Roma ou para a Pártia, embora naturalmente as coisas pudessem mudar. Informei-lhe que pretendia enviar uma embaixada liderada pelo meu enteado Tibério Cláudio Nero para discutir diferenças de opinião entre os dois maiores impérios do mundo.

— Existe, no entanto — acrescentei —, um motivo de queixa, que torna difícil para Roma retomar relações de amizade com a Pártia. Os partos conservam estandartes e troféus dos exércitos de Crasso e Marco Antônio. Sua perda foi uma desgraça que Roma deseja intensamente resgatar. Acredito que talvez estejam também consigo soldados romanos que foram feitos prisioneiros nestas campanhas. Roma não pode ficar sossegada com cidadãos romanos definhando em terras estrangeiras.

Terminei com os elogios floreados que agradam os orientais e que aconselho a você que use sempre.

Fraates ficou alarmado com a mudança na balança de poder e com as minhas ameaças veladas a respeito de Tirídates. Acolheu cordialmente a embaixada, especialmente porque seu irmão dispunha de mais apoio no império do que tínhamos acreditado. Então Fraates estava ansioso para concluir um tratado e concordou com as minhas exigências sem que fosse preciso passar horas argumentando, como era de costume. Os estandartes foram entregues a Tibério, que fez um discurso cheio de dignidade (embora tenham me dito que ele usou tantas expressões fora de moda que confundiu o seu tradutor; isto não será uma surpresa para você, nós sempre nos divertimos com o pedantismo arcaico do seu padrasto, não é?).

Ter recuperado os estandartes foi um grande feito. Nem uma gota de sangue romano foi derramada. Mas eles estavam encharcados do sangue da loucura de Crasso e de Marco Antônio.

Espero que este relato seja útil a você, meu filho amado, porque ele fornece muitas informações necessárias que explicam a situação atual. Você precisa juntar força, sutileza, precaução e imaginação para lidar com os orientais, e precisa procurar esconder a repulsa natural que sente por eles. Não tenho dúvida de que será bem-sucedido...

A leitura desta longa carta me faz mergulhar numa dor renovada por Caio, tão cruelmente arrancado de mim na flor da idade. E lembro-me também do retorno dos prisioneiros. Havia até mesmo uma dúzia de sobreviventes do exército de Crasso, velhos que tinham sofrido quase quarenta anos de cativeiro e perdido todas as esperanças de ver os céus da Itália novamente. Conversei com três que tinham quase esquecido de como era falar latim...

O rosto deles me persegue enquanto medito sobre a carta que Tibério me escreveu da Germânia. Naquele tempo eu era bastante forte para superar minha relutância natural e recebê-los. Agora não conseguia. Seria sentimento de culpa, porque afinal fui eu que enviei Varo — ou seriam simplesmente os sentimentos mais delicados da velhice? Estes soldados de Crasso e Marco Antônio tinham sido privados das suas vidas mais completamente ainda do que se tivessem sido mortos no campo de batalha, pois haviam sido forçados durante seus longos anos de cativeiro a contemplar o que tinham perdido. Como, eu me perguntava até naquele tempo, eles saudariam seus generais nas Sombras? E o que me dirão os soldados de Varo?

Ninguém questiona a moralidade da guerra, ou pelo menos quase ninguém. Nunca duvidei da missão de Roma. Mesmo que tivesse duvidado, as palavras de Virgílio teriam afastado minhas dúvidas. Contudo, eu já vi guerras demais para não sentir sua crueldade ou para conservar qualquer crença em glória militar. Termo maldito. Passei a detestar os generais que sentem prazer na guerra. Prefiro Tibério, meu caro Tibério macambúzio, a Júlio César, que sentia prazer nas batalhas, porque lhe davam a oportunidade de alcançar glória e exibir o seu gênio. Devo algo a César, mas tenho dedicado minha vida a consertar o que ele destruiu com o seu gênio.

VI

Fiquei em Samos até a primavera, porque sempre adorei as ilhas. O acordo com a Pártia me deu paz de espírito, e havia novas questões interessantes e agradáveis para eu me distrair. Lá eu ainda recebi uma embaixada da Índia. Trouxeram-me de presente um felino listrado que chamam "tigre", aproximadamente do tamanho de um leão, porém mais gracioso e, eles disseram, mais perigoso. Era o primeiro jamais visto na Europa e eu me deliciei com a sua beleza. As florestas da Índia, os embaixadores me disseram, são ricas em tigres; os aldeões têm medo deles, porque matam o gado e as cabras e às vezes tornam-se comedores de homens. Algumas das pessoas que me cercavam estavam ansiosas para ver o meu tigre exibido em lutas na arena, contudo eu me recusei a aceitar a sugestão. Eu ficava perturbado, além de deliciado com aquela beleza enjaulada, mas não queria que se tornasse um joguete da multidão.

Fui até Atenas na primavera. A temperatura estava amena, as flores desabrochavam, glicínias e jasmins desabavam dos muros, misturados com rosas, e o melhor de tudo é que Virgílio estava esperando por mim. Eu o achei abatido, doente, o rosto marcado pela experiência da dor, mas comemos cordeiro e cabrito e bebemos o vinho grego com gosto de resina. Parecia que, com a volta do calor, sua saúde estava melhorando. Foi um alívio poder descartar os problemas de governo por algum tempo e falar sobre poesia e filosofia.

Perguntei-lhe se tinha terminado a *Eneida*.

— Nunca se sabe o suficiente... — ele disse.

Foi procurando saber mais — a procura que por si só diferencia o homem dos animais — que viajamos para Elêusis, pretendendo ser admitidos nos seus Mistérios. Hesitei em fazer isto. Todos os romanos genuínos ficam nervosos diante de deuses e deusas estrangeiros, e, embora eu não queira comparar as divindades gregas com os cultos repugnantes do Egito e da Síria, tudo o que eu tinha ouvido a respeito do ritual da Grande Deusa me inquietava. Os deuses romanos são nossos íntimos, moram perto de nós e representam uma antiga tradição, ou falam à lúcida luz da razão. Naturalmente mantemos alguns aspectos da nossa antiga religião, cujas origens são desconhecidas e frequentemente os propósitos exatos também, mas são aspectos para nós santificados pela sua longa associação com os nossos ancestrais. Até mesmo cerimônias selvagens, como as Lupercais, quando os homens se vestem com peles de lobo e de bode e correm em volta do Monte Palatino açoitando todas as mulheres que encontram para curá-las da infertilidade, são práticas muito antigas que nos pareceriam repugnantes se não soubéssemos que faziam parte da religião dos nossos antepassados. Mas não acreditamos mais em sua eficácia. Transformaram-se estranhamente numa espécie de esporte. Nossa falta de fé é demonstrada pelo fato de que eu e Lívia, mesmo quando ainda esperávamos ter um filho nosso, nunca nos perguntamos se ela devia participar da cerimônia e expor-se ao teste. Continuamos com estas festas porque é bom para os homens agirem como seus pais agiram.

Nossa religião consiste em deveres e obrigações recíprocas. É essencialmente iluminada. Assim como são os deuses olímpicos da Grécia, são os nossos deuses, em sua maioria, só que com nomes diferentes. Então, nosso Júpiter é Zeus para eles, nossa Juno é Hera, nossa Diana é Ártemis e nosso Marte é Ares. Mas a religião grega é rica também em cultos misteriosos, que não são masculinos e racionais como os romanos, e sim femininos, emocionais. Falam com uma estranha melodia sobre partes da nossa natureza que não conhecemos e que não podemos conhecer. No fundo, todos os romanos os temem, e sem Virgílio acho que eu não teria ido a Elêusis.

Chegamos perto do vale à tardinha. Era surpreendentemente pequeno e verdejante, e grandes pinheiros brilhavam com um verde profundo na luz dourada de Apolo que se aproximava do Leste. Logo ele estaria abaixo das montanhas, deixando a Terra para a Deusa. A beleza da cena tocou o meu coração e fiquei impressionado com a veneração silenciosa da multidão de fiéis. Minhas dúvidas foram afastadas: não havia nenhum frenesi apavorante aqui.

— O que procuram? — um sacerdote nos perguntou à entrada da casa de reuniões para onde tínhamos sido levados.

— Procuramos a verdade — respondeu Virgílio.

— Entrem.

Tiraram as nossas roupas, nos banhamos, fomos ungidos com unguentos perfumados e nos deram túnicas cor de açafrão. Tudo isto foi feito em silêncio e, embora os aposentos estivessem cheios de gente, só se ouvia o arrastar de pés e o farfalhar de vestimentas.

— Precisam esquecer o passado se desejam ter uma visão do futuro... — disse o sacerdote quando estávamos prontos.

Durante dois dias rezamos, jejuamos e bebemos apenas a água pura das nascentes, mantendo o silêncio que nos tinha sido imposto. Observei Virgílio atentamente e dessa forma comecei a compreender um pouco o mistério do espírito poético. Ele estava se esvaziando de tudo, exceto do desejo de absorver o saber.

Na terceira noite fomos levados para fora depois do pôr do sol. Andamos entre filas de iniciados, que cantavam segurando tochas. Era noite de lua e o templo da deusa dos Mistérios brilhava cândido na claridade pura do luar. Sombras manchavam a terra que estava quente sob os nossos pés descalços. O canto foi ficando mais ressonante enquanto avançávamos: estranho, mais selvagem, como se viesse de muito longe, lembrando o que nunca tínhamos conhecido, e que, no entanto, parecíamos sempre ter conhecido.

Uma sacerdotisa, de pé no pórtico do templo, falou com uma voz baixa e sibilante:

— Estão prontos?

Um grito de assentimento se elevou.

— Aqui — ela sussurrou — não existe vida nem morte, passado nem futuro, só o eterno presente. Aqui não existem ricos nem pobres, escravos nem homens livres, apenas a alma imortal. Aqui, por um tempo que pertence ao tempo absoluto, oferecemos uma fuga da prisão do corpo e a união com a deusa que é a primeira origem da vida, da qual nascem todas as coisas, sem a qual existem somente desolação e morte.

As tochas foram apagadas. Iluminados apenas pelo luar, subimos os degraus, entramos no templo e fomos acompanhados até o santuário.

É proibido relatar o que aconteceu lá dentro, a que rituais nos submetemos e que promessas foram feitas. E, no entanto, apesar de não poder revelar a minha experiência, também não posso ignorá-la, porque se o fizesse estaria negando àqueles para quem escrevo estas memórias, meus... filhos, filhos de Roma (embora não, ai de mim, filhos do meu corpo), as revelações que recebi. Algumas pessoas dizem que sabedoria transmitida em segunda mão não é sabedoria verdadeira. Não sei. Escrevo o que sinto que devo.

Apenas no dia seguinte — pois ficamos os dois exaustos e eu dormi até tarde — falei com Virgílio a respeito dos Mistérios. O cansaço estava evidente em seu rosto; seus olhos eram dois poços escuros e remotos. Eu não sabia como devia abordar a questão e então fui desajeitado. Mas ele não deu atenção a isto e sorriu...

— Confirmou o que eu precisava saber com certeza... — disse ele. — Não dormi, fiquei trabalhando, porque agora sei que tenho pouco tempo de vida e logo devo descer ao Mundo Subterrâneo. Temo que aconteça antes que eu tenha revisado o meu poema e, se for assim, peço-lhe que o destrua por ser uma coisa imperfeita. Você fará isto?

Eu, conhecendo-me, não disse nada. Mas ele insistiu e, finalmente, para acalmá-lo, prometi fazer o que ele queria.

— Mas — ele continuou — talvez eu seja poupado. Preciso acreditar que serei poupado. Trabalhei a manhã inteira em um trecho no sexto livro, que eu percebia não estar exprimindo o que eu queria dizer, mas continha tudo que eu sabia antes de vir para a Grécia. Agora acho que encontrei a resposta. César, não morremos para sempre. Ouça: tudo, o céu, a terra, o mar, o sol, as estrelas e a lua, tudo é fortalecido pelo Espírito e estimulado pela Razão.

— Qual é a diferença?

— O Espírito é a força vital, a Razão é a inteligência consciente. Todas as criaturas, os homens, os animais, os peixes, todos recebem sua vida do Espírito e da Razão. A força que possuem é a força do fogo, e desce como fogo do céu. Sua fraqueza reside no mal do corpo e estas partes terrenas que se corrompem com a morte. O corpo em si não é mau, porém ele contém o mal que é a causa do medo, do desejo, da tristeza e da alegria.

Porque estamos acorrentados aos nossos corpos, não podemos ficar de olhos abertos no ar puro como os deuses podem. Mesmo quando deixamos a terra, morrendo, como dizemos, todo o mal e os males do corpo permanecem na alma, pois ficaram impressos pelo hábito. Por isso as almas têm de sofrer castigos e ser punidas pelas suas antigas ofensas. Os castigos são numerosos e diversos, como os pecados. Cada um de nós encontra na morte um mundo apropriado para si. O fogo, o vento ou a água nos limpa nas Sombras. Estamos afinal livres para vagar nos Campos Elísios até que a última podridão tenha sido removida e que os nossos olhos estejam limpos, nossa visão clara, e nós nos transformemos em uma faísca do fogo essencial. Então, finalmente, o Espírito Divino nos chama, para que, em procissão ao Rio Lete, possamos, purgados de lembranças, visitar a abóbada dos céus, e com o tempo sentir o desejo de retornar a vida física. Não tenho dúvida de que é o que acontece. Tudo isto eu sentia antes e agora sei...

Foi neste momento que eu vi o que devia fazer em seguida para o bem de Roma. Virgílio me contou como Anquises (a quem ele designou esta revelação do significado da vida) mostrava a Eneias todo o seu futuro, como ele lhe mostrava "que tipo de homens serão os seus descendentes italianos: almas famosas à espera do renascimento nos sucederão...". É este nobre trecho que relata como eu, "Augusto César, filho de um deus, trará de volta à Itália uma Idade de Ouro em terras onde Saturno reinava"; é este trecho também que termina com uma invocação a meu amado Marcelo, morto prematuramente. E, como eu estava dizendo, foi ouvindo Virgílio que concebi a volta dos Jogos Seculares instituídos no ano da fundação da República e repetidos a cada cem anos. Deveriam ter acontecido pela quinta vez naquele malfadado ano em que Júlio César, ao som da melodia de uma flauta sedutora e às portas de uma aurora gelada, atravessou o Rubicão com as suas tropas e infligiu a Roma os horrores de uma guerra civil. Haveria dificuldades em organizar os Jogos para breve, eu sabia disto, mas tinha certeza de que acharíamos meios de superá-las, pois, ouvindo Virgílio, eu sentia que era preciso consagrar a nossa República restaurada, a nova ordem de Roma, com uma cerimônia que ligasse o seu futuro ao nosso passado. (E, no fim das contas, foi fácil corrigir a data, porque o meu advogado, Ateio Cápito, lembrou-se de que um século etrusco durava 110 anos, e que os Jogos deviam, portanto, acontecer dentro de dois anos; ele desenterrara uma profecia sibilina para justificar sua opinião.)

Estava na hora certa. A Sibila, a profetisa, anunciara o próximo reino de Apolo. O próprio Virgílio, divinamente inspirado, prometera uma Idade de Ouro estabelecida por mim. Alguns filósofos da escola de Pitágoras nos ensinaram que depois de 440 anos o corpo e a alma vivem em seu estado anterior, e a sociedade também volta à sua situação anterior. A cerimônia dos Jogos proclamaria e comprovaria a regeneração do mundo, assim como os Mistérios de Elêusis prometiam a regeneração da alma.

As semanas seguintes foram ocupadas por detalhes da administração da província, e vi Virgílio poucas vezes. Ele estava trabalhando intensamente na revisão do sexto livro da *Eneida*... As cartas de Lívia eram carinhosas, ela parecia satisfeita — perguntava em várias delas se eu tinha marcado a data da minha volta. Júlia acompanhara o marido à Espanha, e eu ficara felicíssimo, embora ao mesmo tempo preocupado em saber que ela estava grávida. Tibério havia me dado muito prazer com a sua conduta na Armênia; era evidente que ele e o seu irmão, Druso, fariam muito por Roma. Eu sentia mais do que nunca que os longos anos de labuta estavam dando frutos.

Perto do final da primeira semana de setembro, eu estava pronto para embarcar para a Itália. Virgílio me faria companhia. Na véspera da partida ele parecia muito doente. Tinha perdido peso, apesar de ter sido sempre magro, seu rosto mostrava marcas de dor, e seus olhos eram grandes buracos negros. Perguntou-me se poderíamos adiar a viagem por um dia.

— Não verei Atenas de novo... — disse. — Gostaria de poder passar o dia com você nas encostas do Monte Himeto...

O ar cheirava a mel misturado com tomilho, murta e orégano. Abelhas zumbiam à nossa volta e uma cotovia subiu muito alto no céu, gorjeando sua canção de louvor. A campina da encosta onde estávamos era toda florida, e nossos companheiros descansavam no calor do sol distantes de nós. Disse a Virgílio que ele trabalhara demais, e sempre dentro de casa... Precisava de sol.

Ele sorriu e sacudiu sua cabeça, mas, com sua polidez habitual, recusou-se a falar sobre sua saúde. Olhamos a cidade lá embaixo. O Partenon brilhava como nunca. Ele disse:

— Apreciei esta última estada em Atenas. Em nenhum lugar do mundo a verdade foi procurada com tanta dedicação como aqui; em nenhum lugar a beleza foi mais bem compreendida e criada; em nenhum lugar o espírito humano floresceu tão primorosamente.

— E, todavia — disse eu —, apesar de todas as suas especulações a respeito das artes e da política, realizaram tão pouco. Por que os gregos, com todo o seu gênio, fracassaram em estabelecer um Estado duradouro?

— O espírito grego foi sempre indagador — ele me respondeu. — Fazer perguntas era mais importante do que respondê-las. Somos seus herdeiros, e Roma seria um lugar menor do que é, e um fato menor do que é, sem as realizações de Atenas. Os que duvidam da Providência Divina devem pensar sobre como Roma e Grécia têm estado envolvidas uma com a outra desde que os Aqueus queimaram as altas torres de Troia e mandaram nosso pai, Eneias, em suas viagens, há tantas gerações. E agora Roma, filha da Grécia, assim como de Eneias, governa um império nunca imaginado, e Micenas é uma aldeiazinha onde porcos correm para fora e para dentro do Pórtico dos Leões.

A VIAGEM FOI HORRÍVEL! AS TEMPESTADES EQUINOCIAIS CHEGARAM ANTES do tempo e castigaram o nosso navio. Ficamos ancorados uma semana ao largo de Corfu, não ousando enfrentar o vento. Depois ele mudou de direção, e, de vento em popa, atravessamos o Mar Tirreno, mas ainda às vezes com o navio sacolejando muito. O tempo não podia ser pior para um homem doente, e Virgílio passou a viagem amarrado a um beliche, um prisioneiro infeliz da cólera de Netuno e de sua própria fraqueza. Fiz o que pude para aliviar seu sofrimento, porém ele não conseguia manter no seu estômago nem mesmo o caldo de galinha que eu lhe dava. Quando chegamos a Brundísio, ele estava delirando...

Teve uma breve melhora numa aldeia fora da cidade, para onde fiz com que o carregassem, mas sua testa continuava úmida, a garganta tomada e sua fraqueza era extrema. Eu sabia que o seu fim não podia estar longe. Na última noite ele balbuciou novamente sobre fracasso e censurou os deuses por não terem permitido que ele tivesse tempo para aperfeiçoar seu poema. Repetiu-me o pedido para que eu o destruísse, por ser indigno de seu gênio e de Roma, e só descansou quando concordei.

Morreu logo antes da alvorada, quando o galo lançou sua vulgar mensagem para o mundo... Morreu nos meus braços e as suas últimas palavras foram:

— Paz, saudade, destino, as sombras cintilam diante de mim...

Assim morreu o melhor homem e mais raro que eu conheci. Não posso fingir ser capaz de penetrar naquele mundo secreto de magia poética onde ele comungava com os espíritos que deram origem e dão direção ao mundo. Existiam áreas de penumbra em sua alma e em sua obra que só consigo compreender muito vagamente. Nenhum poeta jamais o igualou em extensão, e nenhum tem a capacidade de usar tantos instrumentos diferentes para tocar o coração. Nenhum jamais admirou tão generosa e verdadeiramente o que é bom e nobre no homem. Ele progrediu do artificialismo requintado da écloga, por meio da honestidade abnegada das *Geórgicas*, até a sublime epopeia sobre Roma. Desenhou a nossa Itália para nós de uma forma que tornou o conhecido estranho e mágico; fez-nos conscientes dos deveres do Império, assim como da nossa grandeza. Eu não passo de um crítico literário medíocre e deixo a outros mais capazes a tarefa de chamar atenção para a beleza da sua obra e de procurar explicar o seu gênio. O que posso dizer agora é repetir o pensamento que se repetia em minha cabeça quando eu estava ajoelhado ao lado do seu ataúde, com os olhos cheios de lágrimas: de todos os homens que conheci, Virgílio era o exemplo mais perfeito do que entendemos por um homem virtuoso; ele era tudo que um homem deve ser.

Seus testamenteiros se horrorizaram com as suas instruções para que destruíssem os manuscritos da epopeia e, sabendo do meu interesse pela obra, vieram me perguntar se lhe deveriam obedecer. É evidentemente errado adulterar os termos de um testamento ou ignorá-los, porém, apesar da promessa que eu tinha feito duas vezes a Virgílio, não hesitei. As instruções eram em parte fruto do seu delírio final, em parte uma expressão do seu perfeccionismo inato. Sem dúvida o poema estava inacabado em seus detalhes. Sem dúvida ele teria acrescentado outros achados inspirados. Eu respeitava o seu pedido, mas não podia lhe obedecer. A *Eneida* não era mais propriedade de Virgílio, pertencia a Roma e ao mundo. Dei instruções para que fosse publicada e, se era um erro ignorar os desejos do poeta, eu me responsabilizaria. A admiração com que foi recebida pelo público justificou minha decisão.

Eu tinha certeza de que estava certo. E ainda tenho. Todavia, também errei, e meu erro não ficou sem castigo. Da mesma forma, o próprio Eneias foi expulso de Cartago e dos braços amorosos de Dido pelo comando divino que o fez embarcar para a Itália, onde se tornou o pai do nosso povo.

Obedecendo à ordem divina, ele destruiu a infeliz Dido e, quando eles se encontraram no Mundo Subterrâneo, ela se afastou indiferente, sem se comover com as palavras dele "como se fosse feita de pedra, de mármore". Eneias, que amava Dido e que obedeceu aos deuses, destruiu a rainha para realizar o seu destino. Eu, que amava Virgílio, e que também obedeço às palavras divinas, quebrei minha promessa a ele a fim de cumprir minha promessa a Roma e deixar os romanos verem como o destino deles se desenrola. Fiz mal em quebrar minha promessa, mas faria mal em destruir o poema. Deveria eu então ter negado minha palavra ao meu amigo, negado este consolo na hora da sua morte? E não pensem que Eneias não sofreu. Será que Virgílio se afastará de mim quando nos encontrarmos nas Sombras?

Tenho sofrido por Roma. Um destino cruel arrancou de mim meus filhos Caio e Lúcio. Foi este o preço terrível que paguei pelo meu perjúrio? Poderá vir a acontecer coisa pior? Ah, Varo...

Basta. Viajei por etapas lentas e tristes de Brundísio a Nápoles, onde o poeta foi colocado em seu túmulo simples:

> MÂNTUA DEU-ME VIDA, A CALÁBRIA, MORTE. REPOUSO
> EM NÁPOLES — POETA DE PASTORES, FAZENDAS E HERÓIS.

Cheguei a Roma em outubro. Tinha havido distúrbios na cidade por causa das eleições consulares. Na minha opinião o problema surgiu da má administração do abastecimento de víveres, mas alguns senadores ficaram alarmados. Uma delegação se encontrou comigo na Campânia para me persuadir a preparar uma entrada triunfal na cidade e desta maneira impressionar o povo. Recusei, como recusei comemorar um Triunfo. Eu não era um monarca voltando, era simplesmente o Primeiro Cidadão e, de qualquer modo, não estava com disposição alguma para pompa e cerimônias. A adulação pública torna-se mais irritante a cada ano, exceto para os mais vaidosos dentre os homens...

Agripa e Júlia voltaram da Espanha, e fiquei encantado em conhecer o meu primeiro neto, Caio. Uma vez que Agripa agora era meu genro e pai de uma criança do meu sangue, achei oportuno associá-lo ainda mais intimamente ao governo da República. Foram-lhe, portanto, outorgados o poder tribunício e o poder supremo. Minha autoridade pessoal garantia a minha posição de líder, mas na verdade eu não tinha mais poder do que Agripa. Se eu morresse, seu poder e autoridade não permitiriam que Roma voltasse à egoísta luta pelo poder que desfigurara os anos anteriores às guerras civis. Além disso, no devido tempo, Agripa faria igualmente um parceiro de seu filho Caio.

O trabalho continuava ininterrupto, mas trabalho não faz uma boa narrativa. Os detalhes da administração dificilmente encantarão o leitor. Que lhe importa que eu tenha usado os poderes de censor mais uma vez e removido membros insatisfatórios do Senado?

Mais ou menos nesta época também, iniciei uma campanha de reforma do comportamento e da moral. Lívia apoiava entusiasticamente esta iniciativa necessária, mas impopular. Nós dois concordávamos que um comportamento dissoluto e imoral podia corromper a vida pública tanto quanto a privada. Tomamos medidas para punir o adultério e a fornicação, controlar as palavras, proteger os menores, tornar o divórcio mais difícil, dar às esposas mais poder sobre suas propriedades e assim elevar sua condição. Reconheci que o casamento é uma instituição que precisava ser mantida saudável quando se deseja uma sociedade estável, e então passei a cobrar mais impostos dos homens solteiros do que dos casados e ofereci privilégios substanciais aos pais de famílias numerosas.

Muitos se opuseram a tais medidas; outros foram céticos. O idoso e perverso Planco, cujos préstimos lhe haviam outorgado certo grau de tolerância da minha parte, que sua conduta em geral não merecia, riu-se abertamente de mim, dizendo que não se pode moralizar por meio de leis. Perguntei se não seria possível pelas leis afastar as pessoas da imoralidade.

— Não — respondeu ele —, você só consegue fazer com que a imoralidade se esconda em cantos escuros.

— Melhor do que no Fórum — retorqui.

Embora eu quisesse muito elevar a condição das mulheres, ainda achava de bom alvitre que elas fossem sujeitas ao controle dos seus maridos, e disse ao Senado que era dever dos maridos censurar suas mulheres e corrigir seu mau comportamento.

— Essa não, Augusto — alguém disse —, quando foi a última vez que você censurou Lívia?

— Só queria ver você tentar! — gritou outro humorista.

— Felizmente — eu disse —, minha mulher não merece censura. Gostaria que todos vocês tivessem a minha sorte.

Enquanto isto os preparativos para os Jogos Seculares prosseguiam. O Senado sancionou o festival e confiou a organização à ordem sacerdotal do Colégio dos Quinze, que escolheu dois representantes: Agripa e eu.

Nas celebrações anteriores, as divindades principais tinham sido (nós descobrimos) os deuses do Mundo Subterrâneo, Plutão e Proserpina. Eu reconhecia o poder deles, mas não podia acreditar que o sombrio Plutão fosse a divindade que Roma devesse reverenciar mais nesta ocasião. Virgílio havia concordado comigo. As grandes cerimônias seriam apresentadas sob os auspícios dos deuses do mundo de cima, Apolo e Diana, pois estávamos comemorando a Luz e a Razão, assim como a antiguidade e a missão histórica de Roma.

Achei algumas anotações que fiz durante estas celebrações de tanto tempo atrás. Elas traduzem melhor o meu estado de espírito naquela ocasião do que qualquer coisa que eu possa escrever agora:

Hoje, a noite não será escura. Agora mesmo, se eu saísse de casa e olhasse para o leste, eu veria as bordas dos Montes Albanos com os tons rosados de um novo dia. Voltamos do Campo de Marte há três horas, e eu não consigo dormir. Acabei de mandar o menino buscar pão, mergulhei um pedaço numa jarra de vinho da minha municipalidade de Velletri e levei-o aos lábios. O vinho, aberto um pouco cedo demais, na hora em que a cerimônia deveria ter chegado ao fim, já tem um leve sabor azedo de vinagre; é sempre ralo e amarelado; contudo, chupei o pedaço de pão com prazer.

Lá embaixo, na planície, diante do altar no Campo de Marte, com Agripa a meu lado, eu cortei, com um golpe de uma lâmina curva, o pescoço de uma porca grávida. O sangue esguichou — a manga da minha toga ficou fedendo tanto a sangue que foi um alívio chegar em casa e poder trocar de roupa — e pingou pelos degraus do altar, passando por rachaduras no mármore até a terra que o absorveu. Mas uma poça foi formada por um jato errante que escapou do mármore e se instalou na terra nua, que, ressecada por nosso longo e quente mês de maio, a princípio recusou-se a recebê-la. A poça viscosa ficou ali na terra. Acredito que ninguém tenha percebido, a não ser eu, o que me alegra; certamente veriam nisto um mau presságio, quando se trata apenas de um fenômeno da natureza.

Estou cansado, mas não consigo dormir. Já passei por isso antes, às vésperas de ocasiões importantes, e aprendi a reconhecer nesta situação sinais dos deuses. O dia de amanhã é consagrado a Apolo e a Diana — o carro dela está neste momento singrando os ares bem acima do Tibre, vejo-a refletida no mármore do Fórum adormecido quase exatamente embaixo de onde me encontro, e logo os dedos rosados do deus Sol tocarão o Palatino e o templo dela aqui no meu Monte Palatino com a nova luz que eu ajudei a dar a Roma. Eu disse amanhã, mas já há algumas horas é hoje, o primeiro dos amanhãs. E não haverá derramamento de sangue em nossos sacrifícios ao Sol e à Lua. As crianças entoarão o novo Canto Secular para uma conclusão satisfatória destes Jogos. Dei ordem para que a canção fale de todos os propósitos dos nossos quatro dias de rituais: a primeira noite com as antigas cerimônias e preces num latim que ninguém mais entende; depois o reconhecimento de como dependemos das dádivas generosas da Mãe Terra; nossas preces durante o dia aos deuses tutelares de Roma, e nossas boas-vindas aos deuses da Luz. Como eu gostaria que Virgílio tivesse vivido para escrever as palavras, pois seu espírito paira sobre estas cerimônias planejadas e, espero, destinadas a realizar o que ele profetizou: César Augusto, filho de um deus, que estabelecerá a Idade de Ouro no Lácio, sobre campos que um dia foram o reino de Saturno!

Mas Horácio fez um bom trabalho; ele tem bom gosto, apesar de não ter visão.

Olho para o Oriente como um dia, sob as montanhas da Ilíria em uma fria madrugada de março, olhei para o Ocidente...

Estranhas anotações reflexivas, escritas com muita emoção. Eu tinha razão de associar estes Jogos e cerimônias àquela noite insone, quando eu meditava sobre o que o assassinato de Júlio César significava para mim e para Roma. Os Jogos Seculares representavam — vejo isto ainda mais claramente hoje — a conclusão da tarefa a que eu me propusera, eram o apogeu da minha vida. Naturalmente tenho de admitir que o jovem estudante que de repente se viu herdeiro de César não pensou realmente no que poderia fazer por Roma. A cidade era para ele apenas um campo de oportunidades. Aquele rapaz agora me parece incrivelmente distante. Procurar me lembrar do que ele sentia é como tentar compreender um personagem histórico. Sua audácia me deixa perplexo. Quando penso nos argumentos apresentados pelo seu padrasto Felipe, surpreendo-me com a sua ousadia ao rejeitá-los. Fico espantado, relembrando como ele se propôs a ser mais esperto do que Cícero, e ainda mais espantado pelo fato de que ele conseguiu. Mas uma coisa ainda me machuca: a zombaria de Cícero: "O rapaz deve ser elogiado, condecorado e eliminado..."

Ele não devia ter dito isto.

Sempre, quando recordo em sonhos aqueles dias (e o meu sono agora é leve, perturbado por sonhos), a imagem de Marco Antônio aparece diante de mim com sua beleza, fanfarronice e vulgaridade. Como eu o invejava... Como eu gostaria de ter a sua capacidade de despertar afeição e lealdade com uma simples palavra impensada, um sorriso surgindo em seu rosto carrancudo, como o sol aparecendo detrás das nuvens. Contudo, como ele era desprovido de discernimento.

"Você, rapaz, que deve tudo a um nome", ele disse.

Se ele tivesse sido generoso comigo, se ele tivesse pelo menos evitado me enganar, eu teria me jogado a seus pés com prazer. Até mesmo o horror que eu sentira por ele na Espanha teria se transformado numa espécie de encanto pessoal.

Quando me encontrei com ele pela primeira vez depois do assassinato, no fim da manhã de um dia de maio, na casa que tinha sido de Pompeu, ele foi insolente e antipático, e eu fiquei sentado em silêncio. Por que ele não se deu ao trabalho de usar seu encanto comigo? Eu ainda era tão jovem, e com medo no coração... Eu ansiava para que ele me tomasse em seus braços e prometesse... O quê? Que ele me protegeria? Que ele vingaria César? Não sei... Lembro-me da atmosfera vibrante com a luz refletindo nos anéis em seus dedos. Eu o vejo reclinado, bronzeado, o pescoço forte, a larga boca generosa com os cantos caídos numa expressão de escárnio. Eu ficava arrepiado quando me lembrava daquela noite na Espanha; e, no entanto, se ele tivesse se aproximado de mim... A verdade é que eu estava ao menos um pouco apaixonado por ele. Lembrem-se, eu tinha apenas dezoito anos, era ainda um menino, e fora durante seis meses treinado no amor por Mecenas. Será que a minha negativa na Espanha impedia que ele me seduzisse?

Estas são divagações da senilidade. O amor não podia ter nos mantido unidos, assim como não foi amor o que fez Marco Antônio ficar com Cleópatra. E não foi somente ambição que causou minha briga com ele. Estávamos separados pela visão diferente que cada um tinha de Roma. Na visão de Marco Antônio, o Estado existia para ser espoliado. Acredito que tenha mostrado qual foi a minha visão sempre. Porém, agora, olhando para trás, minhas lembranças de Marco Antônio são cheias de remorsos. Os crimes que cometemos não são o motivo principal dos nossos remorsos, mas as oportunidades desperdiçadas de nos tornarmos pessoas diferentes das que nos tornamos. Em um lugarzinho secreto, escondido dentro de mim, sempre desejei ser amante de Marco Antônio e viver assim, sem responsabilidades.

É claro que quando nos encontramos de novo já era tarde. Eu tinha crescido, empurrado Mecenas para a hinterlândia dos meus afetos, adquirido outros gostos. Além disso, Marco Antônio e eu fizemos juntos então o que tornava qualquer intimidade impossível. As proscrições foram um crime. Meu nome está manchado com o sangue dos que selecionamos. Elas foram uma necessidade imposta pela guerra civil. Nunca duvidei disto. Mas também nunca fui capaz de esquecer as crianças que ficaram órfãs, os filhos que matamos e que deveriam ter sido a alegria e o apoio de seus pais. Marco Antônio e eu fomos separados pelo ato que nos uniu. Por um lado, éramos parceiros contra um mundo vingativo. Por outro lado, eu não conseguia olhar nos olhos dele.

E as Parcas, cujas dádivas são tantas, puxando um longo fio de promessas e realizações, nunca deixam de agir com uma ironia selvagem. As tesouras cortam o fio, as promessas são enterradas, as realizações transformam-se em cinzas na boca. Os crimes que cometi contra outros pais desconhecidos não ficaram impunes. As Parcas gozadoras destruíram minhas esperanças e minha alegria de viver.

Mas enquanto eu olhava para os Montes Albanos, não pressentia nada disso. E a alvorada trouxe rosas ao céu que lá de cima veria os nossos sacrifícios, sem sangue derramado, às divindades da Luz.

VII

AINDA ASSIM, OS ANOS SEGUINTES FORAM OS MAIS FELIZES DA MINHA vida. Penso neles agora como um homem tremendo no vento gelado de janeiro anseia pelos céus benéficos de junho, quase incapaz de acreditar que existam. Dizem, com razão, que aqueles que os deuses desejam destruir eles primeiro enlouquecem. A minha euforia daqueles anos agora me parece a alegria de um idiota. Era como se eu acreditasse que as leis do mundo, a realidade inexorável de ação e consequência, não funcionassem para mim. Era como se a felicidade fosse a recompensa pelas minhas lutas, e jamais me ocorreu que não é nunca permitido pagar adiantado pela felicidade.

A República estava calma e ordeira. É verdade que os germânicos nos ameaçavam no Reno, e até derrotaram Marco Lélio, capturando um estandarte de águia da quinta legião; mas esta derrota foi mais humilhante do que séria. No ano seguinte, fui à província com os meus enteados, Tibério e Druso, e dei uma dura lição nos bárbaros. Aquela breve campanha me agradou, porque mostrou que ambos os rapazes estavam prontos para participar integralmente da administração do Império. Ambos revelavam talento militar. Tibério era um disciplinador severo, mas, ao contrário de muitos disciplinadores, tinha a admiração e a confiança dos soldados; eles sabiam que ele valorizava a vida deles, e ele sempre valorizou. Cada investida era planejada meticulosamente. Contudo, apesar de tão prudente que chegava a ser cauteloso, ele refletia sobre cada decisão a tomar, mas nunca era indeciso. Uma vez tomada uma decisão, ele providenciava para que fosse executada pronta e eficientemente. Jamais houve um general romano, nem mesmo

Agripa, a quem eu confiasse meus soldados com mais satisfação e segurança. Druso possuía qualidades mais brilhantes, e um encanto que faltava ao irmão (embora seja uma das qualidades de Tibério o fato de que ele nunca se ressentiu desta falta de encanto; tinha consciência dela, é claro, mas nunca deixou que isto o perturbasse e nunca teve ciúme do seu irmão mais moço).

Fiquei tão impressionado com o comportamento deles na Gália que tornei os dois juntos comandantes da parte nordeste da nossa fronteira europeia. Lá a agitação parecia ser um problema endêmico, especialmente entre as tribos montanhesas do Tirol e da Bavária. O território tinha importância estratégica, pois somente o controlando podíamos dispor de uma satisfatória passagem por terra para a Ilíria e para a Macedônia. Meus enteados conceberam e puseram em prática um brilhante movimento de torquês, derrotaram os Récios e os Vindelícios e os perseguiram pelos Alpes. Avançaram até o Danúbio, conquistaram terras para Roma e glória para si mesmos. Pedi a Horácio que celebrasse seus feitos e ele compôs belos versos. Este foi um exemplo supremo da antiga virtude de Roma. Lívia ficou tremendamente orgulhosa dos filhos pelo que eles haviam feito, e grata a mim pela confiança que eu depositara nos rapazes.

Eu mesmo passei dois anos na Gália. Inaugurei a construção de mais de vinte cidades, transferindo os rudes habitantes de Bibracte e Gergóvia, antigas fortalezas nas colinas (ambas tinham oferecido uma resistência inflexível a Júlio César), para novas cidades que eles tiveram orgulho em batizar com o meu nome: Augustoduno[*] e Augustonemeto[**]. Fiz de Lugduno[***], onde instalei uma Casa da Moeda, o centro da administração financeira para toda a Gália. Incentivei o uso do latim, construí estradas e pontes e tornei público o fato de que estava sempre pronto a agir como juiz de apelação. Eu admirava a bravura nobre dos gauleses, que considerava honestos e sinceros. Eram os provincianos que eu achava mais simpáticos. Para mim era um prazer trazer-lhes a civilização. Havia outra razão para que eu cuidasse ternamente desta província. Ninguém pode ler a narrativa de Júlio César a respeito das guerras gaulesas sem ter o seu orgulho de romano manchado pela vergonha que deve sentir ao constatar a crueldade dele. Não conheço nada nos anais bélicos tão horrível quanto o seu relato lapidar de massacres, e nunca pude esquecer

---

* Autun (N. do A.).

** Clermont (N. do A.).

*** Lyon (N. do A.).

que Cato propôs entregar César aos gauleses para que fosse julgado como criminoso de guerra. Sendo herdeiro de César, eu tinha o dever de apagar a lembrança daquelas atrocidades, fazer o sofrimento dos gauleses de certa forma valer a pena. Consegui. Não procurei suprimir os costumes locais, nem mesmo a religião dos druidas, que impressiona e espanta a todos os homens civilizados, mas ofereci-lhes todas as riquezas da Grécia e de Roma e, porque o fiz dentro de um espírito de generosidade e admiração, os gauleses receberam de bom grado os meus presentes. No catálogo do que eu fiz por Roma e pela humanidade, a maneira como tratei a Gália vem logo depois da cessação das guerras civis e da restauração da República.

Enquanto isto, Agripa estava no Oriente. Ele estabeleceu colônias para veteranos na Síria. Devo dizer, a propósito, que este tipo de colonização é a melhor maneira de se estabilizarem territórios de lealdade duvidosa. Proporciona um foco do que eu chamaria de, inventando uma palavra, romanização. De lá, ele foi para a Judeia, de onde me escreveu:

Você tinha razão quanto à estranheza dos judeus. Parece verdade que eles só adoram um deus. Eu mal podia acreditar que fosse possível, e investiguei a questão, mas parece que é mesmo. Isto vai contra a experiência da humanidade e o bom senso. Além do mais, pelo jeito não é útil sequer onde poderia solucionar um problema. Quero dizer, é claro, que talvez se pudesse achar algum argumento a favor da afirmação de que só existe um deus — Júlia me lembrou que o nome é monoteísmo, uma palavra grega, e é típico dos gregos ter uma palavra para um conceito estrangeiro — se com isto se conseguisse unir as tribos. Quer dizer, nós temos os nossos deuses nacionais, não temos? E faria sentido, acho, ter uma única divindade para Roma. Mas não funciona. De jeito nenhum, não com os judeus. Eles estão em conflito uns com os outros o tempo todo, exatamente como se fossem seguidores de deuses diferentes e hostis. Dividem-se em seitas, e uma coisa que compreendi rapidamente é que é melhor para nós mantê-los assim, "desunir e dominar", como diz Júlia.

Acredito, no entanto, que ganhei prestígio oferecendo sacrifícios ao "único deus verdadeiro" deles. Não me permitiram entrar no seu templo para fazer isto. Parece que guardam uma relíquia sagrada lá dentro, que chamam de Arca da Promessa Divina, e que só os judeus podem ver.

O sacrifício não é uma parte importante da religião deles, o que também é estranho. Porém, ficaram satisfeitos com o que eu fiz, embora eu tenha ouvido dizer que alguns extremistas, chamados zelotes, consideraram o ato uma blasfêmia. Estes zelotes são um bando de rebeldes que rejeitam tudo que Roma tem a lhes oferecer. Felizmente a seita dominante, os chamados fariseus — parece uma palavra egípcia, não parece? E nós dois sabemos para onde podem ir os ditos-cujos —, têm medo dos zelotes e ficam felizes quando damos uma surra neles.

Fomos convidados do rei Herodes. Não lembro se vocês se conhecem bem. Encontrei o rei pela primeira vez anos atrás. Ele tem muito charme, do tipo meio pegajoso, mas não melhorou com a idade nem melhora quando a gente o conhece melhor. Não gosto do jeito como ele fica fuçando em volta de Júlia. Felizmente sua mulher (que é a sua segunda mulher, sua prima além do mais) é o que os soldados chamam de "megera", e então Sua Majestade Judia não ousa fazer mais do que fuçar. Não é preciso dizer que Júlia acha as atenções dele repulsivas, mas seria pouco diplomático desencorajá-lo bruscamente.

Júlia está em plena forma e conquista os corações por onde quer que vá. Apesar disso é uma esposa fiel e carinhosa com o seu marido de meia-idade. Porque nós chegamos, ai de mim, à meia-idade, eu e você. (Com certeza Mecenas continua pintando o rosto para parecer mais moço...) Os meninos estão ótimos. Lucinho teve um pouco de febre na semana passada, mas já está melhor. Vive perguntando quando é que verá o vovô. Todos nós gostaríamos de ver você, velho amigo. Quanto a mim, a gota dói como o diabo. Às vezes acordo gritando de dor. Tentei ler o poema de Virgílio — profundo demais para mim —, mas tinha uma parte no sexto livro que Júlia selecionou a respeito dos horrores do Mundo Subterrâneo. Um pouco parecidos com a gota. Nada mau este pedaço...

Para terminar, a boa notícia: Júlia está grávida. A criança nascerá dentro de seis meses, e, agora que ela não está mais enjoando pela manhã, resolvemos que deve ir a Roma com os meninos.

Talvez você possa se encontrar com eles em algum lugar durante o verão. Ela pretende passar os dias de calor numa de nossas casas na Baía de Nápoles...

Cuide-se. Roma pode me dispensar, mas não pode dispensar você, velho amigo.

Marco Agripa.

Minha resposta vem a seguir:

Meu caro Agripa, fiquei naturalmente muito feliz com as suas notícias, embora como sempre minha alegria venha acompanhada de certa ansiedade com a gravidez de Júlia. Ler o que você escreve com o maior carinho sobre a minha filha me dá um grande prazer, e fico feliz em saber que este casamento (que você — e lembrar disto me diverte — contemplava com insegurança) cimentou nossa velha amizade tão firmemente que nada, a não ser a morte, pode nos separar. Eu ficaria preocupado sobre o fato de Júlia viajar no estado em que está, se não tivesse absoluta certeza de que você nunca permitiria que ela o fizesse sem consultar os médicos e tomar todas as precauções. Estarei na Itália neste verão, sim, e quero muito ver a minha filha e os meus netos. Eles têm de ficar conosco, é claro.

Quanto à sua gota, sinto pena de você e falei com o meu médico, Antônio Musa. Ele disse que não há uma cura garantida, mas que você pode melhorar se evitar vinho tinto e carne vermelha. O que ele recomenda é vinho branco e queijo. Ele é realmente um doidivanas imprevisível. Para mim ele proíbe vinho branco e receita vinho tinto, embora eu tenha sempre preferido o branco (que na verdade ainda bebo escondido), e agora para você é o contrário. Parece que nossas preferências naturais são sempre erradas de acordo com os médicos.

É claro que eu conheço bem Herodes, muito bem aliás. Ele esteve em Roma um ano antes dos Jogos Seculares, e nos vimos muitas vezes. Onde é que você estava naquele ano? Seria de esperar que ele se gabasse de ser meu íntimo, mas naturalmente você não acreditaria. Você teria razão de não acreditar. Não gosto nem um pouco dele. É um intrigante e hipócrita e era, originalmente, você pode ter esquecido, protegido de Caio Cássio. Depois tratou de cair nas boas graças de Marco Antônio, o que conseguiu promovendo os seus vícios. Acho que ele é desequilibrado, o tipo de homem que recua diante de um caminho reto e só sabe dar golpes baixos. Não é um judeu de verdade — sua mãe era uma espécie de grega degenerada —, mas é, ai de mim, um instrumento necessário para nós, e você faz bem de lisonjeá-lo e cativá-lo. Dizem que ele oferece sacrifícios diários em minha honra, o que é um pouco nauseante, e faz seus súditos usarem meu nome em seus juramentos. Contudo, na verdade, ele não se importa nem um pouco comigo.

Mas, apesar de todos os seus defeitos, e são muitíssimos, ele e Roma estão unidos. Nenhum bom judeu promoveria o nosso império ou tentaria trazer seus parceiros religiosos para dentro da nossa civilização. Herodes é um helenista que apoia a cultura mais ampla do mundo mediterrâneo. Não tem nada em comum com os extremos do judaísmo, como os zelotes que você menciona. Há bastante tempo tenho agentes entre eles. Você tem toda razão. Eles nos rejeitam completamente e aguardam um líder que chamam de Messias. O deus deles prometeu que será um novo rei dos judeus. Esperam que ele até mesmo nos expulse. Evidentemente os zelotes, que odeiam e desprezam Herodes, nunca o escalariam para Messias, apesar de que, desonesto como é, ele seria capaz de fazer o papel se tivesse uma chance mínima para isto. Porém, é bastante inteligente para perceber que tal coisa nunca acontecerá, e se ressente do fato de os judeus rejeitarem as suas pretensões — a vaidade o devora e, se não fosse pela sua prudência natural, devoraria inclusive o seu discernimento. Ele, portanto, compreende que depende de Roma para se manter no poder, e então estamos unidos, como eu já disse e tenho certeza de que você sabe. Ainda assim, considerando a impopularidade de Herodes, você faz bem de se esforçar por agradar aos judeus. Mas eles são tão intratáveis que duvido que mesmo você consiga agradá-los por muito tempo.

Eu ficaria aflito se você simpatizasse com Herodes, porque, no fim das contas, ele é realmente um sujeito nojento. Eu lhe digo, meu caro amigo, preferiria ser um porco a ser filho dele. Aliás, isto é um trocadilho, se você traduzir para o grego.

Cuide-se.

Roma depende do seu grande general e eu do meu amigo mais querido e mais antigo...

O sol brilhava no azul profundo das águas e se punha vermelho como sangue atrás das ilhas, deixando no céu uma faixa de cor gloriosa que se esmaecia como a vida de um homem. Aquele verão foi um tempo de languidez e de piqueniques. Lívia estava serena e generosa como o tempo. Nada conseguia estragar o seu bom humor: um dia encontrou um bando de nudistas a menos de três quilômetros da entrada da nossa propriedade. Os criados que a acompanhavam, chocados, teriam eliminado ou aprisionado os infratores se a minha mulher, muito séria, não tivesse pedido que eles não fizessem nada.

— Para uma mulher como eu — disse — um homem nu é como uma estátua.

Manteve-se circunspecta até o fim, mas deu risadas quando me contou a história.

— Coitados — disse —, os olhos deles quase saltaram das órbitas quando compreenderam quem eu era. Sem dúvida escaparam por pouco. Mesmo assim, você devia mandar alguém dizer para eles se vestirem... Nem todo mundo tem a mesma atitude indiferente que eu tenho. Imagino que sejam um pouco malucos e, embora eu saiba que está na moda caçoar dos loucos ou considerá-los um tipo de prodígio, da minha parte eu os acho insignificantes, mas dignos de piedade. Arranje alguém para vesti-los, meu querido. Eu ficaria desolada se algo acontecesse a eles.

Mas foi uma reunião de família estranha, se mais não fosse pelo fato de que, com exceção da minha pessoa, todos os maridos estavam ausentes e que, com exceção de Lívia, todas as mulheres estavam grávidas. Agripa, naturalmente, ainda se encontrava no Oriente, Tibério, no Danúbio e Druso, agora, no Reno... Dentre suas esposas, Júlia era, é claro, a figura resplandecente. Estava no auge da sua beleza; sua gravidez dava-lhe um ar de pêssego maduro e suculento. Ela refletia o sol e, com os meninos, Caio e Lúcio, a seu lado e o bebê, Julinha, nos braços, poderia ter posado para uma estátua representando as dádivas férteis da Mãe Terra. A felicidade não a fazia menos mordaz ou implicante, e ela escolheu a mulher de Tibério, Vipsânia, como alvo especial. Achava muito divertido o fato de Vipsânia ser sua enteada, e adorava bancar a guardiã da castidade da moça. A outra esposa era minha sobrinha Antônia, filha da minha querida irmã Otávia e de Marco Antônio, que Lívia tinha escolhido, para grande alegria da minha irmã, como noiva do seu amado e brilhante Druso. Foi a escolha mais sábia do mundo. Antônia só herdara do seu pai a beleza e o encanto. Era absolutamente avessa às aberrações morais que haviam desfigurado o caráter dele; saiu à mãe na virtude e no recato. Eu e Lívia a amávamos e respeitávamos, e, aliás, continuamos a amá-la e a respeitá-la. Considero Antônia um dos esteios da velhice, e ela demonstrou ser admirável como mãe tal qual era como esposa e filha.

Mas a maior felicidade para mim naquele verão foram os meus netinhos... Escrevo estas palavras e sei que nunca aceitarei tê-los perdido. Cada vez que tento descrevê-los meu coração para. Tudo o que sei é que aquele verão parecia abrir diante de mim um jardim de perfeita bem-aventurança. Os meninos eram cheios de vida, carinhosos e naturais como flores.

— Vovô — eles diziam, puxando as minhas mãos ou subindo no meu colo — vem jogar bola, vem jogar dados, conta uma história...

— Vovô — dizia Caio —, você já ouviu a piada do elefante e do camundongo?

Era para mim que o pequeno Lúcio corria em prantos quando caía e cortava o joelho...

Eu me senti um patriarca naquele verão e pus de lado as preocupações do governo. Fazíamos piqueniques nos planaltos acima de Sorrento e nos deitávamos em campinas cobertas de flores cujos nomes só Lívia sabia. O mar brilhava lá embaixo, passarinhos cantavam à nossa volta, e comíamos com simplicidade, desdenhando os pratos elaborados de Roma, comida do campo: presunto curado ao vento, peixes trazidos às pressas do litoral em cestas de neve, temperados com o orégano, a erva-doce ou o tomilho colhidos nas campinas, grelhados preparados ao carvão, pão grosso e salame, o queijo branco de gosto forte que os pastores fazem com leite de ovelha, e a muçarela úmida trazida pelas moças que cuidam dos búfalos nos charcos. Lívia sempre levava uma cesta de figos e damascos secos que nós dois adoramos, e havia morangos a ser colhidos nos bosques que cercavam as campinas. Que visão clara eu tenho — como se o tempo tivesse parado naquele momento — das três moças, todas as três pesadas na sua gravidez, os pés enterrados na grama da campina, balançando cestas cheias dos frutos doces que haviam colhido naqueles bosques, frutos que deixavam um gosto fresco e ácido na boca. Vejo também Lúcio pequenino, nu como um bebê cupido, o rosto coberto do rosa e branco dos morangos e da muçarela.

Se ao menos o tempo pudesse ter realmente parado...

VIII

AGRIPA VOLTOU DOENTE PARA A SUA CASA NA CAMPÂNIA. COM MANchas cinzentas no rosto e rugas profundas descendo dos cantos da boca num ricto de dor. Implorei a Júlia, que estava grávida de seu quinto filho, que tivesse o maior cuidado com o herói que era seu marido.

— Dependo mais de Agripa do que de todos os outros romanos juntos — eu disse, e o meu exagero era perdoável.

Passei muitas horas ao lado da cama dele e vi sua vida tremular. Lívia, que tinha aprendido a amá-lo também, que se alegrara, por conta de sua própria virtude incorruptível, com a fidelidade, com o valor moral e o bom senso dele, cuidou dele pessoalmente e com ternura. Ficou zangada porque Júlia não parecia muito interessada, e se recusou a aceitar as desculpas da idade ou da gravidez.

— Ela não é mais uma menina, é uma mulher de 28 anos — respondeu rispidamente.

Prometi a Agripa que tomaria conta dos seus filhos com o maior carinho, embora soubesse que ele não precisava que eu prometesse isto. Eu adotaria meus netos.

— Eles governarão o império que conquistamos juntos — prometi.

— Cuidado, César... — ele murmurou através dos lábios rachados, com uma voz que perdera todo o eco dos desfiles militares. — Cuidado para não criar os meninos como príncipes. Lembre-se de que somos todos apenas cidadãos da República.

Esta era a força de Agripa. As dúvidas que me atormentavam quando eu pensava que havíamos corrompido a República pela nossa maneira de restaurá-la nunca o perturbavam. Longe de ser um historiador, ele acreditava que o grande Cipião, o Africano, teria vivido feliz em nossa Roma, satisfeito com as suas coisas, e não percebia que Cipião só poderia ter feito isto como Agripa ou Augusto. Nenhum grande homem jamais foi tão modesto em relação aos seus próprios méritos quanto Agripa, contudo, não conheci nenhum mais orgulhoso do que ele. Talvez no fim das contas o caráter de cada pessoa seja sempre um enigma. Quanto mais você conhece um homem, menos clara é a imagem que você tem dele. Talvez seja melhor assim. Quem gostaria que o mundo o conhecesse como ele se conhece? Pensando nesta autobiografia, estremeço com o que ela revela ao mundo. Devia matar os escravos a quem a estou ditando. (Não, se você escreveu isto, risque; foi uma piada para você. Você acha que é uma piada de mau gosto? As melhores piadas frequentemente o são.)

Agripa morreu serenamente uma hora antes da alvorada, que é a hora em que a Morte é mais sedenta. Decretei para ele a honra póstuma de ser sepultado no mausoléu de nossa família. Tendo assumido o posto de Pontífice Máximo no ano anterior devido à procrastinada morte do patético Lépido, eu mesmo conduzi o serviço funerário e fiz o discurso laudatório. Por causa do meu novo cargo, eu tinha sido obrigado a me ausentar do momento da sua morte, pois está escrito que um Pontífice não pode olhar para os mortos. Evidentemente, acontece que esta é uma proibição impossível de ser obedecida, uma vez que em geral o Sumo Sacerdote é também um comandante militar. (Lembrem-se de que Júlio César era Pontífice Máximo quando massacrou gauleses e cidadãos.) Mas eu tinha resolvido fazer tudo corretamente, para evitar que uma negligência qualquer pudesse ofender os deuses e amargurar a chegada de Agripa às Sombras.

No final do meu discurso, fiz um resumo do significado da vida de Agripa, depois de ter relatado os muitos feitos realizados por ele:

> Sua origem, como eu já disse, foi modesta, no entanto homem nenhum fez mais por Roma. Além de tudo, ao contrário de muitos homens de família relativamente humilde, ele não permitiu que esse acidente do Destino o fizesse invejoso dos que haviam nascido nobres. Preferiu demonstrar que, se é verdade que alguns homens adquirem mérito de seus antepassados, um único homem virtuoso e de ilustres qualidades pode conferir

> honra e nobreza a seus descendentes. O que quer que tenha sido realizado em prol de Roma nas últimas três décadas deve muito a Agripa. Ele foi um grande general, um grande procônsul, um grande administrador e um grande construtor. Nunca se deixou corromper pela ambição ou por riquezas. Recusou muitas honrarias e muitos triunfos. Trabalhou abnegadamente pelo bem comum e sentia que o próprio trabalho era a sua recompensa. Ele costumava dizer: "Na harmonia as sementinhas transformam-se em grandes árvores, na desarmonia nascem grandes desastres."
>
> Queimei minha mão direita na pira. Perdi o meu amigo mais nobre, minha filha perdeu o mais fiel e terno dos maridos, Roma perdeu seu filho mais notável. Apenas o trabalho que realizou permanece para amainar a nossa dor. Seu monumento é a boa situação em que se encontra a República...

O que mais eu poderia ter dito? Nesses momentos, as palavras são insuficientes. O próprio Agripa não era um homem de palavras. As memórias que ele deixou doem de tão insípidas e não lhe fazem justiça. Poderiam até ser lidas como a obra de um homem bem medíocre. Sofri intensamente. Com Agripa foi-se a sensação de que eu ainda podia construir algo. Minha juventude deslizou para dentro das sombras e eu me senti velho. De fato, nunca mais deixei a Itália, pois sem a segurança do seu apoio minha aversão às viagens aumentou.

Agripa me nomeou seu principal herdeiro. Eu naturalmente sempre fico orgulhoso e satisfeito de receber heranças, porque nada comprova tão claramente a estima dos amigos; neste caso, é claro, considerei a herança como pertencendo aos meninos, embora confiada a mim.

O filho de Júlia nasceu logo após a morte do pai. Não sei se este fato lançou uma influência maligna sobre o destino da criança, mas a verdade é que este menino, chamado Agripa Póstumo, era muito diferente dos seus irmãos e irmãs. Cresceu apático e até embrutecido, e tem sido uma cruz para todos nós. Para a minha tristeza, demonstrou ser incapaz de tomar o lugar que lhe pertencia no Estado. E, apesar disto, ele se parece, mais do que Caio e Lúcio, com o seu pai (seus irmãos saíram mais a Júlia e a mim); mas é um Agripa sem percepção e sem coragem, um Agripa, por assim dizer, que nunca tivesse deixado os campos da família, que labutasse atrás dos bois xingando o tempo.

Senti por Júlia, viúva pela segunda vez e com cinco filhos, embora naturalmente eu me responsabilizasse pelos meninos mais velhos. Estava também perturbado por pensamentos da minha própria mortalidade, pois em nossa mocidade a saúde robusta de Agripa parecia caçoar das minhas mazelas. Eu estava com 51 anos e Caio só tinha oito. O que aconteceria se eu morresse? Eu sabia que havia muitos aristocratas rancorosos que ficariam felizes de poder se vingar nas lindas e inocentes crianças das humilhações que imaginavam ter sofrido em minhas mãos. Era essencial que a segurança deles fosse garantida. Era essencial que Júlia se casasse novamente, e que se casasse com alguém de confiança, que defendesse os interesses dos meninos se eu morresse.

Lívia concordou comigo.

— Respeito o seu amor e a sua preocupação por Caio e Lúcio e naturalmente sinto o mesmo. Pode contar comigo para fazer tudo que o estiver ao meu alcance para protegê-los, mas acontece que não passo de uma mulher e não posso ter qualquer *status* constitucional. Sou bastante realista para saber que a influência que eu tenho hoje é apenas a que você permite que eu tenha, e foi adquirida somente graças à confiança que cresceu entre nós durante todos os nossos anos de casados. Mas eu sei, meu querido, que esta influência desaparecerá se eu tiver a infelicidade de sobreviver a você. De qualquer maneira, acho que eu não iria querer tomar parte na vida política se isto acontecesse... Imagino que o meu luto seria profundo e longo demais. Então você tem razão: é essencial que Júlia se case novamente — ela disse.

Apertei e beijei a sua mão. Ela continuou:

— Existe outro argumento que eu me sinto obrigada a apresentar, embora você não vá gostar... Mesmo se não houvesse crianças, Júlia precisaria de um marido. Senão, sinto muito, ela provavelmente nos envergonharia. Eu nunca me senti confortável falando sobre sexo, mas preciso falar. Júlia tem apetites. Não consigo dizer mais do que isto... Sempre procurei me portar como se fosse realmente mãe dela, mas não sou, é claro. E você sempre a considerou inteiramente sua filha. Ora, isto é compreensível, mas na verdade ela é filha de Escribônia, e todo mundo sabe como ela é... É absurdo supor que as crianças não herdem as qualidades de ambos os pais, embora eu fique feliz em dizer que não vejo nada em Tibério e em

Druso que me lembre o imprestável pai deles. Então, concordamos que Júlia precisa ter um marido. A questão é: quem deveria ser este marido?

Discutimos a respeito disto por algum tempo. Júlia tinha muitos amigos da sua idade entre os aristocratas, e em relação às suas famílias havia um bom número de candidatos à sua altura. Alguns deles, mas nem todos, também tinham caráter e realizações que os recomendavam. Porém, todos apresentavam o mesmo defeito irremediável: eu não podia contar com nenhum deles para agir como guardiães de Caio e Lúcio.

Lívia não conseguiu sugerir uma solução. Portanto, decidi consultar Júlia. Salientei a importância para os meninos de ela se casar outra vez. Falei mais abertamente sobre isso com ela do que jamais falara com qualquer outra pessoa.

— Ouça, querida — eu disse —, você é a minha única filha, e a sua felicidade é muito importante para mim. Nunca se esqueça disto... Meu maior desejo é que você e os seus filhos tenham sempre muita sorte... Acontece que eu já estou velho e seria natural que eu morresse a qualquer momento. Tive duas paixões na vida: Roma e a minha família. As duas estão inextricavelmente entrelaçadas em meu amor e minha ambição. Como você sabe, eu restaurei a República...

— Conheço gente que considera isso uma fraude — interrompeu ela. — Dizem que é só uma fachada e que por trás dela você é rei em tudo, menos no título...

— Eu sou o Primeiro Cidadão, só isto — respondi. — Seus amigos são tagarelas maliciosos, minha querida. Se a ocasião fosse outra, eu lhe pediria o nome deles. — Não era verdade que eu precisasse pedir os nomes; sabia muito bem quem eles eram. — O que fiz — continuei — foi restaurar a ordem e a estabilidade. Você não pode, graças aos deuses, lembrar-se das guerras civis... Foram horríveis, e eu me dei a missão de acabar com elas para sempre. Isso significou, admito, uma limitação da liberdade. Bem, a liberdade só é uma boa coisa quando se obedece à lei. Não quero fazer uma palestra sobre filosofia política, você logo começaria a bocejar loucamente, mas o que estou dizendo é verdade. Nenhum Estado pode existir sem uma inteligência que o organize. Espero que seja a tarefa de Caio e Lúcio no futuro.

— Eles são uns encantos — ela disse — e eu adoro os dois, mas não podemos medir suas habilidades. O coitado do Caio não tem nem nove anos ainda. Além disso, eles talvez sejam mais felizes apenas como simples cidadãos... Nenhum dos meus amigos tem de trabalhar tanto quanto você; você não permite isto, é claro, mas também é verdade que a maioria está muito satisfeita com o seu lazer. A arte de viver é encontrada entre os ociosos, não entre as abelhas operárias. O que estou dizendo é que você está errado partindo do princípio de que todo mundo quer trabalhar tanto quanto você. Ou que seja necessariamente uma boa coisa... Você pode estar tentando colocar à força os meninos dentro de um molde que não é para eles!

Ela estava errada, completamente errada. Eu sabia que estava, e fiquei zangado. A vida dos meninos provaria como ela estava errada. Tive uma visão de Júlia e de seus amigos ociosos rindo-se de tudo o que eu valorizava. Ouvi o tom de sarcasmo do Círculo dos Jovens da Moda. O que eu tinha feito? Tinha sobrevivido à minha época e castrado Roma. Percebi isto num momento de horror, como o vazio de quando a gente acorda no meio da noite escura e só ouve o silêncio.

— Além do mais — ela disse e deu uma risada —, parece que eu sempre fui casada. Tenho vontade de ficar livre de maridos.

Beijou-me no alto da cabeça e foi embora rápida e leve sem nem se dar conta da minha zanga. Ou será que se deu conta e não se importou? Podia ser que ela tivesse prazer em me fazer ficar zangado...

Naturalmente, procurei Mecenas para pedir conselhos, como sempre fiz. Apesar de termos nos afastado — Mecenas não gozava de boa saúde e se declarava sinceramente enfastiado com os negócios públicos —, ainda podíamos confiar no resquício de lealdade que sentíamos um pelo outro. Mas, enquanto no passado eu teria aparecido de surpresa em sua casa no Monte Esquilino, agora eu me fiz anunciar antes. Isto lhe daria tempo de providenciar para que eu não visse Bátilo, que eu achava repulsivo até no palco.

Mecenas me deixou esperando em uma sala abarrotada de móveis e enfeites. Painéis pintados nas paredes representavam uma variedade de atos de união. Deixar-me esperando ali era uma caçoada; meu amigo sempre tivera um lado muito malicioso.

— Evidentemente você está deslocado aqui... — ele disse. — Não gosta deste tipo de decoração, gosta? Você ficou tão careta... Mas é bom se lembrar, meu velho, que existem outros aspectos da vida.

Ele estava com uma cor horrível e em pele e osso. Minha cólera se evaporou. Até mesmo suas palavras mordazes eram interrompidas por uma tosse seca.

Fez uma careta e continuou:

— Não que ainda haja muita vida em mim, benzinho... Mas sempre sorrindo, sempre sorrindo, como dizem os gregos. Você quer algo? Não pode ser um rapaz que eu talvez conseguisse fornecer, então deve ser um conselho... Júlia?

— Muito inteligente da sua parte.

— Óbvio, meu querido. Pobre Júlia... Eu a vi num banquete na semana passada. Estava maravilhosa, e tão ávida, contudo desperdiçada. Pensei comigo mesmo, "pobrezinha, você não gozou muito a vida, gozou?". Não para alguém que gosta de se divertir como você. Naturalmente tenho uma certa empatia com Júlia... Ela é meu tipo de moça, meu velho.

Estava quente demais na sala e um perfume enjoativo pairava no ar.

— Mas você continua o mesmo de sempre quando eu falo de um jeito que você não gosta. — Mecenas serviu vinho e me passou uma taça; doce demais, como de hábito. — Você fica sentado aí como um gatinho bem-comportado e lava o rosto com as patas. Mas eu não vou deixar você conseguir o que quer. Você não nos compreende, Júlia e eu, e vou lhe dizer algumas verdades desagradáveis. Ela detestou ser casada com Agripa. Tinha de fechar os olhos e cerrar os dentes quando ele fazia amor com ela. Não me pergunte como eu sei, mas eu sei. E não pense que estou falando por mal... Sei muito bem o valor de Agripa, mas também sei como Júlia é. Ela é grande, forte e gosta de homens (ou rapazes) mais delicados do que ela. Sendo andrógina, só se sente feliz com outro andrógino. Você se esqueceu da sua própria mocidade, este é o seu problema, meu velho. O primeiro casamento com Marcelo poderia ter dado certo se não fosse pelo fato de Júlia saber que você, Marcelo e ela formavam um triângulo amoroso... Ela era fascinada por você naquela época, meu velho, e você era fascinado por Marcelo, que era, ai de mim, um encanto de garota, mas que não saía da frente do espelho. Então, na verdade, não tinha solução. Tome mais vinho... Você não pode imaginar como eu estava morrendo de vontade de lhe dizer estas coisas.

Ele se estendeu num divã.

— Não vou aguentar muito tempo dias assim, em nenhum sentido da palavra — disse rindo e balançando suas mãos com dedos cobertos de anéis. — E, depois, o que você fez? Fez com que ela se casasse com Agripa, que não era o tipo certo de figura paterna, e que fazia a moça morrer de tédio com as suas bravatas, além de enojá-la fisicamente. Foi então que ela se voltou contra você. Uma coisa era ela ser casada com Marcelo, que a fazia ficar com ciúme, mas que ela achava atraente; outra coisa completamente diferente era ela ser entregue àquele velho lutador. Mas ela é decidida, sua filha, e fez o melhor que pôde. Aceitou as regras do jogo. E agora, finalmente, está livre.

Mecenas nunca conseguia dizer a verdade a respeito das pessoas. Esta incapacidade se tornara mais aguda com o passar dos anos. Ele era um escravo das fofocas e das insinuações. A maior parte do que ele dizia podia ser ignorada. Mas não era nunca possível ignorar a essência do que ele dizia... Fiquei ali sentado, sem tocar no vinho, doce demais, oprimido pelos perfumes enjoativos espalhados na sala, e esperei pelo que eu mesmo pedira.

— Amor — ele disse, e deixou a palavra suspensa no ar. — Você sabe, meu velho, antes de Bátilo eu fugia do amor. Ah, claro, eu nunca vivi sem meus amores, ninguém sabe disto melhor do que você... Mas evitei, exceto em um caso, a degradação do amor. Você sabe que caso, é lógico. O que quero dizer com degradação? Escravidão, simplesmente. Saber que você nunca pode satisfazer, saber que você nunca pode possuir, ansiando por possuir inteiramente, completamente, e ao mesmo tempo desejando que o seu amado pise em você. Não é estranho, depois de todos estes anos, estar dizendo estas coisas a você, e você ainda não entender... Você ainda sente necessidade de controlar. Você considera minha associação (é esta a palavra que você usa, não é?), minha associação com Bátilo degradante. É abjeta, não é, minha entrega a ele? Você nunca se entregou a ninguém, nem mesmo a Lívia. Digo mais: escolheu uma mulher que ficaria constrangida se você se entregasse. Ah, sim, você é submisso a ela nas pequenas coisas, e todos riem de você porque isto faz você parecer humano. Mas não nas coisas importantes, hein? A sua vida inteira todos tiveram de se dobrar diante da sua vontade monstruosa. Monstruosa.

Ele foi interrompido por um ataque de tosse. Sua pele brilhava amarelada. Eu não conseguia me mexer, na verdade esperava que ele continuasse. Minha única sensação era impaciência. Quando ele parou de tossir, o silêncio foi absoluto. Nada se movia dentro daquela casa. Alguém com certeza parara o abanador, qualquer que fosse, responsável por espalhar o perfume pela sala. Estávamos retidos ali, como prisioneiros, na imobilidade sufocante do ambiente.

— O que é o mundo, oh, soldados? Sou eu. Foi a isto que você chegou, Augusto. Pobre Júlia, linda, vítima da sua vontade. Você não podia se permitir fazer o que desejava com Marcelo, sodomia ativa e passiva, então a pobre Júlia foi sua substituta. Depois ela se tornou vítima da Razão de Estado para manter Agripa na linha. Ah, sim, eu mesmo aconselhei este casamento, você dirá. Eu lhe disse o que você queria ouvir. Eu sempre soube fazê-lo, não é? Agora estou implorando a você: deixe a moça em paz. Deixe que ela se case se quiser. Se ela resolver se casar, será com um rapaz bonitinho como Júlio Antônio. Ah, admito, ele é neto de Marco Antônio e Fúlvia, mas não é perigoso, é um almofadinha bonitinho... Ela se divertirá com ele. Não a sacrifique mais uma vez à Razão de Estado. — Fez uma pausa e levantou a mão. — Sei o que você vai dizer. Vai falar de Caio e Lúcio. Você quer um marido que garanta a sucessão deles. Ah, eu sei que você não gosta da palavra "sucessão", mas seja honesto, meu velho, é o que é, monarquia disfarçada. Você se lembra daquela conversa que tivemos com Agripa, quando ele queria a volta da antiga República (sabe, realmente ele não era mais esperto do que Pompeu), e eu disse que era de um soberano que precisávamos? Bem, é o que você é, por mais que tente esconder. E você quer garantir a sucessão para os seus netos... Então, para conseguir isto, sacrificará Júlia novamente? E você não sentirá nada, certamente nenhuma culpa. Ainda não tem nada para dizer?

Encolhi meus ombros e disse:

— Falar é fácil. Cumpri o que considerei meu dever. E é claro que estou tentando tomar providências para o futuro...

— Tenho pena de você, sabe... — ele disse. — Minhas mãos estão livres da responsabilidade de crimes cometidos, até mesmo crimes morais. Virgílio sabia o que estava acontecendo com você e tinha pena de você. É verdade, você realizou grandes coisas e de certa forma somos todos seus devedores, mas o que foi que as suas realizações fizeram com você? Mataram sua imaginação, seu calor humano. Só sobrou a sua vontade. Virgílio amava você, como eu amo, e ele sentia uma espécie de horror por você, como eu sinto...

— Se eu fosse o que você diz, você não falaria assim comigo. Você não ousaria.

— "Ousaria"? Veja as palavras que você escolhe.

— Ah, Mecenas, muita coisa do que você disse é verdade. Claro! Eu reconheço. Partes de mim estão mortas. Não sentem nada. Um torpor moral. É, às vezes eu tive de cultivar isto. Mas todos nós matamos partes de nós mesmos. Não finja, velho amigo, que você não o fez também... Você deliberadamente extirpou todo senso de decoro, por exemplo. E não se apaixonando...

— Mas eu me apaixonei... — ele disse.

— E rejeitando laços de família, você negou e sufocou muita coisa boa em você. Mas eu não rejeitei o amor. Eu quero o melhor para aqueles que amo...

— Você quer o que você resolve que é o melhor...

— Cada um tem de usar o seu discernimento...

— Se realmente amasse Júlia, você a deixaria em paz, você a deixaria se casar com o seu almofadinha bonitinho...

— Por eu amar Júlia, não posso encorajar uma união que a rebaixaria...

— Rebaixaria? Eu me rebaixei?

— Você se rebaixou, sim, Mecenas, com sua paixão escandalosa por aquele ator. Sinto muito dizer isto, mas quem respeita você hoje em dia?

— Todavia, você procura os meus conselhos...

— Sempre fiz isto. Mas ouvi dizer que agora, quando você aparece no teatro, todos zombam de você, vaiam você...

Ele sorriu e disse:

— Não vamos brigar... Talvez nós dois tenhamos nos rebaixado. Por outro lado, talvez seja possível colocar a questão de outra maneira. Talvez viver seja tirar da alma tudo que não é essencial. O menino tímido e bonitinho que eu amava foi devorado pelo homem voluntarioso; e é verdade, você tem razão, agora sou um escravo das emoções, da beleza e do prazer. Minha dignidade foi arrancada de mim. Sou um palhaço, uma velha, totalmente ridículo. Sendo o que nos tornamos, nos despindo de muita coisa boa, somos revelados em nosso eu verdadeiro. Então, meu querido, você não pode seguir o meu conselho, pode? Você não é capaz de deixar Júlia livre sem trair a sua vontade, e isto é impossível. O que fizemos, suponho, foi cumprir o nosso destino, e acabamos prisioneiros do nosso próprio caráter. Estou sendo metafísico demais para você, fantasioso demais? Se quiser, considere o que eu disse como meras divagações de um etrusco degenerado. Mas que ainda o ama... Além do mais, sei o que você vai fazer... Obrigará Tibério a se divorciar de Vipsânia (ela não tem mais importância, não é?, agora que o pai dela está morto e não faz muita diferença o fato de que eles são felizes um com o outro) e a se casar com Júlia. Ele é um homem forte, afinal de contas, e um homem honrado (se é que você me permite usar esta palavra, eu que, como você sabe, não sou honrado; pelo menos de acordo com os seus padrões) e, portanto, fará a coisa certa em relação aos meninos. Não era isto o que você queria ouvir?

— Tibério... — eu disse. — Lógico. Júlia era apaixonada por ele quando eram mais jovens. Lívia se queixava de que ela nunca deixava o rapaz sossegado.

— Claro que não... — disse Mecenas. — Ele era um desafio, um desafio forte e calado. Mas... de qualquer modo, isto não é um conselho meu. É uma previsão. Está vendo como eu conheço você? Bem... — Ele pegou sua taça de vinho. — Gostei de ter tido esta conversa. Duvido que tenhamos muitas outras, não é? Não agora que dissemos o que queríamos dizer há tanto tempo. Na verdade, não restará muito assunto para conversa... Uma última observação: você pediu a Horácio para ser seu secretário... Claro que eu sei, ele me consultou a respeito de como recusar o pedido; o que eu ia dizer era: você sabe por que ele recusou?

— Ele não queria deixar sua fazenda sabina...

— Ah, é verdade, ele gosta daquele lugar. Mesmo assim, isto não seria uma razão forte o suficiente... Ele disse: "Admiro *o princeps* de longe, e tenho orgulho da minha admiração. Mas trabalhar para ele seria me corromper e desagradar a minha Musa..."

Não respondi. Era óbvio que Horácio tinha razão. O Rei-Filósofo, o Príncipe-Poeta não poderia sobreviver ao exercício do poder. Os que trabalham para os poderosos ficam manchados pela responsabilidade de agir...

— Agora — disse Mecenas — vá embora, seja bonzinho e vá... Bátilo está chegando. Ele não gostará de saber que você esteve aqui e ficaria furioso se nos encontrasse juntos. E ele é muito chato quando fica de mau humor.

— Ah, sim...

— Não tente fazer esta cara de sensatez e sabedoria. Naturalmente, o escravo contará a ele que você esteve aqui.

— Claro que irá. Os escravos sempre contam — retorqui.

COMO DE COSTUME, MECENAS HAVIA USADO SEU GRANDE TALENTO: ele me dissera o que eu queria ouvir, embora eu não tivesse percebido antes. Um conselheiro se parece com um orador que revela os desejos e as paixões inconscientes da multidão a que se dirige. Eu fugira da ideia de Tibério como solução do meu problema sem nem mesmo examiná-la, porque, suponho, Lívia a tinha rejeitado depois da morte de Marcelo.

"Mas agora as coisas são diferentes", pensei.

Tibério não era mais um jovem desajeitado, mas um grande general e um homem muito experiente, que só tivera sucessos em sua carreira. Seu espírito cívico era indiscutível, bem como sua moral firme e sua dedicação ao dever. Quem melhor para proteger os meninos quando eu não estivesse mais presente?

É claro que, além das possíveis objeções de Lívia, havia outros problemas a enfrentar. A própria Júlia poderia não ficar satisfeita; ultimamente ela não tinha dado mostras daquela antiga paixão infantil por Tibério. Ele não era bem o tipo de rapaz com quem ela gostava de se associar. E havia também o problema de Vipsânia. Tibério era sem dúvida um homem morno emocionalmente, mas obviamente sentia muita afeição por sua mulher. Ele não consentiria de boa vontade em se divorciar dela. (Por outro lado, talvez Júlia achasse divertido suplantar a filha do falecido marido.) Além do mais, Tibério e Vipsânia tinham um filho chamado Druso, como o tio. Será que eu podia ter certeza de que Tibério colocaria os interesses de Caio e de Lúcio acima dos interesses de seu próprio filho? "Podia, sim", pensei; não apenas era Caio o mais velho da geração dele — e eu tenho de partir do pressuposto de que Júlia defenderia os interesses do filho —, como o inflexível senso de dever de Tibério não permitiria que ele ignorasse os meus desejos. Então, só restava uma ressalva: Tibério era avesso a discussões teóricas sobre política; ele preferia se concentrar no que precisava ser feito. Porém, eu sabia que na verdade ele era um rígido aristocrata conservador. O pai dele — aquele sujeito volúvel cuja memória Tibério teimosamente insistia em honrar — havia se juntado a Bruto e a Cássio. Eu suspeitava de que a causa que proclamavam ainda tivesse o apoio de Tibério. No fundo, ele sabia que os dias da República licenciosa haviam terminado para sempre ou as consequências seriam trágicas para Roma. E, no entanto, sua adesão à nova ordem nunca passou de uma postura intelectual. Não tocava o seu coração. Ele desprezava o Senado e os seus membros:

— Oh, geração feita para a escravidão! — Eu o tinha ouvido murmurar.

Todavia ainda guardava uma concepção idealista de governo senatorial. Sabia que era impossível e desejava que não fosse.

Não obstante, era Lívia a quem eu tinha de convencer. Se ela decidisse que Tibério deveria se casar com Júlia, ele obedeceria, mesmo relutantemente. Mas eu não tinha certeza da minha capacidade de persuadi-la. Disse-lhe:

— Temo que você tenha razão... Júlia nos envergonhará. Fiquei magoado quando você me lembrou que ela é filha de Escribônia, mas você tem razão. Falei com ela a respeito de um possível casamento, e ela disse que gosta da ideia de ser livre. O que fazer? Não podemos com certeza permitir isto.

— Eu já lhe expliquei que não podemos. Para começar, o comportamento dela nestas circunstâncias provavelmente faria suas leis sobre a moralidade caírem no ridículo.

Senti que estava corando; é desagradável ter de ouvir estas palavras a respeito da minha filha e saber que não podia contradizê-las.

— É óbvio que ela precisa se casar — eu disse —, como você mesma insiste. É óbvio que todos os membros do grupo que ela frequenta são inadequados. Ela precisa de um marido por quem sinta respeito como sentia por Agripa. — Os comentários de Mecenas passaram pela minha cabeça, mas prossegui com esforço. — Ele deve, portanto, ser como Agripa, um grande funcionário público, um grande general também.

Lívia sorriu:

— Você tem tanta certeza de que ela o respeitava? Você tem tanta certeza de que ela nunca o enganou?

— Você sabe de algum motivo para pensar diferente?

Ela sorriu de novo, mas não respondeu.

Parei, esperando que ela mesma mencionasse o filho, mas continuou a costurar, a imagem perfeita da matrona romana bem-comportada e submissa, exceto por aquele sorriso enigmático nos cantos dos lábios.

— Olhe, Lívia — eu disse —, não fica bem nós brincarmos de gato e rato. — Seu sorriso não se alterou. — Você sabe o que estou pensando e sabe que estou querendo que você mesma mencione a possibilidade.

— Tibério ama Vipsânia... — ela disse.

— Eu não nego isto.

— Ele sempre foi difícil, introvertido. Pode-se dizer que ele é misterioso, um bom filho, mas um filho que nunca confiou em mim, como Druso.

— Ah, é, Druso é diferente.

— E Vipsânia tem sido boa para ele. Acredito que ele fale com ela como nunca falou com ninguém.

— E isto não faz você ficar com ciúme?

— Claro que faz. Que mãe não tem ciúme da mulher do seu filho? Mas eu reprimo esta emoção. Repito, Vipsânia é boa para Tibério.

— Não nego isto, mas deixe-me apresentar outro argumento, ou melhor, trazer o argumento para outro terreno. Não somos cidadãos privados.

— Você está dizendo que somos uma família real? Eu jamais concordaria com isto.

— Claro que não. Por que é que você põe palavras na minha boca? Nada disto. Mas somos uma família importante. Temos obrigações que vão além da nossa felicidade pessoal. Temos obrigações para com Roma. Tibério, como um Cláudio que é, duas vezes Cláudio, como você disse tantas vezes, deve saber disto...

— E Roma precisa que ele se case com sua filha?

— Você está caçoando de mim, Lívia. Pois muito bem, é verdade. Roma precisa mesmo disto, porque Roma precisa de estabilidade depois de minha morte, e somente um casamento entre Júlia e Tibério pode garantir isto. Aí está. O que você me diz?

— O que eu posso lhe dizer? Você me acusa de caçoar de você, mas sou uma boa esposa romana. Não discutirei com você, especialmente uma vez que cheguei à mesma conclusão. Na realidade, não tenho tanta certeza quanto você de que Caio e Lúcio continuarão o seu trabalho; você sempre se esquece de como, por sua ordem, eles foram criados diferentemente dos outros, com muita indulgência, mas compreendo perfeitamente que os casamentos dinásticos são necessários. Compreendo que, com Agripa morto, Vipsânia não é mais importante, e compreendo também que um casamento entre Tibério e Júlia é a melhor maneira de garantir o futuro da nossa família e de Roma. Mas não espere que eu fique feliz... Pelo contrário. Sinto-me como Volúmnia e tenho certeza de que Tibério dirigirá a mim as palavras de Coriolano: "Mãe, você salvou Roma, porém destruiu seu filho..."

Lívia mais uma vez me fez de vilão. Fez com que parecesse que eu estava exigindo um sacrifício do seu filho. No entanto, uma vez restabelecido do mal-estar que o fim do seu casamento com Vipsânia causaria, ele sem dúvida poderia dar valor ao futuro brilhante que eu lhe oferecia. Ele estava, afinal de contas, sendo convidado para tomar o lugar de Agripa como o segundo homem da República e, para demonstrar isso, providenciei para que, antes mesmo do casamento, ele recebesse o poder tribunício por um período de dez anos. Além disto, ele não podia deixar de ficar gratificado com a confiança revelada não só por mim, mas também pelo Senado e pelo povo de Roma. E, por último, não era Júlia o partido mais desejável de Roma, não apenas linda, mas brilhante também, e mãe de crianças de quem era uma honra ser guardião?

Todavia, Tibério ficou amuado. Começou tentando recusar a honra, dizendo que não era digno dela. Isto me irritou, falsa modéstia sempre me irrita, e respondi rispidamente que ele parasse com aquilo. Quando ele continuou a protestar, disse que ele estava me insultando, insultando minha filha e insultando Roma. Não, ele respeitava os três, mas Vipsânia era a sua mulher, e ele a amava, disse. Respondi que isto não passava de lenga-lenga, e, quando ele recebeu esta censura em silêncio, realmente perdi a paciência (coisa que raramente me acontece e da qual me envergonhei posteriormente) e disse-lhe que ele era uma toga recheada de merda. No fim das contas, tive de fazer a sua mãe falar com ele.

— Diga-lhe — eu disse — que ou ele me obedece ou farei com que perca seus cargos e responsabilidades e seja banido para uma ilha remota do Mediterrâneo.

— Eu não diria isto... — ela disse. — Tibério sempre gostou de ilhas... Diz sempre que não pode imaginar nada mais agradável do que ter uma ilha como refúgio.

— É mesmo? Você pode lhe garantir que não haveria nada de agradável na ilha para onde eu o mandaria.

O fato é que Tibério, com todas as suas qualidades, sempre foi teimoso como uma mula. Há momentos em que ele parece ter a inteligência de uma toupeira, e eu sabia muito bem que ele estava sentindo um prazer perverso em me desafiar. Felizmente, Lívia percebeu que eu tinha me decidido e conseguiu ser persuasiva com o filho. Não sei o que ela disse, pois achei prudente não perguntar, mas fez efeito. Tibério voltou disciplinado, pronto para fazer a minha vontade, apesar do seu mau humor.

Mas isto não resolveu a questão. Por incrível que pareça, Júlia bateu o pé no chão e simplesmente recusou. Não se casaria com Tibério nem que ele fosse o último homem sobre a terra, ela me disse. A esta altura a minha paciência estava no fim, o que é compreensível. Disse-lhe que nunca tinha amado ninguém tanto quanto ela, que sempre tivera orgulho dela e perguntei-lhe se aquela era a minha recompensa.

— Uma bela retribuição para o meu amor! — gritei. — Bem, mocinha, se você faz questão de demonstrar que é uma péssima filha, só posso concluir que seja também uma péssima mãe. Estou lhe propondo um casamento, que dará a seus filhos um futuro seguro depois da minha morte... o que pode acontecer qualquer dia destes; estou até estranhando que não tenha acontecido agora diante deste desafio obstinado... E você recusa. Por quê? Porque você quer ser livre para se prostituir com qualquer jovem depravado de Roma? Por isso? Muito bem, os meninos não serão contaminados e corrompidos; você tem uma escolha bem clara, mocinha. Case-se com Tibério, como eu quero que faça, ou prepare-se para ser separada dos seus filhos e exilada em algum lugar remoto. E pode ter certeza de que escolherei um clima que esfriará o seu ardor.

Isto fez com que ela gritasse que eu nunca a amara, que só fingira amá-la, que fizera dela uma vítima da minha ambição doentia e escolhera seus maridos conforme os meus interesses, e que queria morrer. Disse muitos outros despropósitos do mesmo tipo, mas percebi que o meu ultimato havia causado efeito. Mesmo assim, não posso ter certeza de que ela teria cedido se não tivesse ficado a par da relutância de Tibério. Considerou isto um desafio, é claro. Como ele ousava não querer se casar com ela?

Então, os dois acabaram consentindo. O casamento tão necessário se realizou. Não foi uma ocasião muito feliz, porque eu estava perplexo com o egoísmo e com a falta de bom senso dos dois. Eu havia pensado apenas no que era melhor para ambos e me ressentia de ter sido forçado a usar os argumentos que usara. Sabia que eram desonrosos, e consequentemente sentia o rancor que sempre sentimos pelos que nos obrigam a nos comportar de um modo deselegante. Contudo, com este casamento, eu sabia que fizera o que era certo para Roma e para os meninos.

Mas nem assim se encerrou a questão. Alguns meses depois do casamento, fui informado de que Tibério e Vipsânia tinham se encontrado numa recepção. Disseram-me que o general não conseguia tirar os olhos da ex-mulher, a quem seu olhar seguia em volta da sala com um ardor patético. Aquela noite e durante os dois dias seguintes, o maior general romano se entregou completamente a Baco. Eventualmente Lívia teve de ordenar que todas as garrafas de vinho fossem removidas dos aposentos dele, e encarregou-se pessoalmente de supervisionar a sua cura. Ele estava pálido e trêmulo quando eu o vi depois disto, recusou-se a me olhar nos olhos (os dele estavam muito vermelhos), arrastou os pés e murmurou respostas mal-humoradas às minhas perguntas.

Obviamente um encontro entre os dois não podia se repetir. Fui ver Vipsânia pessoalmente e fiquei satisfeito com a maneira digna com que ela me recebeu. Não se queixou de nada. Declarei meu respeito por ela, mas disse-lhe que, por razões que não era necessário mencionar, eu decidira que ela não podia mais viver em Roma. Perguntei-lhe qual das propriedades do seu pai ela preferia. Ela escolheu uma nos Montes Sabinos, a uns cem quilômetros de Roma. Talvez um pouco perto demais da cidade para ser o ideal, mas pelo menos Tibério não possuía nenhuma propriedade na região. Eu herdara a propriedade de Agripa e fiquei feliz de passá-la para o nome da filha, junto com outra na Grécia. Disse a Vipsânia que gostaria que ela fosse para uma destas propriedades e que dividisse seu tempo entre as duas. Prometi assegurar-lhe uma renda considerável e até passei para ela parte do capital de Agripa. Ela era uma mulher sensata — eu sempre tinha admirado seu bom senso — e se dedicou a criar uma vida agradável dentro destes limites.

Fora uma transação difícil... Fiquei feliz quando tudo acabou. Nunca pensei que tinha me enganado. Sem dúvida, eu agira de uma forma que causara aflição e até sofrimento às três pessoas envolvidas, mas estava certo de que, quando as coisas se acomodassem, eles compreenderiam que eu agira para o seu bem, assim como para o bem de Roma. Veriam finalmente que eu não obtivera nenhuma vantagem pessoal com as providências que tomara. E eram todos sensatos, capazes de se adaptar à nova situação. Além disso, era bom saber que eu e Lívia tínhamos agido de comum acordo. Ela é que acabara convencendo Tibério a aceitar os meus planos.

A não ser naquela ocasião em que ele viu Vipsânia e perdeu o controle, Tibério nunca demonstrou má vontade ou desgosto. Retomou seus deveres com a eficiência de antes. Seu irmão, Druso, estava fazendo grandes coisas no Norte, e no ano da morte de Agripa chegou ao Rio Weser, tendo construído um canal entre o Reno e Zuiderzê para facilitar o abastecimento das tropas. A tarefa de Tibério ainda era a Dalmácia e a fronteira do Danúbio. Um trabalho duro e pesado, que exigia muita atenção a detalhes, nada espetacular, feito "de encomenda" para o temperamento dele. Ninguém o faria melhor do que ele. Deixem-me dizer isto claramente, porque bem sei que tenho sido acusado de injustiça em relação a Tibério, e que os fatos têm sido mal interpretados a fim de sugerir que havia rancor entre nós. Absurdo. A prova é que lhe dei minha filha em casamento. Qualquer pessoa que duvide que isto seja evidência da minha estima por Tibério, deveria se lembrar de como seus dois primeiros maridos me eram caros.

Júlia foi para a Dalmácia com ele. Era bom para ela deixar a frivolidade da cidade e ser lembrada do verdadeiro e constante trabalho do Império. Acordar no acampamento ao som de arreios e cavalos, sentir o frio mordendo os dedos e ver as abas da tenda cobertas de geada brilhando no sol da manhã, ou sentir a friagem das névoas ribeirinhas penetrando nos ossos, ver enxames de moscas rodeando os cavalos no calor de julho e viajar por quilômetros às sacudidelas em carroças pesadas — estas eram as experiências, não consideradas extraordinárias, porém reais e difíceis de suportar, que os almofadinhas amigos de Júlia desconheciam. Embora eu seja um homem que já vivenciou um número bastante grande de guerras para dar valor à paz, não posso me esquecer de que a grandeza de Roma depende do exército. O significado do Império, sem dúvida apreciado na simplicidade e na ordem da Itália rural, não pode ser compreendido por quem ignore a dura realidade dos acampamentos de fronteira.

Com oito meses de casados, Júlia e Tibério tiveram um filho, que viveu pouco mais de uma semana. Sua morte foi a vontade dos deuses, mas eu chorei, pois a morte de uma criança é uma coisa terrível, e eu temia seus efeitos nos pais.

A morte começou a absorver uma parte grande demais dos meus pensamentos. Eu estava com cinquenta e tantos anos e, embora a minha saúde fosse boa, até melhor do que quando eu era moço, graças aos deuses e a Antônio Musa, eu não podia deixar de ter consciência de que já era um velho. O desvelar do Altar da Paz pareceu-me a minha apoteose. Representava a soma das minhas realizações e a minha visão de Roma. O friso em volta do altar mostra a mim e a minha família levando sacrifícios para oferecer no Campo de Marte. Hoje em dia vejo estas figuras com tristeza e orgulho: tantas lembranças, tantos desgostos. Outro relevo apresenta a Itália como a Mãe Terra, a origem, a provedora, garantia e testemunha da prosperidade que eu recuperara para o nosso povo. Eneias também comparece, sacrificando uma porca grávida no local de Alba Longa, a cidade que gerou Roma.

Convoquei toda a minha família para a cerimônia. Apenas Druso estava ausente, ainda lutando na Germânia. O céu era de um azul intenso, o sol forte.

Caminhamos do Palatino, pela Via Sacra, em volta do Capitólio, sempre no meio da multidão alegre e suada. As aclamações mais elevadas eram para os meus filhos, Caio e Lúcio, que, não tendo nenhum ponto fraco conhecido, ficaram livres das piadas obscenas afetuosamente dirigidas a mim e a Tibério pelos nossos veteranos. Mas havia outra razão para os vivas dados aos meninos: Caio e Lúcio eram reconhecidos por todos como a esperança para o futuro; eles conseguiriam e garantiriam a vitória ininterrupta de Roma e a paz duradoura. Os olhos dos dois brilhavam tanto quanto o sol no prazer da popularidade; foi neste dia, nesta hora, que eles pela primeira vez saborearam a glória.

As comemorações continuaram na cidade durante vários dias, mas as nossas foram interrompidas abruptamente. Chegou do Norte a notícia de que Druso sofrera uma queda séria atravessando um rio. Tinha contraído uma febre e estava gravemente doente. A dor e o pânico de Lívia eram horríveis de se ver; ela apertou Antônia, a mulher de Druso, contra o peito, e eu vi o que nunca tinha visto em trinta anos de casado: lágrimas correrem livremente, sem que o orgulho as refreasse, pelo seu rosto empalidecido. Horrorizado com a cena, eu sabia que não podia fazer nada para consolá-la, mas chamei Tibério. Disse-lhe que fosse imediatamente, sem cerimônia e sem demora, para o lado do seu irmão.

— Assim que você chegar, escreva para sabermos exatamente o que está se passando. Nunca vi sua mãe tão desesperada — disse.

A carta de Tibério foi bem curta:

> Quando cheguei aqui encontrei meu irmão quase inconsciente. Ele me reconheceu, confiou-me os filhos, falou do amor e da gratidão que sentia pela mãe e pelo senhor e morreu antes do escurecer. Foi como se ele tivesse esperado a minha chegada para morrer. Parece que seu cavalo escorregou no rio e caiu em cima dele, esmagando suas costelas e quebrando uma perna. Sei de homens que sobreviveram a ferimentos piores do que estes, mas foi a vontade dos deuses. Vou acompanhar seu corpo até Roma.

Imaginei Tibério acompanhando o ataúde com o seu passo pesado pelas estradas poeirentas da Gália, nos altos desfiladeiros dos Alpes frescos até mesmo no meio de um dia de setembro, descendo até a planície fértil do vale do Pó, passando ao lado dos Apeninos e finalmente chegando perto da cidade. A marcha de passos pesados e arrastados, o ranger das carroças e o longo silêncio do seu coração.

— Somos joguetes dos deuses — eu o ouvira dizer.

Com certeza eu agora acreditava ainda mais completamente nisto.

Quanto a mim, chorei por Druso. Entretanto, por mais que eu chorasse, não poderia amainar a dor de sua mãe. O amor de uma mãe pelo seu filho é o elo mais profundo que existe entre um homem e uma mulher. Não contém orgulho de conquista. E Druso fora um filho carinhoso e amoroso.

Suas cinzas foram depositadas no mausoléu da nossa família, e eu não pude deixar de refletir que os dois homens mais brilhantes da nova geração, Druso e Marcelo, jamais realizariam as promessas de suas jovens vidas. Pensei no triste desperdício e senti dor no coração.

Felizmente Druso e Antônia tinham tido três filhos, e assim Antônia não ficou sem consolo. Garanti a ela que faria tudo o que pudesse por eles.

Muitos se afogam no oceano cujas ondas quebram em volta do naufrágio da velhice. Mecenas morreu um ano depois. Tínhamos ficado distantes, porque eu não conseguia me esquecer do que ele havia me dito naquela ocasião em que falamos sobre o casamento de Júlia e, embora eu tenha me oferecido para vê-lo em seu leito de morte, meu ramo-de-oliveira foi recusado. Mas a resposta que ele me mandou continha algo do seu velho senso de humor e fanfarronice:

"Mecenas, enfraquecido pela febre, desgastado pela doença e incontinente, não deseja de maneira alguma encontrar-se com César em termos de maior desigualdade do que de costume. Prorroguemos o nosso próximo encontro para quando estivermos no reino de Plutão, aonde vou depressa para preparar um divã para você."

Era típico de Mecenas não ser capaz de manter a formalidade do tratamento impessoal até a última frase.

Com a sua partida, foi-se o companheiro derradeiro da minha grande aventura, pois nem Lívia tinha me conhecido antes que eu tivesse chegado ao poder. Talvez tenha sido a lembrança destes verdes dias da mocidade que fez com que Mecenas me nomeasse seu herdeiro.

O poeta Horácio só sobreviveu algumas semanas ao seu benfeitor. Nunca senti por Horácio o que sentira por Virgílio, pois Horácio não transmitia como Virgílio uma sensação de mistério, uma sensação de que estava trazendo para nós, meros mortais, sinais da Divina Providência. Mas eu gostava dele; era um homem que fazia os outros se sentirem à vontade, um homem que se contentava com pouco; contrastava estranhamente com Mecenas e, ainda assim, a afeição entre eles era profunda.

Virgílio havia me prometido o começo de uma Idade de Ouro.

A morte gelava o ar.

X

Eu mesmo supervisionei a educação dos meninos. Fiz questão de que estudassem matemática, filosofia, retórica, literatura; que praticassem artes marciais e equitação. Eu me encarreguei da sua educação política, inventando diálogos socráticos para instruí-los. Cheguei a admitir para mim mesmo exatamente o que estava fazendo: estava treinando os governantes da República. Alguns podem ver nisto uma preocupação fundamentalmente dinástica. Havia quem resmungasse que eu estava tratando os meus netos como se fossem príncipes. Eu não dava importância à calúnia. Os que diziam isto ignoravam a natureza de um governo republicano. Justamente porque a República permite mais liberdade do que a monarquia, é mais essencial que os seus líderes tenham uma educação abrangente e que aprendam os princípios do raciocínio político: porque uma República é mais facilmente influenciada pelos sentimentos do que pela razão.

Entre os céticos encontrava-se Tibério. Ele me escreveu várias cartas, cuidadosamente elaboradas, do seu posto solitário na fronteira (ao qual Júlia, chocada com a morte do filho, não tinha mais coragem de acompanhá-lo, por ser um lugar, como ela me disse, cheio de lembranças tristes). Ele reconhecia os meus cuidados para com os seus enteados, mas insistia que eu me lembrasse que eles ainda não tinham experiência.

É claro que eu sabia disto. Era minha intenção dar-lhes experiência em breve, pois eu tinha consciência de como a vida da sociedade romana podia ser debilitante até mesmo para um jovem cheio de ardor, e estava decidido a evitar que eles frequentassem os conhecidos de sua mãe.

Muitas pessoas ansiavam por bajular os dois, e o Senado passou uma resolução permitindo que Caio se tornasse cônsul com apenas 15 anos. Era cedo demais, e eu anulei a proposta, embora tenha gostado de ver como os meninos eram estimados.

Naquele ano Tibério teve um Triunfo por seu trabalho nas fronteiras do Norte, e os seus poderes tribunícios foram renovados por cinco anos. Apesar de eu me afligir com a frieza entre ele e Júlia — fui informado de que eles só se falavam em público —, não podia deixar de ficar satisfeito com os progressos dos meus planos.

— Estou preocupada com Tibério... — disse Lívia.

— Mas por quê? Não entendo. Seu sucesso é sem dúvida notável. Nosso maior general, cônsul pela segunda vez, meu parceiro de confiança...

Lívia suspirou e desviou seus olhos de mim.

— Você nunca compreenderá... — retorquiu. — Vocês são tão diferentes.

— Talvez... Apesar disto, Tibério e eu nos correspondemos constantemente, como você sabe, quando ele está fora de Roma, e eu já tive várias e longas conversas com ele. É sempre lúcido e equilibrado, eminentemente sensato. Não entendo qual a razão de você estar preocupada...

— Você sempre vê o que quer ver, e este seu hábito está piorando com o tempo. Quanto a Tibério, quando vocês conversam, ele revela alguma coisa dos seus sentimentos, do que sente no fundo do coração? É fechado até comigo. Eu amo Tibério, meu marido, quase tanto quanto amo você, e na verdade mais profundamente e de forma diferente, com a responsabilidade que as mães sentem em relação aos filhos. E ele se fecha comigo. Eu só vejo o que cintila na superfície das águas, nada das escuras correntes subterrâneas em turbilhão. Mas sei de três coisas: a primeira é que ele nunca se recuperou da morte de Druso...

— Ah, e quem se recuperou?

— Porque Druso era seu confidente, o único que ele tinha. Muito do que eu sei a respeito de Tibério ouvi de Druso. A segunda coisa é que o orgulho de Tibério é tremendo e secreto, tão grande que não pode ser medido; você não tem esse tipo de orgulho e não pode compreender. A terceira coisa é que junto com o seu orgulho há um profundo ressentimento...

— Ressentimento? — gritei. — Ressentimento do quê?

Lívia sorriu.

— O ressentimento é uma característica inata. — disse.

Ela estaria me avisando ou simplesmente expressando suas dúvidas e seus medos?

Não tinha muita importância, refleti. Havia trabalho para Tibério fazer. Fossem quais fossem as diferenças entre nós, éramos iguais em nossa dedicação ao trabalho. Novas desordens na Armênia exigiam a presença de um homem forte no Oriente, onde Tibério tinha muito prestígio. As legiões ficariam tranquilizadas com a sua chegada. Então eu o chamei e o convidei a aceitar esse comando com a outorga de autoridade plena.

— Estou lhe oferecendo — eu disse — exatamente o que Agripa tinha. E a situação agora é ainda mais urgente e difícil.

Ele estava de pé diante de mim, comprido, magro e meio careca, os olhos um pouco vermelhos, como se tivesse bebido muito na véspera. (Era o seu único vício, felizmente um vício que as tropas admiravam; costumavam chamá-lo de *Biberius Caldius Mero*).* O seu corpo parecia oscilar, e me ocorreu que talvez estivesse até um pouco bêbado. Quando ele falou, tive certeza de que estava.

— Não... — disse.

Nada mais, apenas a pura negação.

Fiquei estupefato.

— Você não pode ter compreendido o que eu disse... — continuei. — O que estou oferecendo a você confirma sua posição de meu parceiro no governo da República. Isto não é nada? Ah, talvez você ache que o seu lugar ainda é na fronteira germânica e não me agrada nem um pouco tirar você de lá, mas esta questão é realmente urgente. É uma tarefa da maior importância e que lhe dará muita glória.

— Não! — ele disse novamente. — Para mim chega. Quero sair disso.

— O que você quer dizer? — "Que brincadeira era esta?", eu me perguntei. Ele fixou o olhar numa mosca que zumbia em volta de uma jarra de vinho e ficou ali de pé como um grande touro, num silêncio carrancudo.

— Eu não entendo você... — insisti.

— É uma pena, mas está bem claro — ele murmurou, deu meia-volta e saiu arrastando os pés.

Fiquei perplexo, depois furioso.

---

* Aquele que bebe vinho quente sem água. (N. do A.)

— O QUE O SEU FILHO PENSA QUE ESTÁ FAZENDO? — GRITEI PARA A MÃE dele. — Como se atreve a se recusar a servir à República? Como se atreve a jogar a minha oferta na minha cara? Ficou louco? Estava bêbado?

— Escute-me e pare de gritar comigo — ela respondeu. — Eu lhe disse que estava preocupada com Tibério… Era isto exatamente que eu temia. Algo nele foi devorado pelo verme do ressentimento.

Joguei minhas mãos para o ar.

— Ele tem motivos para ressentimento! E eu? — respondi.

— Discutirei o assunto com ele e verei se posso persuadi-lo a ser sensato.

A discussão dos dois não resolveu a questão. Em vez disto, recebi uma carta de Tibério:

Augusto:

Valorizo a oferta que você me fez e quero expressar a minha gratidão pela confiança que sempre demonstrou em minha competência. No entanto, tenho de recusar. Sirvo Roma há vinte anos…

Quando cheguei a esta frase, amassei a carta e joguei-a num canto; que direito ele tinha de se vangloriar de seus meros vinte anos? Enquanto eu… depois mandei um escravo pegá-la e continuei lendo…

Desejo me aposentar em uma ilha e estudar filosofia e ciência. A República se sairá muito bem sem mim, pois não é desejável que um homem monopolize todas as honras e todos os comandos como você generosamente permitiu que eu fizesse. Além disto, acho que Caio e Lúcio, meus enteados, deviam poder começar suas carreiras sem se sentirem ofuscados por mim… Escolhi Rodes para me aposentar, sempre gostei de ilhas, e dizem que o clima de lá é agradável.

Nunca li uma carta tão insolente quanto esta.

Lívia disse:

— Não consigo fazê-lo explicar... — Sorri amarelo, sacode a cabeça e diz que está na hora de os meninos tomarem o lugar dele.

— Lúcio tem 11 anos. Onze! Será que o idiota do seu filho espera que ele comande o exército da Armênia?

— Eu sei, eu sei... Depois ele fala com uma voz distante sobre os prazeres da astronomia.

— Não faz sentido...

— Algo se quebrou dentro dele quando Druso morreu.

— Todos nós perdemos pessoas queridas...

Relutantemente, porque Lívia insistiu, consultei Júlia.

— Você queria de todo jeito que eu me casasse com ele... — ela disse, fazendo beicinho. — Mas eu não consigo nada com ele. Se com você é difícil para ele ser cortês, comigo ele é grosseiro como um urso zangado. Acho que é meio maluco, se você quer saber... E tem um ciúme louco dos meninos, é claro.

— Mas eles ainda são crianças!

— O Senado propôs que Caio dividisse com você o posto de cônsul.

Tibério se retirou para uma casa que tinha nas colinas e anunciou que estava fazendo greve de fome. Naturalmente a notícia causou muito alvoroço entre os fofoqueiros do Senado, onde Tibério, por causa de suas longas e frequentes ausências em campanhas militares, era para a maioria uma figura estranha e enigmática.

Meus agentes me informaram que alguns senadores interpretavam seu desejo expresso de se aposentar como sendo, de certa forma, um desafio à minha autoridade; diziam que ele estava me avisando para não promover a carreira dos netos. Tibério sabia que era indispensável e estava usando a ameaça de aposentadoria simplesmente para poder negociar; ele desejava que eu o promovesse publicamente à posição de meu igual. Os que viam minha República restaurada como uma monarquia disfarçada diziam que ele queria ser o meu sucessor.

Outros, entretanto, acreditavam que ele fosse sincero. Tibério estava cansado de ser bonzinho, diziam. Durante toda a sua vida tinha sido um hipócrita, alimentando vícios secretos que tinha vergonha de praticar em público. Mas, agora, seus desejos eram mais fortes e o propósito deste refúgio era o de permitir que ele se entregasse às suas volúpias.

Ninguém teve coragem de me comunicar o único boato que tinha qualquer ponto de verdade, e, portanto, continuei a pensar mal de Tibério.

Providenciei para que ele soubesse o que estavam dizendo por aí. Eu esperava que ele ficasse alarmado, ou envergonhado, e que mudasse de ideia. Ele me respondeu em termos inequívocos:

Augusto,

Como eu poderia querer desafiar uma autoridade à qual servi voluntariamente o melhor que pude, de acordo com minha limitada capacidade, nestes últimos vinte anos? Sei muito bem que a sua autoridade, a qual respeito, está baseada nos desígnios dos Pais Conscritos, que nenhum romano merecedor do seu nome desejaria desafiar.

A sinceridade do meu desejo de aposentar-me me inocenta da acusação de ser ambicioso. Seria uma tática estúpida colocar-me nesta posição se eu fosse realmente ambicioso, pois basta que o meu pedido de aposentar-me seja atendido para que minha vida pública chegue ao fim.

A acusação de vício é absurda.

Repito mais uma vez que desejo dedicar o resto da minha vida aos estudos. Meus companheiros de retiro serão o astrônomo Trasilo e outros matemáticos. Não são exatamente a companhia que eu escolheria para uma orgia...

Estou cansado, inquieto, nunca me recuperei da morte do meu irmão, e há agora uma nova geração pronta para servir a Roma. Minha presença constante à frente dos exércitos provavelmente seria um constrangimento para eles.

Sinto vergonha de dizer, agora, que esta carta, tão cheia de dignidade e de verdade, apesar de reticente, não acalmou nem um pouco a minha cólera. Eu estava furioso mesmo e fiquei furioso por muito tempo. Respondi-lhe perguntando que tipo de exemplo ele achava que este abandono egoísta do dever seria para a nova geração à qual ele se referia.

"Eu trabalhei tanto quanto você para Roma e por mais tempo", escrevi, "mas nunca pensei em me dar ao luxo de me aposentar. Seria uma bela coisa se todos nós pudéssemos escapar das nossas responsabilidades, como você está fazendo. Você percebe o quanto isto entristece a sua mãe e a mim?".

Esta carta não teve resposta, e eu pedi a Lívia que fizesse um apelo diretamente a Tibério. Ela voltou em prantos:

— Eu me humilhei, caí de joelhos na sua frente e implorei para que não traísse o seu dever. Ele está muito fraco por causa do jejum que tem feito e mal pôde responder, mas balançou a cabeça. Meu marido, temos de entregar os pontos... Acho que ele enlouqueceu; e já lhe disse isto; implorar a você agora que deixe o meu filho abandonar o seu posto fere o meu orgulho, porque eu, como você, reprovo a conduta dele. Mas ele é o único filho que me resta, e não posso consentir que ele morra. E ele morrerá. Seu orgulho de Cláudio não permitirá que ele se dê por vencido e então estará irremediavelmente perdido para Roma e para mim. Se entregarmos os pontos, ele pode se restabelecer. Com certeza, estudos astronômicos numa ilhota não poderão contestá-lo por muito tempo... Talvez devêssemos considerar isto como uma doença da qual ele será curado.

Coloquei meu braço em volta dela, dei-lhe um beijo e disse:

— Lívia, no fundo do seu coração você sabe que eu não posso seguir um caminho que fará você sofrer a tremenda dor de perder Tibério... Portanto, tenho de entregar os pontos. Que ele vá para Rodes. Mas, e vou deixar isto bem claro para ele, se ele for, pode ficar por lá. Pode ficar e apodrecer lá, mesmo porque eu não o perdoarei jamais, nunca mais confiarei nele. Deixe que ele se vá e estude as estrelas com o seu Trasilo. Ele lerá um destino negro para si mesmo escrito nelas.

E ainda assim nem mesmo Lívia me dizia por que Tibério estava fugindo de Roma.

Com a sua partida, fiquei estranhamente isolado. Sentia muita falta dele, porque suas realizações tinham sido tantas que eu chegara a pensar nele como meu parceiro no governo, um parceiro difícil, certamente, com quem eu nunca poderia conversar franca e naturalmente como sempre conversava com Agripa e Mecenas, mas um parceiro de verdade assim mesmo. Agora eu me sentia privado de um igual. Era uma situação nova para mim e não me agradava.

Tornei-me, talvez pela primeira vez na minha vida, introspectivo; e comecei um diário onde eu escrevia de vez em quando. Alguns trechos revelam mais do que eu consigo me lembrar, talvez até mais do que eu queira me lembrar:

Que vida estranha a minha, e que caráter estranho o meu... Agora que eu já vejo o brilho incandescente da Morte, embora ela tenha me deixado por tanto tempo depois de levar tantos amigos e pessoas queridas, eu me pergunto se algum outro homem conseguiu realizar tanto com tão poucos talentos. Vejamos: minha educação foi interrompida pela guerra civil e, apesar de toda a generosidade com que Virgílio e Horácio me tratavam, sempre me considerei pouco instruído. Sou um orador fraco e não pude jamais contar com minha capacidade de influenciar um auditório; na verdade, muitos de meus discursos foram fracassos absolutos. Sou, no máximo, um general sofrível. Na medida em que competência militar pode ser separada da qualidade de um exército, eu teria de me colocar entre os de segunda classe. Agripa, Marco Antônio, Sexto Pompeu, até Cássio, Tibério e Druso eram mais talentosos do que eu — sem falar em Júlio César. Pode ser até que como general eu não seja melhor do que o patético Lépido. E, contudo, pensem no que realizei. Terminei com a guerra civil, o que foi negado a grandes comandantes como Júlio César e Sila, e acrescentei mais territórios ao império do que Júlio César, Pompeu e Sila juntos. Se eu fosse julgado pelos meus empreendimentos, eu seria comparável a Alexandre...

Quanto ao meu caráter: detesto crueldades e tenho horror a deformidades! Não sinto prazer na arena, seja assistindo às lutas dos animais ou aos torneios de gladiadores, e acabaria com tudo isso se visse que era possível. Entretanto, os historiadores me julgarão cruel e impiedoso, tenho certeza, e quando eu descer para as Sombras, encontrarei não apenas Agripa e Virgílio, mas também Cícero e os outros que morreram ao meu comando.

Eu às vezes penso que a justificativa da minha vida é o meu casamento. No entanto, nunca tive certeza nem mesmo de que Lívia gostava de mim. Ela não concorda com muitas das minhas ações e com a maioria das minhas opiniões, e, embora muitos me considerem dominador, Lívia é capaz de me levar ao desespero com seus implacáveis silêncios.

Venero a instituição do casamento e, apesar disso, tenho despreocupadamente promovido e destruído os casamentos de outras pessoas. Por que sempre sei que eu é que sei?

Há dias em que invejo Tibério, como gostaria de esticar a tarde em um caramanchão coberto de vinhas, enquanto lá embaixo o mar joga sua espuma branca contra antigas rochas. Isso faz com que eu fique ainda mais desgostoso com ele. Invejo sua capacidade de se desligar dos negócios do Estado.

Há dias também em que Lívia e eu não nos falamos. Dizem que o silêncio tranquiliza. Nada disto. O silêncio ameaça.

"Sabe", Mecenas me disse certa vez, "estão dizendo que Lívia envenenou Marcelo…".

(Esse trecho aparece solto, sem comentários. Como é que eu posso ter pensado em escrever algo tão duro sem nada a acrescentar?—foi o que eu me perguntei quando o li agora. E agora, o que posso dizer, a não ser que é evidentemente absurdo? É como se alguém dissesse… ah, a disposição sem limites para espalhar escândalos nocivos que as pessoas têm.)

Talvez a razão da minha cólera contra Tibério não seja a sua oposição à minha vontade, e sim a sua felicidade.

Terei feito papel de bobo, como muitos sugerem, com minhas leis contra a imoralidade? Alguns dizem que esta questão não é da alçada do governo; outros, que os governos são impotentes contra o que chamam de "espírito da época". Não dou a mínima para o espírito da época, que é uma expressão sem sentido. E não vejo como um governo paternalista pode deixar de tentar corrigir vícios sociais. Contudo, quando toco no assunto no Senado, os membros mais jovens dão risadinhas.

Outro dia, satisfiz um capricho meu. Estava pensando em Virgílio, como me acontece frequentemente, e lembrei-me de uma conversa em que ele falou de Cincinato, de um lado, e do sacerdote de Diana em Nemi, do outro. Pensei, então, que, apesar de ter nascido tão perto, eu nunca tinha visitado o Templo de Diana, nem aquele sacerdote que vigia o santuário e que é conhecido como Rei do Bosque; e então reli o sexto livro da Eneida, e a bela passagem em que a Sibila se dirige a Eneias:

> *Semente do Sangue Divino e Homem de Troia, filho de Anquises:*
> *O caminho que desce até Averno não é difícil. O portão do negro Plutão*
> *Está escancarado noite e dia…*

E prossegue dizendo-lhe que para entrar no mundo subterrâneo ele precisa primeiro tirar o Ramo Dourado da árvore que é consagrada a Juno das Profundezas, uma vez que Proserpina decretou que este ramo deve ser-lhe apresentado como uma oferenda. Acontece que Averno é situada pelos estudiosos às margens do Lago de Arícia, ou Nemi, e a árvore sagrada encontra-se dentro do Templo de Diana, no mesmo local.

E, assim, motivado pela devoção e pela curiosidade, fiz uma excursão até lá, sendo carregado pelo morro desde Arícia.

Era um dia pálido de outono, depois dos idos de outubro e, portanto, uns dois meses após o Festival de Diana, quando seus bosques brilham com uma grande quantidade de tochas e, do alto do morro, o lago tinha uma aparência escura, estagnada, ameaçadora, engolindo a luz do céu. No começo, fomos acossados e perturbados pelas hordas de mendigos deformados que infestam as encostas de Arícia, importunando os peregrinos atrás de esmolas. São os Mani, notórios nesta região. Sua miséria e a deformidade dos seus traços me afligiram e me enojaram. Depois nos adiantamos a eles e fomos para a sombra das árvores que ainda não tinham perdido suas folhas, de onde não se via mais o lago. Descemos o morro por uma trilha sinuosa e num silêncio profundo. Não havia cantos de pássaros e nenhum vento soprava. Até mesmo o arquejar e o resfolegar dos meus carregadores pareciam uma ofensa. Estávamos cercados por carvalhos e castanheiras. Houve um momento em que um veado branco pulou no caminho e outro, em que as costas bronze-acinzentadas de um porco selvagem passaram estrepitosamente pelo mato rasteiro, mas não vimos qualquer outro sinal de vida nas profundezas da floresta.

*Quando nos aproximamos do lago, um lamento chegou até os nossos ouvidos e nos encontramos numa pequena clareira diante de um templo rústico. Mandei os carregadores pararem e enviei Mac** *para chamar os que se encontravam no templo. O lamento deu lugar a um rosnado e a um ganido, e ele reapareceu empurrando três mulheres. Duas eram muito velhas, a terceira ainda não tinha*

* Meu guarda-costas pessoal, neto daquele Maco que tinha se juntado a mim em Brundísio.

atingido a puberdade. Todas estavam de roupas pretas, com rasgões em vários lugares, que pareciam ter sido feitos por faca. Perguntei-lhes a que divindade elas serviam, mas elas responderam balbuciando num dialeto ou em alguma língua antiga que não compreendi. Chamei o camponês que era o nosso guia, e ele se adiantou com a má vontade que demonstrara o dia inteiro.

— Ora, vamos, homem — eu disse — você não pode estar com medo de duas velhas e uma menininha.

Minha zombaria não o animou. Depois de resmungar para as mulheres, ele me disse que na opinião dele, elas eram bruxas.

— Mas o que é que elas disseram?

— Que adoram os espíritos dos mortos.

E as velhas caíram na gargalhada!

— Dizem que este lago é a entrada para o reino dos mortos, e que, portanto, Diana, a Caçadora, é servida por um sacerdote morto!

— Mas o sacerdote está vivo, é um escravo fugido e um assassino, não um cadáver ou fantasma!

— Quem quer que tenha cometido um assassinato entra no reino dos mortos e se dedica ao trabalho dos deuses daquele mundo — foi a resposta.

Neste momento a menina rasgou os seus trapos e se jogou no chão, arqueando as costas sobre um tronco caído, oferecendo-se. Eu disse aos carregadores que a cobrissem com uma capa e que dessem dinheiro às velhas, porque isto me pareceu prudente...

O caminho dava voltas, rodeando o lago de onde emanava um odor repugnante, pútrido. Os carregadores tropeçavam, diziam palavrões e balançavam horrivelmente minha liteira. Eu sabia que estavam com muito medo e ansiosos para voltar. Mas eu sentia uma excitação que, tinha certeza, prometia alguma descoberta.

Então o caminho se abriu, e uma campina, coberta de florzinhas brancas, de um perfume pungente, estendeu-se à nossa frente. Embora o sol da tarde ainda brilhasse, não havia alegria naquele lugar, apenas um silêncio sobrenatural.

Atravessamos a campina, seguimos uma alameda de árvores e vimos o bosque aparecendo diante de nós. Ficava aninhado junto ao lago, sob penhascos íngremes. De um lado achava-se um templo circular, onde uma pira sagrada era mantida no seu interior em honra a Diana e à sua vestal. A esta altura o sol havia descido no céu e os seus raios avermelhados apareciam entre as árvores, de forma que suas folhas, já mudando de cor por causa do outono, estavam iluminadas como que por milhares de pequenas fogueiras. Paramos. Desci da liteira, todo endurecido por causa do meu reumatismo. O camponês chamou a minha atenção com um dedo trêmulo para o canto mais afastado do bosque, onde estava a Árvore Sagrada, sozinha... Seus ramos brilhavam num vermelho dourado profundo, mas eu não podia saber se era efeito do sol.

Foi então que uma figura saiu das sombras; fúnebre, de cabelos grisalhos e lisos, magro, mas de ossatura pesada, vestindo um manto amarelo. Estava segurando uma espada. Quando nos viu ele parou e recuou para a árvore. Caminhei na sua direção, e ele emitiu um som agudo como um latido, desafiando-me. Estendi-lhe minhas mãos bem abertas, para mostrar que estava desarmado.

Disse-lhe que eu vinha em paz.

— Quem é você? — sua voz rangia por falta de uso, parecia, e ele falava de uma maneira que dava a impressão, ao mesmo tempo, de medo e cólera.

— Sou chamado de Augusto. Não sou um escravo fugido, mas alguém que veio reverenciar Diana e conversar com o seu sacerdote.

— Não se aproxime! — ele disse. — Esta árvore é sagrada, e ninguém pode se aproximar dela! Quem carregar o seu ramo comandará a entrada para o mundo dos mortos.

— Você é gaulês? — perguntei, por causa da sua pronúncia.

Ele sacudiu a cabeça, como se não me compreendesse.

— Há quanto tempo você serve à deusa?

— Muitos anos. Olhe... — ele levantou seu manto — fui desafiado três vezes, ferido três vezes e três vezes enviei meus oponentes às Sombras, para prepararem o caminho para mim.

— Aceita presentes? — perguntei.

Ele sacudiu a cabeça negativamente.

— Como é que você vive?

Ele acenou em direção ao templo, e concluí que sacerdotisas preparavam a comida que ele comia aos poucos em seus raros momentos de descanso.

Quando perguntei como dormia, ele fez uma expressão astuta e mais uma vez sacudiu a cabeça, como se eu estivesse pedindo uma informação que poderia destruí-lo.

Perguntei-lhe por que ele assumira um cargo tão cruel e perigoso, em que a cada instante devia temer por sua vida, e no qual todo conforto lhe era negado.

— Sirvo à deusa e faço o que ela me ordena. Ela é uma deusa ciumenta e me puniria se eu tivesse recusado seu chamado.

— Mas o que você deseja que aconteça? — perguntei.

Ele fez um gesto em direção às negras águas sobre as quais havia um único raio vermelho-escuro. A lua nasceu atrás de mim e pousou no lago, e parecia que as águas se abriram para revelar uma escadaria de pedras ásperas, levando ao que não era mais visível e talvez nunca pudesse ser. O momento passou. O sol desapareceu, e a lua apareceu no céu. O sacerdote se encostou na árvore e deixou cair a mão que tinha levantado para acariciar o Ramo Dourado...

E é isso. O relato para aqui, como se a minha emoção fosse forte demais para que eu continuasse, ou talvez como se eu não soubesse o que dizer mais, pois compreendia muito pouco. Não sou capaz, nem agora, quinze — não, quase vinte — anos depois, de ter certeza de que vi o que anotei no meu diário, de que não foi tudo uma espécie de sonho. Sonho, visão, revelação, ilusão, representação fantasmagórica de alguma realidade fundamental — quem sabe? Por que, eu me pergunto em minha decrepitude perplexa, fiquei tão encantado pelo culto a Diana naquele bosque sagrado? Seria apenas por causa do emprego que Virgílio fazia dos mitos, por causa daquelas poucas linhas da *Eneida*? Seria porque, percebendo, como eu sempre percebi, que Virgílio enxergava realidades ocultas para mim, senti uma compulsão para procurar provas que convencessem os meus sentidos dos mistérios do Divino? Estaria eu buscando garantias de uma vida futura ou esperando encontrar sua negação?

Não sei. Fui sempre um homem eminentemente prático. Tenho um temperamento alegre e sociável. Depositei minha confiança no mundo visível e no meu raciocínio. Consegui mais do que jamais sonhei que conseguiria. E, no entanto, sempre faltou algo...

Dei-me a tarefa de investigar o que acontecera em Nemi. O culto a Diana foi instituído por Orestes, que matou Toante, rei do Quersoneso Táurico, e depois fugiu com a irmã para a Itália, carregando uma imagem de Diana de Tauris escondida num feixe de varas. Acontece que aquela deusa táurica é conhecida por ter sido uma divindade selvagem e exigente; todos os estrangeiros que chegavam ao litoral norte eram sacrificados em seu altar. Roubando sua imagem, Orestes sem dúvida cometeu um grande crime, e talvez o ritual seja uma reparação. Depois da sua morte, seus ossos foram trazidos de Arícia para Roma e depositados debaixo da entrada do Templo de Saturno, no Capitólio. Dizem que a fuga do escravo representa a fuga de Orestes, e que a regra de sucessão pela espada lembra os sacrifícios humanos oferecidos no litoral táurico.

Da minha parte, acho isso insatisfatório e acredito que a verdade seja mais profunda. Esta explicação não se refere à presença do Ramo Dourado em Nemi; nem revela por que o sacerdote também vigia a descida para Averno. Não sou um estudioso do assunto, mas me parece que o cruel ritual realizado em Nemi fala da responsabilidade das ações dos homens e da justiça implacável dos deuses, da qual não se pode escapar, a qual não se pode abrandar. Somos o que as nossas ações nos tornaram. Sei muito bem que isto vai contra o que a maioria das pessoas pensa a respeito do caráter: que é imutável, que nascemos as pessoas que nos tornamos e que a vida simplesmente traz à tona o que estava escondido dentro de nós. Hesito — não sendo filósofo, intelectual ou sábio, e sim apenas um soldado e administrador — em contradizer homens mais cultos do que eu, mas não consigo deixar de fazê-lo. Sou o que sinto, e tenho certeza de que foram minhas experiências e meus atos que me formaram. É verdade que fui conduzido pela minha índole inata, mas criei a mim mesmo por meio do que fiz e sou responsável por isso.

Quando reflito sobre tal questão hoje em dia, parece-me que foi Tibério que, de um modo misterioso, levou-me a Nemi. Continuava zangado com ele como antes, mas a minha perplexidade era maior. Não podia acreditar na razão que ele dera para se aposentar em Rodes, e não podia continuar acreditando que ele o fizera para me ofender. Nem acreditava — como alguns sugeriram — que ele agira motivado por suas tendências republicanas. Ah, eu nunca duvidara de que Tibério não gostava de muitos aspectos da minha República restaurada. Como um aristocrata antiquado, ele desejava que Roma voltasse à época de Cipião, o que Agripa também desejava, apesar de suas origens tão diferentes. Ambos, especialmente Tibério, tinham nostalgia por um mundo perdido. Mas ambos eram também homens pragmáticos. Tibério era, e é, caracterizado por um forte senso de realismo político. Sabia muito bem que não havia outro meio, além do meu, de administrar o Império romano. Sabia que com mais liberdade voltariam as terríveis lutas internas da minha mocidade. Desprezava demais sua própria geração para acreditar em outra coisa, pois via como lhe faltavam orgulho cívico e virtudes veneráveis.

Não, o seu afastamento para Rodes devia ter raízes mais profundas, eu pensava. (Agora eu sei que a minha explicação foi metafísica demais.) Parecia ser fruto de uma grande insatisfação com as coisas, uma necessidade faminta de significado. Bastava ver como ele se ocupava em Rodes com seus estudos de astronomia.

Quando ele olhava para o céu, e eu para a boca do Averno, não estaríamos os dois procurando a mesma coisa?

XI

Nas últimas três semanas, tenho estado insone e indeciso. Meus nervos estão à flor da pele. De vez em quando, duas ou três vezes por dia, na verdade, meus olhos ficam nublados. Estou com dor do lado esquerdo do corpo e não sinto vontade de comer nada, nem mesmo anchovas, queijo ou pêssegos. Já peguei Lívia me olhando com atenção, como se me examinasse, e não consigo trabalhar. Estou atrasado até com a minha correspondência.

Digo a mim mesmo que é consequência inevitável da velhice, que já sinto o sopro empoeirado da Morte. Sei que isto não passa de uma verdade parcial, e toda a minha vida tenho tentado ir além das verdades parciais, não por motivos morais, mas porque, seja lá o que se diga em público, um político não pode se satisfazer com verdades parciais. A capacidade de ver as coisas como elas são é um pré-requisito do discernimento.

E não posso deixar de chegar à conclusão de que foi esta autobiografia que me fez ficar doente.

Ah, tenho muitos aborrecimentos. Como sempre, minha família me preocupa... Os mais jovens são tão distantes... O filho de Druso, Germânico, é um excelente rapaz, com a autoconfiança jovem de um potro, mas irrita Tibério, que vê nele apenas uma versão medíocre do pai. O rapaz se parece o suficiente com Druso para lembrar a Tibério que o irmão era o único homem com quem ele se sentia à vontade; e, todavia, as diferenças — o otimismo imaturo de Germânico, que o torna inferior ao pai — são tantas, que Tibério sente pelo sobrinho um ressentimento desconfiado, misturado com desprezo. Antevejo um relacionamento turbulento entre eles.

E o outro filho de Druso, Cláudio, é um triste. Gagueja e baba. (É nauseante ficar perto dele durante as refeições.) Até sua mãe, Antônia, embora seja a melhor e a mais digna das mulheres, o chama de "monstro".

— A natureza começou a criar um homem mas desistiu — ela me disse.

Lívia mal consegue olhar para ele. Diz frequentemente que não entende como Druso e Antônia, duas criaturas esplêndidas, puderam produzir tal... e aí ela estala os dedos e parece não encontrar uma palavra que descreva adequadamente o pobre rapaz.

Naturalmente, a presença dele tem sido constrangedora, e já tivemos todo tipo de discussões familiares sobre isto. Pode-se permitir, por exemplo, que ele apareça em público?

— A questão é saber se ele tem controle completo dos seus cinco sentidos — Tibério me disse uma vez.

— Até podermos ter certeza disto — respondi —, é melhor que não apareça! O público não deve ter a oportunidade de rir dele, o que infelizmente aconteceria.

Na verdade, o rapaz não é um idiota completo; tem certa inteligência; mas a sua aparência é a de um desses aleijões que são exibidos em feiras e circos. Sinto dizer que ele não tem futuro, pois é evidentemente inapto para a vida pública.

E temos também meu neto Agripa Póstumo, com seus acessos de violência incontrolável.

Não obstante, o sol está brilhando nesta manhã de maio. O mar reluz como se o mundo fosse novo...

PRECISO FAZER ISTO. TENHO ESTA IMPRESSÃO ABSURDA — NÃO, NÃO acho que seja realmente absurda — de que não me sentirei bem de novo antes de fazer isto. E qual é o sentido de uma autobiografia que não conta a verdade? (Uma pergunta que Horácio me fez, com um sorriso tão constrangido de seu descaramento que chegava a ser apologético, quando me disse que estivera examinando mais uma vez as memórias de Júlio César e que as achava insinceras; fiquei tão satisfeito que mandei um vinho da Grécia para ele, dizendo que era muito melhor do que o vinho falerno que ele costumava elogiar, embora não tenha chegado a explicar por que estava mandando o presente. Eu me pergunto se ele adivinhou...)

Mas estou digressionando. Estou porque quero. Há sempre verdades em digressões — revelam o estado de espírito de quem fala. E o meu espírito está pouco à vontade.

Foi numa manhã exatamente como esta; lembro-me da sensação matinal leve como um pássaro quando o sol dança nas folhas novas e o dia ainda não está quente: tentilhões esvoaçavam rosa, ouro e verde, com um lampejo branco entre as árvores frutíferas, e um melro cantava em um azevinheiro no fundo do jardim. Eu ainda não tinha me retirado para o alpendre e estava ditando uma carta para Lúcio, que se encontrava na Espanha naquela ocasião. Enquanto falava, eu podia vê-lo claramente e parecia que podia até ouvir sua tagarelice afetuosa.

E, então, Lívia surgiu, vindo da casa. Ia ser um dia quente, mas ela estava vestida de preto. Lembro-me de ter pensado: como o rosto dela está gasto.

Ela se sentou a meu lado e mandou os escravos embora. Sua mão, que segurava um documento, possivelmente uma carta, tremia ligeiramente, e ela começou a se abanar, talvez para disfarçar o tremor...

Suponho que os pássaros não tenham parado realmente de cantar...

Ela disse:

— Não sei como lhe dizer o que tenho de dizer...

— Qual deles?

— Não... — ela disse — não são os rapazes.

Foi como se um caranguejo tivesse soltado as garras que enfiava no meu coração.

— É pior, porque não é só triste, é vergonhoso também.

De uma fazenda do outro lado do lago, um galo cantou alto várias vezes enquanto ficamos ali sentados, paralisados no sol que subia no céu. Finalmente ela disse:

— Eu tinha decidido enquanto vinha pelo jardim deixar você ler isto e pronto. É um relatório policial. Mas agora estou vendo que não posso simplesmente deixá-lo aqui diante de você... Não posso ser tão covarde.

E então ela me contou. Suas palavras desapareceram, embora o galo ainda cantasse seu irônico desafio à manhã, e eu não consigo juntá-las em minha memória alquebrada e desorganizada. Ela procurou falar o mais delicadamente e, por assim dizer, carinhosamente possível. Tenho certeza disto.

O relatório policial era sobre a minha filha Júlia. Agentes a vigiavam durante muito tempo, porque ela era suspeita de contravenções morais. Finalmente, sua conduta se torna escandalosa. Lívia empurrou o documento nas minhas mãos. Seus dedos, que tocaram os meus, estavam gelados.

— A suspeita, depois de um banquete no qual muito vinho fora consumido, seguiu cambaleando com os seus companheiros até o Fórum, e lá ela subiu na tribuna, de onde convidava os passantes para o prazer dos seus acompanhantes, que gritavam:

— Preparem-se, preparem-se para a f... mais aristocrática de Roma!

— Você leu isto?

Lívia disse que sim.

Tive de ordenar uma investigação completa. Na Sicília existe uma expressão, "engolir um sapo", empregada quando é preciso aceitar um fato inaceitável. Minha própria filha era o sapo monstruoso e repugnante que eu era obrigado a engolir. A lista dos seus amantes e deboches era longa, detalhada e nauseante. Enquanto eu lia, sentia seus braços amorosos e falsos em volta do meu pescoço, seus lábios macios proclamando seu amor no meu rosto. Mas em que outros lugares tinham estado aqueles lábios? Que trabalho fétido fizera aquela língua?

As imagens na minha cabeça... Fiz força e engoli o sapo.

A lista de amantes ia desde membros da antiga nobreza até escravos e ex-escravos vigorosos.

— Augusto — disse o chefe de polícia —, temos provas de coisa pior do que imoralidade... Há uma conspiração criminosa no meio disto. Olhe estes nomes: Júlio Antônio, neto do triúnviro, Semprônio Graco, Cornélio Cipião, Ápio Cláudio Pulcher, é uma lista de chamada da velha nobreza descontente. Temos provas que indicam que havia um plano para envenenar Tibério, de forma que Antônio pudesse se casar com a viúva e suplantar os filhos dela, os príncipes, no caso de sua morte, César. Temos também uma carta sugerindo que o veneno usado em Tibério depois fosse usado... no senhor... Sinto ter de lhe dizer isto, mas é preciso que finalmente fique sabendo. Insisti com sua esposa para que lhe contasse tudo meses atrás...

Mecenas tinha chamado Júlio Antônio de "um rapaz bonitinho"!

— Temos provas de que o caso com Graco começou quando ela estava casada com Marco Agripa...

— Quer dizer que Agripa era cornudo?

— Temos provas...

"Temos provas... Temos provas..."

Ela pediu para me ver. Seus olhos estavam cheios de lágrimas, o corpo afrouxado pelo medo, e eu ouvi mentiras doces, que rejeitei.

"Temos provas..."

Relatórios e mais relatórios de testemunhas oculares, horrendos demais para lembrar, depoimentos de escravos, alguns torturados até ser extraída a verdade, outros esguichando provas como chafarizes para escapar da tortura. (Mas torturados assim mesmo para comprovar suas histórias.)

"Temos provas..." — o vício cantando como um galo exultante e desafiando o ar da manhã.

"Temos provas..." — encontros secretos, conspirações, conversas subversivas, risos e ressentimentos, a zombaria de homens moles que nunca haviam se aventurado até os acampamentos nas fronteiras, a cólera de homens vazios que tinham rancor do governo...

"Temos provas..."

— Prepare uma resenha para Caio e Lúcio, os príncipes do Movimento da Juventude.

Mas quando a resenha estava pronta, contendo os vícios da mãe deles nos termos mais crus, não tive coragem de enviá-la.

Como lhes dizer o que eu mesmo não quisera saber?

"Temos provas..." O galo cantou, os documentos se acumularam, revelando, no sol de maio, sexo sem amor, libertinagem e traição.

Júlia me escreveu novamente uma longa carta, ora me bajulando, ora choramingando, ora desafiadora, ora abjeta em suas justificativas: o meu amor fora sempre egoísta e dominador; eu jamais lhe perguntara o que ela queria; eu a usara como um instrumento; eu a forçara a se casar com homens que ela não amava; eu tentara roubar o amor do seu primeiro marido e roubara o amor dos seus filhos. Ela estava arrependida, prometia que mudaria de vida; sua vergonha era a minha vergonha; todo o seu sofrimento seria recompensado pelo sofrimento que estava me causando, e que eu merecia, eu era responsável por tudo porque manipulara sem piedade a sua vida, a culpa era minha. E na frase seguinte ela me promete amor eterno, jurando que seria uma boa filha.

"Temos provas..." Lívia jamais me lembrou, nem mesmo com um rápido olhar frio e satisfeito, das advertências que fizera durante trinta anos.

"Temos provas..." A dama de companhia de Júlia, uma grega chamada Febe, alarmada com o peso das provas que se acumulavam contra sua reputação, levantou-se antes do amanhecer e se enforcou na verga da porta da casa da minha filha.

— Queria ser o pai de Febe! — gritei.

Mas Júlia, meus agentes informaram, chorou quando soube da morte da moça. Seriam amantes também?

"Temos provas de que..."

Tibério me escreveu de Rodes. Uma carta calma, digna e lacônica:

> Minha mulher, talvez sofrendo de uma espécie de desespero, que às vezes aflige as mulheres próximas da meia-idade, conforme dizem os meus médicos, portou-se de uma forma pior do que insensata. A natureza singularmente pública de sua conduta deve tocar os limites do perdão, uma vez que como *Princeps* você não pode deixar de interpretá-la como um desafio público às admiráveis leis que fez aprovar. Não obstante, apelo para suas pessoas pública e privada para que sejam indulgentes. Indulgência ficaria bem no Pai da nossa nação e no pai de sua desditosa filha. Imploro para que leve em consideração o fato de que a minha ausência, causada por um intenso cansaço do espírito e do corpo, e pelo meu desejo de permitir que Caio e Lúcio desabrochassem, pode ter contribuído para as aberrações da minha mulher. A indulgência é boa em si. A lei tomada duramente ao pé da letra será uma faca cravada em seu coração por suas próprias mãos...

Quando a notícia do pedido de Tibério se espalhou — como sempre acontece —, muitos logo disseram que ele estava ansioso em poder salvaguardar sua posição de meu genro; mas estou convencido hoje em dia de que o seu apelo em prol da mulher foi uma demonstração da nobreza do seu caráter.

Naquela época, minha reação foi outra. Achei que ele fora impertinente. Talvez no fundo eu concordasse com a censura que ele dirigira a si mesmo. Se tivesse cumprido seu dever como marido de Júlia, não teríamos passado por tudo aquilo. Eu não teria passado por tudo aquilo. Naquele tempo eu não percebia como o comportamento de Júlia contribuíra para o seu retiro em Rodes.

O que eu fiz foi ordenar imediatamente que um pedido de divórcio fosse redigido em nome dele. Escrevi para informá-lo disso. Como se estivesse me censurando, ele permitiu que Júlia guardasse os presentes que ele lhe tinha dado. Não é o que se faz normalmente, e só podia ser interpretado como um protesto.

As provas eram esmagadoras. Escrevi com cuidado aos rapazes, dizendo simplesmente que a mãe deles tinha se desonrado, ameaçado o futuro de toda a família, conscientemente se associado a um grupo de dissidentes e precisava ser punida adequadamente. Eles ficaram horrorizados, mas compreenderam as minhas razões, dando uma demonstração bem-vinda e tranquilizadora de sua virtude cívica, da qual eu nunca duvidara. Mas a verdade é que até que o galo tivesse cantado provas em contrário, eu jamais duvidara do amor de Júlia.

Não tinha escolha. Mesmo se eu fosse um cidadão privado, teria de punir os crimes da minha filha. A natureza e a extensão deles não podiam ser escondidas. Mando, portanto, as provas para o Senado, pedindo que tomassem as medidas apropriadas em relação aos amantes de Júlia, que haviam cometido ofensas contra as leis de moralidade e aos estatutos de traição. A sedição estava caracterizada. A Corte não hesitou em condenar Antônio, Graco, Ápio Cláudio Pulcher, Cornélio Cipião e o ignóbil Túlio Quinto Crispino, cuja presença na lista fizera eu me engasgar e vomitar, à morte que mereciam. Todos os cinco foram despachados para a Prisão Mamertina, a câmara da morte de Roma. A sentença livrou o povo do medo de uma revolução, mas aumentou a minha depressão. Fazia 42 anos desde o assassinato de Júlio César, quarenta desde Filipos, 29 desde Ácio, e agora sabia-se que vários membros da antiga classe política ainda não aceitavam a nova ordem e ainda desejavam ardentemente a emoção de pertencer a uma facção desordeira. Depois de ter estudado longamente as provas, recomendei que apenas Júlio Antônio fosse executado, e que a pena dos outros fosse mudada para exílio perpétuo. Seria uma advertência suficientemente forte a outros dissidentes. Não consegui interceder por Júlio Antônio, porque eu o considerava responsável pelo destino da minha filha. Esse filho de Marco Antônio e Fúlvia herdara a beleza dos dois (embora fosse de um tipo mais feminino do que o de sua mãe e o de seu pai) e o temperamento egoísta e perverso de Fúlvia; não tinha nada daquela generosidade de espírito que brilhava dentre os vícios de Marco Antônio como uma joia no estrume; eu tremia pensando como ele teria eliminado Caio e Lúcio se tivesse alcançado sua ambição de se casar com Júlia.

Eu não me sentia capaz de ver a minha filha, apesar de Lívia me dizer que ela estava arrependida. Ela havia me magoado muito profundamente. Lívia me sugeriu que ela fosse obrigada a viver numa das minhas propriedades rurais, mas eu sabia que nestas circunstâncias ela logo voltaria ao seu velho estilo de vida. Quando uma mulher se torna uma prostituta, não há reabilitação possível; é como um cachorro que passa a matar carneiros. Então resolvi que o seu exílio devia ser mais completo, e ela foi banida para a ilha de Pandataria. Ordenei que ficasse proibida de beber vinho, mas com isto minha principal intenção não era puni-la. Júlia corria o risco de se transformar numa bêbada habitual, e eu acreditava que, obrigada a se abster do vinho, ela poderia chegar a rever sua conduta e atingir um julgamento correto do seu comportamento. Por razões óbvias, também proibi que ela tivesse companhia masculina.

Nunca mais a vi, embora há alguns anos, sabendo que sua vida sossegada e limitada havia realmente tido algumas das consequências que eu esperara, permiti que fosse viver na Itália, na Calábria.

Graças à sua beleza e aos seus encantos, Júlia sempre fora popular com o povo romano. Quando receberam a notícia da sua sentença, uma delegação veio a mim implorando que eu rescindisse a pena e permitisse que ela voltasse a Roma. Vi em seus rostos que condenavam o que consideravam a minha dureza; tinham pena de Júlia, sem se importar com o fato de como ela havia me ferido.

Coloquei um ponto-final zangado no despropósito.

— Se tocarem nesse assunto de novo — eu disse — espero que a maldição dos deuses lhes dê filhas tão lúbricas quanto a minha, e esposas tão adúlteras quanto Júlia!

XII

FOI UM SOFRIMENTO PARA MIM ESCREVER SOBRE A DESONRA DE MINHA filha Júlia, quando eu tinha finalmente conseguido escrever, fiquei nauseado com essas memórias. Tive a impressão de que a bile depositada por aquele episódio havia se acumulado e formado uma bola que tornara impossível para mim continuar. Deixei a tarefa de lado e só estou recomeçando agora, neste septuagésimo sétimo ano da minha vida, porque detesto as coisas inacabadas, e porque a Morte agora está me olhando de frente. É preciso chegar a algum tipo de conclusão, e perguntar a mim mesmo como acho que desempenhei meu papel na comédia da vida.

Uma comédia dolorosa, onde as promessas tão frequentemente perdem o brilho, e onde os deuses trabalham com uma ironia afiada e cruel.

Não podia deixar de culpar Tibério parcialmente pelo que acontecera a Júlia, embora no fundo eu soubesse que ele tinha fugido para Rodes porque estava enojado com o comportamento dela, como eu ficaria mais tarde, e porque se sentia impotente para controlá-la. Não obstante, parecia para mim, na minha infelicidade, que ele havia abdicado da sua responsabilidade conjugal tão completamente quanto da sua responsabilidade como funcionário do Império e, portanto, quando o mandato de seu poder tribunício expirou, não vi por que renová-lo. Ele que caia aos pedaços em Rodes, eu me dizia, que sinta o sabor do ócio.

Ele mesmo ficou alarmado com esta queda em sua autoridade nominal, ou talvez tivesse ficado entediado com a vida limitada que levava na ilha. Tenha o motivo que for, escreveu-me pedindo permissão para regressar a Roma:

Agora que os meus enteados Caio e Lúcio estão crescidos e tomando seus lugares com distinção no governo do Império, posso dizer claramente que o que mais motivou meu afastamento da vida pública, além do cansaço e da exaustão de anos nas duras fronteiras do Império, foi o desejo de evitar a suspeita de rivalidade com eles. Mas, uma vez que são agora reconhecidamente os herdeiros do Principado, esta razão não é mais válida, e estou ansioso para voltar à cidade, pelo menos para visitar a família, de que sinto saudades, e particularmente para dar o carinho que me seja possível dar à minha querida mãe e a você, meu bondoso padrasto, em sua velhice.

Tibério não tinha talento para escrever cartas. Achei essa ainda mais insolente do que aquela em que ele tinha anunciado seu desejo de ir para Rodes.

Minha resposta foi breve:

Você foi para Rodes por sua livre e espontânea vontade, contra os meus desejos, negando-me o seu auxílio. É melhor ficar aí e desistir de ver sua família, que você estava tão ansioso por abandonar. Sua mãe está muito bem de saúde...

Na verdade, Lívia também estava querendo muito que Tibério voltasse.

— Agora que o seu poder tribunício expirou, fica parecendo que ele caiu em desgraça. É uma injustiça com o meu filho. Ninguém serviu melhor a você e à República. Além do quê, isto me insulta... — ela disse.

Mas eu não me deixei comover pelos seus argumentos ou pelas suas lágrimas. Tibério tinha feito sua cama, agora que se deitasse nela. O máximo que eu consenti em fazer foi dar-lhe o título de embaixador para que não parecesse que ele fora completamente descartado.

— Quando eu precisei dele — eu disse a Lívia —, ele fugiu.

— E sua filha não teve algo a ver com aquela decisão?

Não respondi, limitando-me a repetir meu pedido de que Júlia não fosse mencionada jamais.

Atualmente passo muito tempo em Capri, uma ilha encantada que alguns dizem ter sido de Circe quando os homens de Ulisses foram transformados em porcos; duvido. É mais provável que tenha sido a Ilha dos Comedores de Lótus, a julgar pelo comportamento do meu pessoal. A atmosfera da ilha deve muito a Masgaba, um grego que se estabeleceu ali para plantar vinhas e olivais e embelezar sua propriedade. Foi Masgaba quem, há mais tempo do que gosto de pensar, chamou minha atenção para Capri, e por isto eu o apelidei de "O Fundador". Ele morreu no ano passado. Quando notei que uma multidão com tochas estava reverenciando o seu túmulo, improvisei um verso de poesia grega:

— Vejo o túmulo do Fundador em chamas...

E perguntei a Trasilo, o admirado astrólogo de Tibério, quem tinha escrito essas palavras tão apropriadas. Ele hesitou, temendo como todos os intelectuais exibir sua ignorância, então eu completei com outro verso:

— Com tochas, veja, eles homenageiam Masgaba.

Ele desconfiou que fosse uma piada e deu uma resposta diplomática:

— Os dois versos são excelentes, seja quem for o poeta.

Capri é um lugar sem tensões, um lugar para piadas, além de beleza. Muitos gregos moram aqui e, nesta atmosfera de férias, a boa aparência e a alegria deles são refrescantes. Um dia fiz todos os romanos se vestirem de gregos e vice-versa; isto causou muitos risos, embora eu ache que o meu próprio prazer na brincadeira foi o que realmente deu prazer às pessoas. Ficam muito contentes com a minha presença e com o meu bom humor.

Uma das alegrias da minha vida ultimamente tem sido aquela menininha gaulesa, Moragh, que eu adotei extraoficialmente. Foi ela que eu vi correndo perto do pai quando as infortunadas legiões de Varo partiram para a Germânia. Só foi encontrada depois de muito tempo de procura, e nunca cheguei a compreender por que estava tão decidido a encontrá-la. Dei-a para Lívia, para ser sua criada, mas na verdade ela passa a maior parte do tempo cuidando de mim, principalmente me entretendo. Jogamos dados juntos e sua ingenuidade me encanta. Na velhice, que é de certo modo uma segunda infância, a melhor companhia é a de uma criança.

A Morte está próxima. Há dois meses, antes de deixar Roma, participei de uma cerimônia de purificação no Campo de Marte. Foi quando uma águia deu voltas acima da minha cabeça várias vezes; depois voou e se empoleirou no templo, sobre o primeiro A do nome de Agripa.

"Deve ser um presságio", pensei comigo mesmo, "minha vida está quase no fim!".

Consequentemente pedi a Tibério que fizesse o juramento para o próximo *Lustrum*, pois eu não desejava me tornar responsável por um juramento que seria cumprido depois da minha Morte.

No dia seguinte, no meio de um temporal, um raio destruiu a primeira letra do meu nome na inscrição de uma das minhas estátuas; isto causou certa inquietação no povo, porque todos interpretaram o acontecido como um sinal de que eu estava prestes a morrer. Com a remoção do "C" de César, lê-se agora "AESAR", que em etrusco significa "deus"; viverei, então, apenas cem (C) dias?

Como Mecenas teria rido! Mas o riso mal esconderia sua fé profunda no sobrenatural.

Isto aconteceu, como eu disse, há sessenta dias.

Depois da desonra de Júlia, meu único prazer era o desempenho dos rapazes. Davam mostras de merecer a confiança que eu depositara neles. Eram iguais em alegria, beleza, coragem e inteligência; eu aguardava serenamente o momento de deixar o império em suas mãos ternas e capazes.

"Luz dos meus olhos", escrevi certa vez a Caio, "morro de saudades de você quando está longe, especialmente num dia como o de hoje. Onde quer que você se encontre, espero que tenha passado o meu sexagésimo quarto aniversário com saúde e felicidade, pois, como você mesmo diz, ultrapassei o grande climatério que é o sexagésimo terceiro ano. Agora sou um velho e tenho pedido aos deuses guardiães de Roma que me permitam passar a vida que me resta com prosperidade, enquanto você se torna um homem e aprende a me substituir...".

Os deuses me negaram isto...

Eu havia nomeado Caio para aquele comando no Oriente que o seu pai biológico, Agripa, ocupara com tamanha excelência. Dei-lhe Marco Lélio como chefe do Estado-Maior. Na ocasião da sua partida, desejei ao querido rapaz:

— A integridade de Pompeu, a coragem de Alexandre e a sua própria sorte.

Ele poderia realmente ter sido como Alexandre.

Lívia ainda estava implorando que eu permitisse que Tibério retornasse para Roma, e achei que esta decisão deveria de direito ser entregue a Caio.

Caio respondeu sagazmente:

Como o senhor sabe, nunca me senti à vontade com meu ex-padrasto, mas a animosidade que ele desperta me inquieta... Outro dia, à minha mesa, alguém gritou:

— É só dizer, Caio, e irei até Rodes e trarei de volta a cabeça do Exilado.

Considero tais sentimentos perigosos, e naturalmente censurei o homem que disse isto. Lólio acredita que Tibério deva ficar onde está, porém devo dizer-lhe, senhor, que Lólio me decepcionou e desconfio de que ele aceite propinas; seus conselhos também nem sempre são úteis... Por outro lado, há rumores de que o próprio Tibério esteja cogitando traição. A questão é, portanto, difícil. Ele veio, por sua própria iniciativa, ver-me em Samos. Era de se esperar que, tendo vindo, ele fizesse um esforço para ser agradável, mas foi frio, sardônico e difícil como sempre. Disse-me que eu deveria insistir para que os meus oficiais se dirigissem a mim com mais respeito. A verdade é que ele não entende a maneira de ser moderna. Sempre me surpreende ver que ele está mais distante da minha geração do que o senhor, que é pelo menos vinte anos mais velho do que ele...

Informei imediatamente a Tibério dos boatos a seu respeito. Ele me respondeu requisitando que eu mandasse "uma pessoa honesta e responsável" para a sua casa, a fim de que eu pudesse receber informações detalhadas sobre o que ele dizia e fazia. Havia um tom desagradável de falsa humildade em sua carta, mas seu pedido era, sem dúvida, feito para desarmar suspeitas. Não que eu as tivesse. Conhecia Tibério bem demais. Ele nunca se rebaixaria tomando parte em conspirações. Todavia, tendo resolvido que Caio devia decidir o destino do seu antigo padrasto, passei o pedido de Tibério para ele. Caio imediatamente chegou à conclusão de que era preciso que

Tibério tivesse permissão para voltar a Roma "antes que ele se engasgue com sua própria dignidade", mas pediu que ele fosse excluído de qualquer atividade política. Diante das circunstâncias, era essa a decisão mais sábia; fiquei admirado com a precisão e com a maturidade de julgamento do rapaz; nenhuma outra decisão poderia proteger melhor os interesses do próprio Tibério, inclusive. A pressa com que Tibério voltou e a sobriedade que demonstrou foram provas de que ele mesmo reconhecia a sabedoria do julgamento de Caio. Na realidade não era difícil para ele se abster da política. A política jamais lhe dera prazer, e ele desprezava demais os políticos. Lívia se animou com a sua volta; era comovente ver mãe e filho juntos, ambos reticentes demais para demonstrar plenamente seus sentimentos e, contudo, resplandecentes no seu contentamento. Mas até nisto havia dor para mim; eles tornavam mais aguda minha percepção do que eu perdera com a conduta de Júlia.

Perdas... Júlia, e sua filha, também Júlia, que também se tornou uma prostituta e teve de ser igualmente banida para uma ilha... (O "poeta imoral", Ovídio, envolvera-se com as suas loucuras, e eu o mandei para Tomi, no Mar Negro. De lá ele me manda cartas cansativas, cheias de autocomiseração.) Mas estes foram sofrimentos meramente pessoais; os punhais só feriram a mim.

Lúcio morreu em decorrência de uma febre, subitamente, sem aviso, em Marselha, a caminho da Espanha. Nunca tivera a oportunidade de justificar a própria vida ou revelar seus méritos. Apenas eu sabia o que Roma perdera quando esta flor foi ceifada numa manhã de maio. Mais bondoso do que Caio, mais carinhoso do que Marcelo, honrado como Agripa, ele era um rapaz de infinitas possibilidades.

Sua morte significou um peso tão grande sobre Caio quanto a morte de Druso significara para Tibério. Ainda maior, porque Caio estava destinado a exercer uma autoridade que eu nunca considerara para os meus enteados, e ele era mais jovem também e, portanto, menos capaz de suportar tal peso.

Quando Lúcio morreu, Caio estava enredado na agitação eternamente recorrente da política da Armênia. Fraates da Pártia tinha sido assassinado em consequência de uma conspiração insuflada pelo seu filho Fraataces, que subiu ao trono instigando imediatamente uma revolução na Armênia, onde o repugnante e, como ficou provado, absolutamente indigno de confiança Tigranes foi coroado rei. Parecia que a Armênia escaparia à esfera da influência de Roma, mas o meu querido Caio agiu com determinação e rapidez exemplares. Primeiro chegou a um acordo com Fraataces. Não era o ideal, mas satisfazia os objetivos imediatos, pois a ameaça do poderio romano que Caio exibiu convenceu o rei oriental a abandonar seu fantoche armênio. Caio então avançou contra Tigranes, que foi morto fugindo de uma batalha perdida, e instalou Artabanazes, da Média, no trono. Em poucas semanas, ele havia revertido a situação e salvado nossos interesses. Ninguém teria feito melhor, e, animado pelo sucesso, Caio propôs uma expedição à Arabia. Ai de mim, ele foi ferido numa escaramuça de fronteira. Implorei-lhe para que voltasse à Itália e descansasse. Morreu em Limria, na Lícia.

Não há mais nada a dizer, nada a acrescentar ao fato impiedoso. Só chorei uma vez desde aquele dia, quando soube da loucura de Varo.

Apenas Lívia conseguiu me consolar um pouco na minha dor. Mas que consolo poderia haver? No Oriente me adoram como se eu fosse um deus, o que é uma loucura. Mas as minhas preces a Apolo e a Júpiter têm sido uma loucura semelhante, visto que eles me retribuem dessa forma...

Perdi o interesse em especulações religiosas desde a morte de Caio. Um dia destes até pensei: "Talvez Virgílio seja meramente o poeta dos nossos nobres sonhos ilusórios? Quem sabe se é o medíocre e meretrício Ovídio quem realmente diz a verdade a respeito da vida?"

Quando estou neste estado de espírito, chego perto do desespero. Por que lutar como sempre lutei se o final é pão dormido e água podre?

Já me peguei repetindo muitas vezes:

— Encontrei uma Roma de tijolos e deixo uma Roma de mármore. Sem dúvida o mármore durará; é algo de que um homem pode se vangloriar. Ouvi dizer que Marco Antônio, diante da sua derrota, pediu aos gritos:

— Outra noite extravagante! — conclamou. — Todos os seus tristes capitães... a zombar do sino da meia-noite.

Eu o invejo; não consigo enfrentar as Sombras com esse tipo de bravata...

Eu tinha sessenta e seis anos quando me trouxeram a notícia da morte de Caio. Há dez anos. Dez anos de um trabalho que parecia cada vez mais necessário, cada vez mais sem sentido. Mas é claro que isto é só um estado de espírito. Não posso negar o trabalho da minha vida, a restauração da estabilidade de Roma. Quando dou uma olhada no Império... Bem, por exemplo, na semana passada, quando eu estava velejando no golfo de Puteoli, encontramos um navio com um carregamento de milho vindo de Alexandria. Ao tomarem conhecimento da minha presença, os tripulantes se enfeitaram com grinaldas brancas e queimaram incenso, explicando que faziam isso, e que me desejavam boa sorte para sempre, porque deviam a vida e a liberdade de cruzar os mares a mim. Sem os meus esforços, disseram, teriam certamente sido vítimas de piratas. Fiquei tão comovido com a gratidão deles que dei a cada membro da minha tripulação e a todos os meus ajudantes quarenta moedas de ouro para gastar com produtos de Alexandria.

Naquela ocasião eu me lembrei do momento da minha vida em que senti mais orgulho. Foi há dezesseis anos, quando o Senado me proclamou "Pai da nossa nação", a proposta tendo sido feita por um velho inimigo, Messala Corvino, que havia lutado contra mim em Filipos. Em seu discurso ele disse:

— Que a prosperidade e a proteção dos deuses estejam contigo e com a tua casa, César Augusto, pois dizendo isto sentimos que estamos rezando pela prosperidade do nosso país e pela felicidade da nossa amada cidade. O Senado e o povo de Roma te proclamam Pai da tua nação!

Respondi:

— Pais Conscritos, realizei minha maior esperança. O que mais posso pedir aos deuses imortais senão que eu seja capaz de conservar a vossa aprovação unânime até o fim da minha vida?

Consegui isto, mesmo naqueles dias sombrios, quando recebi a notícia da loucura de Varo, mas os deuses zombeteiros me tomaram ao pé da letra e afastaram de mim sua proteção.

Eu não podia me ausentar dos negócios do Estado, apesar do meu luto por Caio. Era preciso fazer novos planos para a sucessão, para a transmissão de maneira ordeira do poder e da autoridade, de forma que o trabalho da minha vida não fosse destruído com uma nova guerra civil. Anunciei, portanto, minha intenção de adotar Tibério e o meu único neto sobrevivente, Agripa Póstumo, que ainda não tinha demonstrado sua incapacidade.

Tibério hesitou. Disse que a sua falta de disposição para desempenhar qualquer papel oficial continuava a mesma. Além disso, se ele aceitasse a adoção, teria de abandonar sua posição de chefe da família dos Cláudios e todos os privilégios inerentes à posição.

— E para quê? — disse ele. — Para ser afastado do caminho mais uma vez daqui a alguns anos, quando você resolver promover os interesses do seu neto?

— Tibério... — eu respondi, e parei.

Naquele momento senti pela primeira vez que o seu orgulho ferido não era a expressão de uma natureza ciumenta e egocêntrica, e sim algo honesto. Dei-me conta de que o tinha tratado injustamente. Talvez porque eu nunca me sentira à vontade com ele, somente agora eu via que ele era essencialmente um bom homem e compreendia que o seu ressentimento não era injustificado. Por outro lado — e esta é a última crítica severa a Tibério que constará destas memórias — eu tivera razão de pensar que ele não chegava a ser o governante ideal para o Império. Faltam-lhe a amabilidade e a sociabilidade que o papel de príncipe exige, pois ele não sabe falar com os senadores de igual para igual. Não faz muito tempo, eu me surpreendi murmurando:

— Pobre Roma, ser mastigada entre aqueles maxilares tão lentos...

Mas então usei argumentos diretos contra as suas objeções. Fiz o que era necessário, dirigi seu pensamento para questões práticas. Abri diante dele um mapa da fronteira do Norte.

— Veja — eu disse —, seu irmão Druso avançou aqui... Sua glória é imorredoura. — Este era o tipo de linguagem imponente que Tibério apreciava, e de qualquer maneira eu sabia que ele não conseguiria jamais resistir a elogios ao seu irmão. — Mas suas conquistas são menos garantidas. Nossos exércitos estão sendo pressionados pelo seu velho inimigo Marobóduo, chefe dos marcomanos, e, embora no ano passado o nosso general Lúcio Domício Enobarbo tenha alcançado o lendário Elba, neste verão ele está atrapalhado com os queruscos e as nossas linhas estão enfraquecidas. Quero que você, o maior general romano, revigorado pelo seu período de descanso, fique no comando de todos os nossos exércitos ao Norte. Não posso pedir isto a mais ninguém, primeiro porque não temos nenhum general com a sua competência, segundo porque não há nenhum general que não pudesse ser convencido, se obtivesse um grande sucesso, a tentar minar a estabilidade do Império. Em outras palavras, só posso confiar em você, Tibério.

Diante deste apelo, o que ele podia fazer senão aceitar?

A adoção foi concluída. Fiquei sabendo que Tibério se ressentiu dos termos que usei:

—Tendo o destino cruel roubado os meus filhos, Caio e Lúcio, para o bem da República, proclamo a adoção do meu enteado Tibério Cláudio Nero e do meu neto sobrevivente, Agripa Póstumo…

Porém, o que mais eu poderia dizer? Eu estaria insultando Tibério se não lamentasse o motivo da sua adoção. E ele sabia como eu sofrera com a morte dos rapazes. Para a minha surpresa, ele também tinha sofrido, e compôs uma elegia para Lúcio. (Um poema afetado e antiquado, mas que tinha a virtude da sinceridade.)

Tibério foi para o Norte, e a sua longa ausência cimentou a nossa relação. Nunca o considerei sociável; na verdade, não me importo de confessar que achava a sua companhia inibitória. Lívia certa vez me perguntou por que eu sempre interrompia o que estava dizendo quando Tibério entrava. Eu disse a ela que não havia percebido isso. Lívia respondeu:

— Acontece que você para de falar, e Tibério naturalmente pensa que estava sendo criticado…

— De jeito nenhum — respondi. — Como disse, eu não sabia que fazia isso, mas se você diz que faço, deve ser verdade, e a única explicação que me ocorre é que sempre imagino que Tibério achará a minha conversa frívola e por isso sinto necessidade de mudar de assunto quando ele entra. A verdade, minha querida, é que seu filho é um pouco intimidador.

Mas à distância nossa amizade e confiança mútua se fortaleceram. E apesar de suas cartas provocarem frequentemente o meu riso com sua fraseologia pedante, aprendi a dar valor aos seus conselhos. Aliás, escrevi para ele:

> Se aparece qualquer assunto irritante ou que exige uma atenção especialmente cuidadosa, juro pela Boca da Verdade que sinto falta de você, meu caro Tibério, mais do que posso pôr em palavras. E então os versos de Homero passam pela minha cabeça:
>
> Se ele viesse comigo, tal é a sua sabedoria
> Que escaparíamos da fúria do fogo.

Eu poderia também citar duas outras cartas, porque desejo de uma vez por todas desmentir os que afirmam que eu não valorizava Tibério:

> (...) Quando as pessoas me dizem, ou eu leio, que estas constantes operações militares estão lhe exaurindo, eu lhe digo que a minha pele fica arrepiada em solidariedade. Por favor, poupe-se mais. Se você ficasse doente, a notícia mataria sua mãe e me mataria, e o país inteiro tremeria com dúvidas sobre a sucessão. Lembre-se disso, meu tão valioso Tibério.
>
> (...) Minha saúde agora tem pouca importância comparada com a sua. Que os deuses o conservem em segurança e com saúde, porque se não o fizerem temo que tenham desenvolvido uma total aversão pela nossa amada cidade...

Se isso não for o bastante, não posso, usando uma expressão estranha que aprendi com Moragh: fazer por onde convencer os incrédulos...

Revi novamente meu testamento. A maior parte do meu capital irá para Tibério e Lívia, na proporção de dois para um. Ele deve adotar o nome de Augusto, e ela o de Augusta. Meu capital não é muito grande. Na verdade, não chega a mais de 1 milhão e 500 mil moedas de ouro. Desta quantia peço que deem quatrocentas mil ao povo romano, além de dez moedas para cada membro da guarda pretoriana e três para cada legionário. Evidentemente, tenho várias propriedades. A quantidade modesta de dinheiro vivo pode surpreender algumas pessoas, pois sabe-se que eu recebi cerca de quatorze milhões de moedas de ouro como herança nos últimos vinte anos. Mas quase tudo, bem como o que herdei do meu pai, do meu pai adotivo e de outros, tem sido usado para fortalecer a economia. Como registrei na minha declaração a respeito dos meus feitos, *Res Gestae*, ninguém jamais deu mais de sua fortuna pessoal a Roma do que eu...

A importância da volta de Tibério foi logo demonstrada quando uma rebelião estourou entre os panônios, na fronteira do Danúbio. Hoje em dia esta guerra é chamada de Revolta Batoniana, porque os dois líderes revoltosos chamavam-se Bato. Um deles fez-me sentir envergonhado quando disse a Tibério:

— Não admira que esta rebelião tenha acontecido, pois vocês, romanos, mandam lobos, não pastores ou cães pastores, para guardar os seus rebanhos.

Essa queixa impressionou Tibério e, como eu disse, doeu-me. Dei ordem a Tibério para que instaurasse uma investigação para descobrir se a queixa tinha base em fatos, pois tenho me orgulhado de uma coisa em especial: o meu regime baniu a espoliação das províncias, o que era um traço deplorável da antiga República; lembrem-se de Marco Bruto e seus juros de 48%.

Não obstante, esta Revolta Batoniana foi algo horrível, tão horrível que eu mesmo voltei ao campo de batalha e conduzi um exército até a fronteira nordeste da Itália, no caso de o inimigo romper as nossas linhas ou reforços serem urgentemente necessários. Felizmente Tibério dominou a situação com o auxílio do jovem Germânico e do cônsul Marco Emílio Lépido. Um dos Batos foi morto pelo outro, que se rendeu a Tibério no ano seguinte. Foi encarcerado em Ravena, mas concordamos em poupar sua vida.

Nada poderia ser mais digno de elogios do que a conduta de Tibério durante esta árdua campanha militar. Ele demonstrou ser o sucessor certo para Pompeu e Agripa. Eventualmente, toda a Ilíria, aquele vasto país fronteiriço com o norte da Itália, o Danúbio, a Trácia, a Macedônia e o Adriático, ficou sob o nosso controle. Propuseram no Senado que Tibério recebesse o nome de Panônio, mas vetei esta sugestão, dizendo que o meu enteado ficaria satisfeito com o título de Augusto que eu pretendia lhe transmitir.

Não fiz isto para privá-lo da honraria decorrente da sua vitória, mas para tornar claro que ele seria meu sucessor. Eu fora obrigado a reconhecer que conversas sobre a sucessão eram inevitáveis. O Império exige um Princeps, e nestes últimos anos tenho sido levado muitas vezes a discutir a sucessão. Poucos meses atrás, alguém veio perguntar a minha opinião sobre vários candidatos. Respondi que, enquanto Marco Emílio Lépido podia ser o homem indicado em alguns aspectos, era certamente orgulhoso demais, que Caio Asínio Galo naturalmente ambicionava o cargo, mas que as suas opiniões irrefletidas o tornavam inadequado, e que Lúcio Arrúncio, apesar de ser sem dúvida capaz de se aventurar, caso tivesse a oportunidade, era, na minha opinião, desclassificado por causa.... Vejam só, não consigo me lembrar do motivo de desclassificação que arranjei para ele. Contudo, sempre que se toca no assunto, faço questão de elogiar todos os candidatos mencionados e de descobrir alguma característica que os torne inadequados;

ou pelo menos eu os condeno pelo tom pouco convincente com que os elogio. Estou decidido, é claro, a me certificar de que Tibério assuma o cargo, e desejo que ele seja sucedido por Germânico, um jovem muito capaz, que herdou um pouco da ousadia do seu pai, Druso. Faltam-lhe o encanto e o temperamento bondoso de Lúcio e a capacidade intelectual de Caio, mas tem qualidades. Além do mais, é casado com minha neta Agripina, que parece ter escapado da mancha que corrompeu a mãe e a irmã. Consequentemente, meu sangue herdará o poder por meio dos filhos desse casamento. Discuti isto com Tibério e ele concordou; afinal de contas, Germânico é filho do seu amado irmão Druso. Só tenho dúvida a seu respeito em relação a um ponto: Tibério e eu concordamos que não se deve expandir mais o Império. Os horrores das florestas germânicas nos convenceram disto, e o próprio Tibério estabilizou a fronteira do Danúbio; mas Germânico é um jovem ardente. Tibério talvez tenha muito trabalho para controlar a ambição do seu sobrinho.

Eu tinha esperança de que o meu neto sobrevivente, Agripa Póstumo, pudesse tomar parte no governo do Estado. Ai de mim, não foi possível. Como já disse, ele cresceu grosseiro e estúpido, interessado apenas no atletismo e nos espetáculos de arena. Observando certo dia como ele lambia seus beiços carnudos com uma língua ávida diante de uma cena de morte, afastei-me dele. Tais espetáculos nauseantes são necessários para manter o povo satisfeito, mas é intolerável que um cavalheiro sinta prazer nisto. E ele também tem um gênio terrível, que não faz o menor esforço para controlar. Uma vez até bateu na própria avó. Foi então que eu decidi que ele não era feito para a vida civilizada.

ESTA É A HORA BREVE DO ANOITECER. O MAR ESTÁ COM UM TOM PÚRPURA profundo e as oliveiras erguem-se negras contra a luz que agoniza. A lua de verão nasce atrás do Templo de Minerva. Acabei de ouvir os primeiros chamados da ave de Minerva, a coruja caçadora. Que longo caminho percorri. Agora, em minhas reflexões secretas, perto da Morte, eu saúdo sejam quais forem os deuses que governam o mundo e os homens, e posso confessar a mim mesmo que realmente desejei o Império que consegui. Mas, seguindo os seus desejos, ninguém compreende o significado deles. Possuindo o Império o que eu encontrei? Certamente existem prazeres, há a consciência do dever cumprido, que sempre dá alguma satisfação, mas estes prazeres vêm sempre acompanhados, escurecidos e amargurados por ansiedades infindáveis e horríveis, pânicos constantes, milhares de inimigos secretos; desde que Agripa e Mecenas morreram, nunca mais conversei de igual para igual com homem algum. Durante mais de vinte anos! Vinte anos de um isolamento gelado, Virgílio previra isso e daí o olhar de intensa piedade que ele me dirigia. Apenas Lívia sobreviveu para me lembrar de que não passo de um ser humano... Apenas Lívia e eu. Não houve prazer sem uma dor que o acompanhasse, não houve descanso. Há quase sessenta anos eu não conheço um único momento de repouso verdadeiro.

Numa noite destas fiz o que não fazia havia vinte anos. Visitei Lívia em seu quarto. Ela olhou para mim assustada quando eu entrei, temendo que estivesse doente ou trouxesse más notícias. Mas eu sorri, coloquei os dedos nos meus lábios e depois nos dela e entrei na cama a seu lado. Ficamos muito tempo bem juntinhos, em silêncio; a última realidade.

Perto da alvorada, acordamos e conversamos tranquilamente durante duas horas, mas o que dissemos não pode ser revelado nem para a posteridade. Deixem-me repetir apenas que jamais conheci algo tão profundo e tão misterioso quanto o meu casamento. Ele me susteve e fortificou em todas as circunstâncias, e eu gostaria que todos os que amo tivessem um casamento assim.

Quando estava saindo do quarto, disse a Lívia:

— Viva, minha querida, consciente do nosso casamento e do que ele significou para nós dois.

Sem Lívia eu não poderia ter sobrevivido.

Na noite passada, Marco Antônio me apareceu em sonho. Encostou-se em mim e disse palavras elogiosas. Quando desapareceu, como acontece nos sonhos, foi como se uma tocha flamejante tivesse sido apagada, e acordei vazio, amedrontado, com uma sensação de perda.

Arrependemo-nos mais daquilo que não fazemos do que daquilo que fazemos.

Virgílio me guiará através das Sombras, e Cícero fará discursos. Serei confrontado pelos olhos vermelhos e acusadores?

VIAJAMOS VAGAROSAMENTE POR ETAPAS ATÉ BENEVENTO, PARA SAUDAR Tibério, que estava a caminho de Brundísio, de onde embarcaria para juntar-se aos nossos exércitos na Ilíria. Achei que não iria vê-lo mais e comecei agradecendo o seu apoio:

— Eu não poderia ter aguentado estes últimos anos sem você. A loucura de Varo, em especial, teria me destruído. Agora ouça, tenho informações dos meus agentes sobre o estado de ânimo na cidade... Resumindo, alguns se alegram com a proximidade da minha morte e já estão, ouvi dizer, tagarelando a respeito das bênçãos da liberdade... Ah, os crimes que se cometem em nome da liberdade! Outros, contudo, apreensivos, resmungando, expressam seu temor de uma guerra civil. Conheço-o muito bem, Tibério, e sei que tende a simpatizar com os que parolam sobre liberdade. Mas também sei que você tem bom senso demais para se render a eles. Você não pode se lembrar como era o que eles chamavam de Estado Livre; há quanto tempo, naquela inimaginável primavera, parece, ouvi Cícero usar a expressão fazendo as palavras rolarem dentro da sua boca como se fossem uma madura e suculenta ameixa. O Estado Livre não pode voltar sem a destruição do Império. Levei muito tempo, meu filho, para admitir o que havia realizado, embora Mecenas tenha me dito o que eu estava fazendo quarenta anos atrás. Em uma palavra, salve Roma e seu Império à custa dos privilégios da classe a que você pertence. Eles me odeiam por isto e não enxergam os benefícios alcançados concomitantemente. Vão odiá-lo também, mas, como eu, você não se importa muito com isso.

"Em relação ao perigo de uma nova guerra civil, tomei as precauções que podia. Você tem o comando direto dos exércitos; faça-lhes um donativo quando a minha morte for anunciada. Tente conseguir uma parceria com o Senado, mas lembre-se de que o Senado deve sempre vir em segundo lugar...

"Fiz outra coisa por você. Há dois meses, visitei a ilha onde meu neto sobrevivente, Agripa Póstumo, está confinado... Esperava que ele estivesse melhor... Esperava poder sugerir a você que o caso dele não é sem solução e que ele poderia até ser capaz de ajudá-lo a administrar o Império, como você me ajudou. Ai de mim, a visita foi inútil e dolorosa. Vi que o rapaz continuava grosseiro, violento e estúpido como sempre. Mais ainda do que antes. Nos seus momentos de serenidade, ele pesca satisfeito, mas o capitão da guarda me informou que tais momentos são cada vez mais raros. Ele passa grande parte do tempo violentamente encolerizado. Concluí, portanto, que é incurável, e deixei com o capitão ordens seladas para serem abertas na ocasião da minha morte. Nelas, ordeno-lhe que o meu neto seja executado... Você encontrará uma cópia ali naquela escrivaninha portátil...

"O que mais? Eles irão dizer que eu sou um deus. Que tolos. Somos eu e você os últimos homens em seu juízo perfeito num mundo enlouquecido? Você não fica perplexo com a decadência da sua raça? No passado eles nunca teriam pensado em chamar Cincinato ou Cipião de deuses. Estou cansado...

"Viu como está murcha a coroa de louros sobre a minha estátua? Lembre-se de Bato, cães pastores não são lobos... honre, ame e proteja sua mãe... e as crianças, as crianças de Agripina, que carregam a minha semente... não deixe que zombem de Cláudio, pobre aleijado; ele não é completamente tolo."

Começamos a viagem de volta para Roma no dia seguinte, ontem. Fiquei tonto com o movimento da liteira e paramos em Nola, ainda a uns 35 quilômetros de Nápoles. É uma velha casa da nossa família. Aliás, meu pai morreu aqui, talvez exatamente neste quarto. Preciso fazer alguém descobrir...

Trouxeram-me uma notícia: meu gato morreu ontem. Heródoto dizia que os antigos egípcios ficavam de luto quando seus gatos morriam: única coisa boa que já ouvi sobre eles.

Aquele museu que fundei em Capri, com os ossos dos gigantes, que estranho...

Providenciei para que Moragh se case com o meu ex-escravo Pitíades. Desta forma seu futuro deverá estar garantido. Ele é muito esperto.

Tantas lembranças, tantos pesares... não foi por minha culpa que Cícero foi morto, eu me responsabilizo, mas não me culpo... responsabilidade...

A noite se aproxima e é bom render-se a ela — HOMERO, *ILÍADA*, VII, 282

Na noite passada sonhei que quarenta jovens estavam me levando embora, e acordei sobressaltado. Bobo; suponho que fossem os pretorianos e que eu tenha vislumbrado o meu funeral...

HOJE FAZ 57 ANOS QUE EU ME TORNEI CÔNSUL PELA PRIMEIRA VEZ... Verei Caio e Lúcio nas Sombras, Marcelo sorrindo para mim, Agripa e Mecenas, Virgílio e Horácio... e não quero falar com Júlio César... Marco Antônio estará lá... agosto, meu mês, maduro de colheitas... sempre desejei uma morte rápida... disseram-me que a minha neta Lívila esteve doente, mas que já melhorou; Tibério está voltando de Brundísio às pressas... Lívia, lembre-se de quem você foi esposa... lembre-se. Os cavalos perto dos olivais e Marco Agripa me forçando a comer pão e queijo... cascas de castanhas em brasa são... tão poucas noites extravagantes... tanto trabalho... Varo, dê-me... cuspiram no chão quando... Farsa, farsa... Lívia.

ESTAS ÚLTIMAS PALAVRAS FORAM ANOTADAS PELOS ESCRAVOS E ACRES-centadas ao manuscrito por um editor desconhecido.

Augusto morreu no dia 19 de agosto, aproximadamente às três horas da tarde, no ano em que Sexto Pompeu e Sexto Apuleio eram cônsules. Morreu no mesmo quarto em que o seu pai havia morrido. Seu corpo foi levado para Roma, lentamente, fazendo paradas, viajando durante a noite por causa do calor. Em Roma, a procissão fúnebre seguiu a rota triunfal pela Via Sacra, e ele foi sepultado no mausoléu que ele mesmo construiu e que já continha o corpo dos seus filhos adotivos, Caio e Lúcio. Alguns dias mais tarde, Numério Ático, um senador de grau pretoriano, viu o Princepsmorto subindo aos céus, e o Senado decretou que ele se tornara um deus.

THIRLADEAN HOUSE, SELKIRK
Outubro de 1984 — março de 1986

ASSINE NOSSA NEWSLETTER E RECEBA
INFORMAÇÕES DE TODOS OS LANÇAMENTOS

WWW.FAROEDITORIAL.COM.BR

COLEÇÃO "OS SENHORES DE ROMA"

ESTE LIVRO FOI IMPRESSO
EM JUNHO DE 2021